S0-BNW-461

Solari Yrigoyen, Hipólito

Represión y reconstrucción de una cultura: El caso argentino / Hipólito Solari Yrigoyen / et. al. / comp. por Saúl Sosnowski. —1ª ed. — Buenos Aires: EUDEBA 1988.
244 p. — (Temas)
ISBN: 950-23-0406-3

Sistemas de Bibliotecas y de Información (SISBI) UBA

REPRESIÓN Y RECONSTRUCCIÓN DE UNA CULTURA: EL CASO ARGENTINO

Colección TEMAS

REPRESIÓN Y RECONSTRUCCIÓN DE UNA CULTURA: EL CASO ARGENTINO

Saúl Sosnowski
Compilador

Editorial Universitaria de Buenos Aires

Dibujo de tapa: Carlos Pérez Villamil

EUDEBA S.E.M.
Fundada por la Universidad de Buenos Aires

EDITORIAL UNIVERSITARIA DE BUENOS AIRES
Sociedad de Economía Mixta
Rivadavia 1571/73
Hecho el depósito que marca la ley 11.723
ISBN 950-23-0406-3
IMPRESO EN LA ARGENTINA

INTRODUCCIÓN

SAÚL SOSNOWSKI

Buenos Aires, diciembre de 1983. Las paredes estaban cubiertas por las proclamas y promesas de los afiches electorales. Cada tanto, tras los futuros edénicos aún se asomaban las siluetas con perfiles y fechas inequívocas. En la Plaza de la República, alrededor del obelisco, las manchas negras marcaban el diseño de los ausentes, el reclamo de la aparición con vida y de la justicia inapelable.

Fue en esa ocasión que les sugerí a varios escritores la necesidad de plantear en algún foro público qué había pasado con la cultura en los años del Proceso y qué proyectos cabía diseñar desde los inicios de la democracia; examinar qué se había logrado producir dentro del país y qué se publicó y se realizó en el exilio. La respuesta fue sorprendentemente unánime. Por un lado, me decían, había necesidades más urgentes; por otro, no se iban a sentar alrededor de una misma mesa los que se habían enfrentado desde las palabras y las acciones con avenidas, ríos u océanos mediante. El retorno de la democracia no era entonces lo suficientemente auspicioso para entablar el diálogo de las diferencias.

Cabía, pues, abandonar el proyecto. O trasladarlo al exterior. Su abandono fue rápidamente descartado por la persistencia de la idea. En la medida en que proliferaban los discursos sobre el retorno de un régimen y un espíritu democrático, se imponía —debía imponerse— la capacidad del diálogo, el derecho al disenso, el respeto por la discrepancia, y no su cancelación por la estridencia o el silencio. Es así, entonces, que comenzó a formularse el plan que llevó a un núcleo muy significativo de intelectuales argentinos a la Universidad de Maryland. En el Campus de College Park, a escasos minutos de Washington, coexistirían, se enfrentarían, se oirían y dialogarían —tendrían que dialogar— los que vivieron dentro del país y los que estuvieron en el exilio, los que apoyaban diversas soluciones políticas y sustentaban múltiples lineamientos ideológicos. Esta era la finalidad central de la convocatoria. La nómina de invitados no proponía la convergencia de voces simultáneas sino, al contrario, la capacidad de representación de una vasta gama de opiniones y experiencias en torno a la represión de la cultura argentina y las vías que se abrían para su reconstrucción.

La reunión fue fijada para los días 2, 3 y 4 de diciembre de 1984 y contó con el aval pleno de la Universidad. Los invitados recibieron un planteo general a modo de convocatoria (el texto correspondiente se transcribe en el Apéndice a esta Introducción). El programa quedó formulado de la siguiente manera:

I. *Contextos*: Participaron Hipólito Solari Yrigoyen, Tulio Halperín Donghi y Mónica Peralta Ramos. Moderador: Richard M. Morse.

II. *Cultura y poder*: Participaron José Pablo Feinmann, León Rozitchner y Beatriz Sarlo. Moderador: Tomás Eloy Martínez.

III. *Literatura*: Participaron Luis Gregorich, Jorge Lafforgue, Juan Carlos Martini y Noé Jitrik. Moderador: Saúl Sosnowski.

IV. *Las orillas de los exilios*: Participaron Tomás Eloy Martínez, Osvaldo Bayer y Liliana Heker. Comentó Adolfo Prieto. Moderador: Jorge Balán.

V. *Procesos de debate y reconstrucción*: Participaron Kive Staiff, Luis Gregorich, Hipólito Solari Yrigoyen y Santiago Kovadloff. Moderador: Saúl Sosnowski.

No pudieron asistir por diversas razones Manuel Antín, Aída Bortnik, Carlos Martínez Vidal y Osvaldo Soriano.

A cada panel le fue asignado medio día, lo cual permitió la participación de los otros invitados y del público, en su mayoría estudiantes y profesores universitarios, en una amplia sala diseñada para sesiones de trabajo.

El clima fue tenso ya antes de la inauguración. Se perfilaban estrategias de enfrentamiento y distensión; acusaciones por denuncias y silencios, por permanencias y desplazamientos geográficos; demandas de disculpas públicas y la concesión de magnánimos perdones, y algún "aténgase a las consecuencias si..." También era inevitable la proximidad física de todos los participantes y con ello la reducción de la distancia anhelada ante la incomodidad que imponía "el otro". Lo cual, si bien no limó las aristas más empedernidas, sí sugirió el microcosmos de la convivencia y la imposibilidad de ignorar la presencia del ajeno, del indeseado y, quizás en casos extremos, del percibido como cómplice del enemigo. Por otra parte, todos los participantes conocían la nómina de invitados antes de emprender el viaje. Llegar a Maryland marcaba entonces el primer acto de voluntad para discutir y, por supuesto, para oír las voces del disenso tanto dentro del marco más formal de las reuniones como en los interludios de los pasillos, las comidas y los agasajos.

Las ponencias responden en el plano más obvio de sus enunciados a las diversas posturas con las que se llegó al encuentro. Y así dan cuenta de los intereses, obsesiones, cargas, cargos, recriminaciones y culpas con los que en diferente grado de acentuación o ausencia se encararon problemas que claramente exceden la rigurosa firmeza del texto académico o la más porosa declaración testimonial. A pesar de la amplitud de la convocatoria, inevitablemente se retornaba, sin embargo, a un tema central: el exilio frente a la permanencia dentro de fronteras. Se encaró en ambos casos y a partir del conocimiento de la destrucción a la que había sido sometido el país —y el campo intelectual— y teniendo en cuenta las posibilidades, opciones o necesidades (literalmente) vitales de "salir" o "quedarse". El lugar de residencia en sí no fue motivo de pureza. Sí entraron en juego las prácticas ejercidas durante este período: qué se dijo e hizo frente a lo callado; qué uso y a qué manipulaciones estuvo sujeta la actuación de cada uno. Al replegarse sobre el plano de la dinámica acusación-defensa, el debate ideológico se instauró en un mecanismo homólogo, quizá, al cese de hostilidades —ocasionalmente de escasa duración— y a la entrada al auténtico juego político.

Lecturas meditadas, la reflexión pausada, la página montada sobre la documentación acusadora, la obligatoria e ineludible referencia a la primera persona, el recordatorio implacable, la invitación a entrar al futuro, la ampliamente justificada presencia de los desaparecidos, presos y torturados, las equívocas actuaciones y los gestos ambivalentes, el tono mordaz y el gesto sardónico, la mirada violenta y la postura azorada, marcaron diversas instancias del encuentro. También lo marcaron los rencores personales alimentados por las distancias de las declaraciones, las geografías y los años; el hábito perdido del disenso, la necesidad de imponerle el silencio a la oposición y aun al que deslizaba un mero desacuerdo. No sin notables escollos que hacían primordialmente al saldo de cuentas, se logró recomponer la capacidad de disentir entre aquellos que no debían ni podían olvidar que el enemigo real, el responsable de la era de las sangrientas tinieblas, no estaba en esa sala universitaria sino al acecho, instalado en una etapa aún endeble de recuperación formal y con sus estructuras institucionales humilladas pero intactas. Nadie, es obvio, lo había descontado. Una vez pasados los días y las semanas iniciales, cabe pensar que esos debates se sumaban a los sobrios festejos de una anticipada y conflictiva renovación que se negaba a tolerar el olvido.

Descripción de campo, mostración, análisis, justificación, eran modalidades de discurso que se proponían comprender las razones que llevaron a la violenta ruptura institucional del consenso básico que rigió a la Nación —con las interrupciones ampliamente conocidas— hasta 1976. Se estudiaron las conductas de los diversos segmentos de la sociedad argentina —particularmente de núcleos intelectuales— durante la dictadura y desde el retorno a las urnas, y la capacidad de reconstrucción de una sociedad civil. Pero aun el análisis más distanciado y desapasionado conllevaba el peso de la destrucción y la muerte.

Es convincente el argumento ya amplia y reiteradamente demostrado de que la implantación del plan económico liderado por el ministro José Alfredo Martínez de Hoz constituyó el verdadero plan político de los militares que interrumpieron la salida constitucional del caótico y resquebrajado régimen de Isabel Perón a escasos meses de las elecciones, y que éste fue apoyado por una visible franja de la sociedad que luego sería la más beneficiada por esa política. Es igualmente importante —con vistas a los futuros próximos— revisar la mentalidad que continúa asociando a las Fuerzas Armadas con "Patria" y arrogándole al poder militar el deber moral de "salvarla" y la función de establecer los vínculos entre la Patria —en su sentido "militar(izado)"— y la sociedad. Para lograr sus cometidos, la dictadura desarticuló los discursos civiles que en una democracia promueven la polémica y el libre ejercicio de la política, y asentaron su autoridad en el acatamiento o en el silencio de las celdas, de la disolución y de las tumbas. Su plan era, efectivamente, transformar al país para integrarlo a demandas internacionales compartidas por sectores nacionales bajo la invocación de una nación occidental y cristiana que había enfrentado y legítimamente derrotado ideologías foráneas y ajenas a sus fueros más íntimos. La guerra pasó de su fase militar al desmembramiento de los mecanismos cotidianos mediante la incertidumbre, la censura, la subversión de valores éticos, el terror y la infinitamente penosa contribución léxica de las desapariciones: el caos estaba sistematizado y regimentado también desde el anonimato. Todo lo cual —se reflexionaba desde el poder— y en un plazo indeterminado, llevaría a establecer firmemente un clima propicio para la implantación de la ideología militar mediante la fachada de un amplio poder civil. Éste ofrecería una verdadera alternativa viable frente a los partidos tradicionales en que se ven representadas las capas medias y los sectores obreros.

El poder militar trató de homogeneizar una sociedad que por su propia heterogeneidad de intereses se resistía a su aplanamiento en aras de un plan nacional único. La escasez de recursos, la magra supervivencia de vastos segmentos de la sociedad, no podían ser plegados voluntariamente a un destino enunciado por una estrecha cúpula financiera que ejercía mediante la violencia sus intereses multinacionales. Por ello, sólo la desmesurada imposición de la fuerza podía ejercer el nivel coercitivo suficiente para impulsar una economía fuera de control, detener con la ausencia de demandas salariales la apariencia de una distensión en las presiones sociales, y sostener un enfrentamiento militar mucho después de haber derrotado a los movimientos guerrilleros.

El destino nacional fulguraba en su falsa coherencia. La Patria inspirada y basada en la misión delegada por Dios, y ratificada por jerarcas eclesiásticos en homilías a los generales, también justificaba que la transgresión al orden político-militar fuera vista como pecado. La "subversión del orden estatuido", entonces, dejaba de ser cuestionamiento u oposición pasando directamente a ser actos de herejes o, en casos reservados, del anti-Cristo internacional hecho carne en el comunismo que para otras transacciones no pasaba por Moscú. Acento puesto en lo foráneo, por cierto, porque la institución nacional no concebía la existencia de enfrentamientos internos legítimos. Así se daba lugar a la fácil metaforización del cuerpo que debe extirpar el cáncer para sobrevivir. Con un instrumental menos metafórico, el terror estatal cancelaba, intentaba cancelar, aun las protestas del futuro.

La fiesta popular del Mundial del '78, los clamores desenfrenados, banderas, bocinazos y encuentros multitudinarios, sirvieron para las horas de las sonrisas y para la arrogancia de la falsa superioridad. Fiestas patrias, éstas, que confirmaban que las muecas que se elevaban ante la demanda de respetar los derechos humanos de su propia ciudadanía, se diluyeran en abyectas consignas, en la denigración de la Madres de Plaza de Mayo que elevaban sus legítimas redes de resistencia contra la fragmentación y disolución —esta vez sí— de sus familias. Pero fue precisamente con la asignación de la palabra "locas" que se comenzó a urdir en segmentos cada vez mayores la recuperación de la sensatez, de la racionalidad; el lento fin de la perversión oficial.

Los enfrentamientos se producían en múltiples niveles. (Dejo de lado la proyección ideológica, las sorprendentes alianzas latinoamericanas circunstanciales y la manipulación a la que fue sometido el país —al margen de legítimas reivindicaciones nacionales— en el caso de las Islas Malvinas en 1982.) Además del ejercicio categórico y final de las armas y las torturas, también cabía ubicar la re-semantización del lenguaje, las fluctuantes significaciones de las palabras y los símbolos. Terreno, éste, central para la mediatizada y distanciada producción literaria y su enunciación dentro del país y en el exilio.

Hasta ahora sólo se han delineado los primeros trazos que comienzan a efectuar el relevo de las características del imaginario de esta época. La literatura dentro de fronteras, se deriva de lecturas globales, podía ofrecer un refugio en sus propias búsquedas. No era un repliegue, sino búsqueda de sentidos ante la magnitud de las calles silenciadas por la represión. Lo escrito en el exilio podía explicitar esa violencia, pero ni una ni otra escenificación constituían en sí una base para juicios valorativos. Dentro *y* fuera se interrogaba y se tejía sobre y en torno a la historia argentina. En la etapa fundacional, en los enloquecidos y eufóricos 80 —cuyo centenario se conmemoró con ambiguas y contradictorias lecturas—, en episodios centrales del siglo pasado y comienzos de éste, en textos que continúan informando el presente, se tendían y distendían los interrogantes sobre un desarrollo fallido iniciado, más cercanamente, en la tajante interrupción del orden institucional de 1930, sobre los ensayos posteriores, sus claudicaciones y entregas, sobre el plural sentido del legado peronista desde su primer acceso al poder. El texto cifrado como estrategia respondió a los mecanismos de censura; también —e ignorando vastas y disímiles geografías— a las etapas que corresponden a las lecciones aprendidas de Borges y de Cortázar (para citar cumbres nacionales que modificaron sensiblemente, pero con propuestas y conductas distintas, la producción y lectura de todos los textos), y a las series literarias continuas a los años sesenta y a su devenir histórico hemisférico e internacional.

En algunos escritores, la cotidianeidad se articuló en la trivialidad reiterativa de lo familiar mediante mecanismos reactivos análogos a los empleados por las series televisivas con risas y llantos enlatados. En otros se dio en tomas de conciencia y en punteos hacia los interrogantes. En la literatura que perdura más allá del bestsellerismo y del momentáneo regodeo en los placeres inanes de las transgresiones toleradas, y hasta festejadas por los ávidos de las repeticiones, se registra centralmente el sentido del artificio que gobierna todo texto. A través de él se continúa indagando la perversión del poder, la historia, el caos regimentado, las aparentes arbitrariedades de lo que carece de sentido en los espacios que les corresponden a la sociabilidad y a la ética. El miedo internalizado, los mecanismos de censura objetiva y los más nebulosos, y por ello más temibles, de la autocensura, la autolegitimación, la maniobra populista y demagógica y la ubicación en la moda de los motivos anticipados, jugaron su papel en el sistema. Esos textos conservan aún, cuanto menos, el poder de la documentación de una era en vías de progresiva pero lenta superación. Mientras tanto, la decantación que ejerce la historia literaria y la porosa memoria del lector ya están seleccionando los textos especulares de la época con su repertorio de símbolos, alusiones e imágenes. Todo lo cual será sometido, claro está, a la perdurable política de las vanidades personales y a la ideologización de los gustos.

En Maryland, la lectura crítica de una época también impuso la revisión de declaraciones, conductas, pronunciamientos y abstenciones. El encuentro de Ernesto Sábato con el general Jorge Rafael Videla fue motivo de ásperas palabras; su muy encomiosa y fundamental tarea en la CONADEP, la razón de enjuiciamientos postergados o suspendidos en torno a ese mismo episodio. La actuación de los intelectuales exiliados contra la dictadura —notablemente la de Julio Cortázar, más allá de los presentes en Maryland— frente a la de los que permanecieron en el país, derivó en recriminaciones más personales que ideológicas, y también en los deseos encontrados por cancelar esa discusión en aras de una etapa posterior de la historia en democracia.

Si bien la causa primera de tal enfrentamiento es la represión sancionada, impulsada y sistematizada por la dictadura, también es cierto que hablar o callar ya era un acto de volición personal pasible de valoraciones éticas tanto como ideológicas. Por ello siguen importando para la historia intelectual de estos años los textos que organizan estas polémicas, como "La literatura dividida" de Luis Gregorich, las cartas públicas intercambiadas entre Cortázar y Liliana Heker, entre Rodolfo Terragno y Osvaldo Bayer, para citar unos pocos ejemplos. Si por un lado la escisión dentro-fuera pudo obedecer a intereses personales, también cabe considerar que en determinado momento se podía inscribir en la quiebra sectaria que remitía al de afuera a la "campaña anti-argentina" y que salvaguardaba al residente con la aureola de una escarapela protectora de la nacionalidad o, peor aún, con un táctico desconocimiento de su entorno.

Obviamente, el lugar de residencia no determinaba el valor ni la bondad de un texto literario. El exilio tampoco podía agregar o quitar al don de la escritura más allá del dramático "enriquecimiento" vivencial que suponen los traslados y las fracturas de la historia. Pero esas mudanzas —al margen del dato estrictamente personal— sí modificaban el cuadro intelectual del país con vacíos que se cubrían, o que quedaban denunciados aun más por la imposibilidad de cubrirlos. Como siempre, los lectores recibían la entrega de la mercadotecnia con una fuerte dosis dictatorial de ausencias y memorias forzosamente borradas. Y ello hasta el momento en que los nombres comenzaron nuevamente a desencadenar los cuestionamientos propios de la distensión que clausuraría casi abruptamente al régimen militar. Fue entonces cuando la literatura de desaparecidos y exiliados reingresó a los anaqueles y se abrió paso entre los volúmenes que habían proliferado en su ausencia.

El retorno de escritores promovió entrevistas y documentos ocasionales sobre las comunidades del exilio que aparecían junto al aluvión de fotos y datos sobre los crímenes de la dictadura —datos, estos últimos, también aprovechados cínicamente por algunas publicaciones que pocos meses antes se habían postrado ante deslucidas charreteras—. Sin embargo, y ya en democracia, no hubo, no se pudo, no se quiso, hacer un análisis riguroso de lo acaecido en el campo intelectual en un espacio que albergara un amplio espectro de opiniones. Más bien parecía que se anhelara que el "tema" —como tantos otros— cubriera una fugaz trayectoria y desapareciera entre las constelaciones retóricas de las tareas por realizar para una plena reconstrucción nacional.

En un país en que muchos cambios trascendentales sólo se efectúan mediante planes a largo plazo (y raro cumplimiento), no parecía haber tiempo para reflexionar. En pocos meses ya había caducado el interés por "el exilio". No es preocupante la transitoriedad de las modas; sí lo es cuando hablar de las sinuosas fracturas a las que fue sometido el país es materia de rápida digestión y descarte. Por ello, en múltiples sentidos, fue valiosa la venta masiva de *Nunca más* y la lectura cotidiana e insistente del juicio a los generales de las juntas del Proceso. No sólo porque al igual que con el entusiasta ejercicio de las urnas muchos creyeron exorcizar el pasado lavándose en democracia, sino porque esas lecturas demoraban un poco más la partida de la memoria histórica. Y es en este plano que se acercan los segmentos fracturados para escindir entre los que actúan sobre las causas que produjeron el saqueo de la dignidad, y aquellos que se niegan a saber, o que ya prefieren olvidar en un silencio que vuelve a repercutir no sólo como cansancio sino como complicidad.

El recuerdo de la destrucción —que practican numerosos pueblos que han heredado la conciencia histórica como patrimonio cultural— no tiene como fin congelar la historia en segmentos ritualizados ni proscribir al presente. Resulta inaceptable, desde esa misma percepción y acatando el peso ineludible de la historia, que se soslayen hechos que hacen a este presente inmediato en aras de una acción política contingente que no puede —no debe— estar desligada del derroche de violencia y omnipotencia que caracterizara a la Argentina autoritaria. Y es así porque al hablar de la represión y la reconstrucción de la cultura no sólo los libros están siendo sometidos a minuciosas lecturas, sino también todo aquello (todos aquellos) que hace a su producción.

Si por un lado nos interesa centralmente la dispersión de las palabras y la recomposición de lo desmoronado y articulado en otras formas de la supervivencia, este interés se pluraliza al comprender lo evidente: que la expulsión de las letras repercutía porque también excluía al intelectual de la sociedad civil. El pensamiento crítico, la disidencia y la opinión no uniformada se habían plegado a la visión del enemigo que debía ser acallado. Pasar por alto la discusión de esta etapa no sólo escatimaría el conocimiento de una de las armas del Proceso, sino que contribuiría a su tardía victoria. Dentro/fuera, exiliado/no-exiliado no son, entonces, meras categorías de un debate sostenido por facciones que intentan estigmatizar, vindicar una conducta, o fijar las absolutas reglas éticas del porvenir. Tampoco son parte de una curiosidad académica parcializada ni una discusión coyuntural. Apuntan —dicho así, en tiempo presente y augurando continuidad— a la obtención de un sentido claro de la historia más próxima. Sólo de este modo los planteos orgánicos a mediano y largo plazo no se diluirán en la indefinición de bases que deben estar asentadas en el saber de la sociedad civil.

La efusión popular ante los triunfos nacionales no deja de tener el encanto pasajero de la espontaneidad. Sus reiteraciones y perdurable insistencia también tienen el doble efecto de aturdir y de traer a la memoria convocatorias menos saludables que las promovidas por el deporte. Por ello se impone nuevamente la reflexión sobre la manipulación, sobre el gesto demagógico, sobre la facilidad con que se gana la calle para...?

En este interrogante es donde también se instalan estas páginas. El encuentro en Maryland tuvo el privilegio de ser un escenario de disensión, de dramáticos gestos que no se clausuraron con sostenidos silencios sino que perduraron en la discusión febril de las discrepancias. Esto permitió la catarsis de búsquedas internalizadas; brillantes argumentos junto a frases dubitativas; expresiones de acción mancomunada y de esperanzados futuros. Se oyeron juicios morales y explicaciones sobre el entorno que recorría sensiblemente al yo obsesivo de algunos participantes. Allí se pluralizó el diálogo normal de una sociedad civil.

Como todos los tiempos son los mejores, y también los peores, durante los días del Encuentro se ejercieron la fe, la esperanza y el escepticismo; se invitó a la triunfante acción unificadora para proteger a una frágil democracia; se exigió sin claudicaciones su fortalecimiento mediante el juicio a los violadores de los derechos humanos. Crónica hilvanada sin puntos finales más que arribo a una inexistente utopía, el diálogo pasó a inscribirse en la obligada reflexión y análisis sobre la responsabilidad individual *y* colectiva en la continua concatenación de los hechos.

Todo ello ocurrió en Maryland, un lugar ya central a miles de kilómetros de la Argentina, el lugar que era el anticipado escenario y el destinatario último de todas estas voces.

Saúl Sosnowski
College Park, diciembre de 1985

Posdata: Del 12 al 15 de agosto de 1986, en el Centro Cultural General San Martín, pudo por fin efectuarse en la Argentina el encuentro "Argentina: represión y reconstrucción de la cultura. Segunda parte".

APÉNDICE

Texto que acompañó a las invitaciones enviadas a los participantes en REPRESIÓN Y RECONSTRUCCIÓN DE UNA CULTURA: EL CASO ARGENTINO

Las múltiples y dramáticas convulsiones que alteraron la reciente historia de la Argentina han repercutido también en el campo cultural. No hubo manifestación alguna de la cultura que lograra permanecer al margen de la violencia ni quedar incontaminada por un proceso de divisiones políticas cuyas raíces están en un pasado ya no cercano. Y, por supuesto, la producción cultural fue registrando las más diversas respuestas a las arrogancias y represiones del poder.

Si bien muchas reflexiones de los años pasados parecen inconciliables entre sí, queda todavía disponible un vasto espacio para el diálogo, la discusión razonada, franca y desprejuiciada sobre algunos temas básicos: ¿Qué ha sucedido con la cultura argentina en la última década? ¿Qué fue destruido y qué puede reconstruirse ahora?

El exilio de muchos intelectuales a partir de mediados de los 70 como reacción ante factores diversos (censura, represión, listas negras, amenazas a la seguridad personal) abrió una polémica, feroz a veces, entre los que permanecieron en el país y los que se fueron. Hubo recriminaciones mutuas, acusaciones tácitas o explícitas de colaboración y complicidad con el proceso militar —por un lado— y de apoyo, por el otro, a "campañas para desacreditar la imagen internacional de la Argentina". Tampoco faltaron las declaraciones que defendían como argentina sólo a la cultura producida en el exilio, y las que afirmaban que no debía tomarse en cuenta sino la cultura que se manifestaba dentro del país.

Ciertos fenómenos políticos contribuyeron a oscurecer la discusión: el aumento de la represión militar, que silenció a todas las voces opositoras; la manipulación de las opiniones nacionales a través de los medios de comunicación masiva —supeditados a la voluntad y al control del régimen—; el febril y enceguecido patriotismo que se desató durante el Campeonato Mundial de Fútbol en 1978 y durante la guerra de las Malvinas en 1982, y que no consintió ninguna disidencia. El análisis, la discusión se tornaron imposibles; la pasión impedía oír la voz del "otro".

La incorporación del país a la democracia ha ido permitiendo que se inicie una lectura más minuciosa de lo que sucedió en el campo cultural. Si bien, dirán algunos, se requiere más distancia temporal para estudiar los múltiples componentes y factores que han influido sobre el proceso histórico de estos años; más elementos de juicio para observar los cambios que se produjeron desde el 10 de diciembre de 1983, consideramos que *ahora es el momento de hacerlo*. Postergar un diálogo como éste es postergar también el aporte de opiniones, ideas y puntos de vista que contribuyan a la reconstrucción cultural del país.

Una "mesa redonda coyuntural" tiene, por cierto, el riesgo de toda coyuntura. Pero no hay discurso que no se (auto)defina en su época y en su contingencia. El carácter coyuntural del encuentro que realizaremos en la Universidad de Maryland se tornará más palpable aún (y más beneficioso) cuando se lo reconozca como tal en los próximos años, cuando sea otro signo de las apuestas a la convivencia democrática que han surgido en estos meses.

El encuentro no se basa sobre una utopía de la reconstrucción, ni mucho menos sobre la ingenua esperanza de que servirá para cancelar rivalidades; tampoco para que se neutralicen opiniones opuestas. El encuentro se afirma sobre la necesidad imperativa de superar los monólogos dirigidos sólo a correligionarios y de soslayar las ideologizaciones drásticas e intolerantes.

Han sido invitados a participar en esta reunión intelectuales que, desde posiciones políticas distintas y a través de sus también diversas actividades profesionales, reflexionaron o se pronunciaron sobre los temas que habremos de discutir. A los testimonios personales se sumarán, pues, las interrogaciones sobre las circunstancias y el contexto histórico, económico y social dentro del cual se produjeron los actos de violencia más extrema de la historia argentina.

El encuentro se propone indagar también las causas que desencadenaron lo que se conoció como el Proceso, el papel representado por el peronismo en los últimos 40 años, las formulaciones y planteos ideológicos de los partidos políticos, las agrupaciones sindicales, los sectores empresarios y las organizaciones guerrilleras.

Antes de analizar el campo cultural, será imprescindible revisar la transformación de las instituciones, desde la asfixia de todo el mecanismo democrático hasta el desmantelamiento de los recursos universitarios. Esta revisión será confiada a un panel de historiadores, economistas y sociólogos.

Los otros paneles estarán integrados por intelectuales que analizarán la escisión de la cultura para determinar hasta qué punto tal escisión fue resultado de las polarizaciones ejercidas por la dictura militar y sus aliados civiles. Más allá de un inventario descriptivo, las preguntas tenderán a establecer el *sentido* de las transformaciones, tanto en el campo de las ciencias y de la creación artística como en los medios de comunicación, la industria editorial, la industria cinematográfica y el canto popular. Y, a la vez, se estudiarán las respuestas que se fueron dando, paulatinamente, en cada uno de esos campos.

Reflexionar sobre la producción, difusión e impacto de las manifestaciones culturales impone también una serie de interrogaciones sobre las variantes textuales entre lo que se hizo *dentro* y *fuera* del país, así como el significado que los textos proscriptos por la censura adquirieron después, cuando pudieron ser recuperados por el público argentino.

Una vez concluidos los análisis parciales se estudiarán las respuestas que cada discurso cultural ha dado sobre las transformaciones del país como tal. En la sesión final —y disponiendo ya de los materiales elaborados por cada panel— se plantearán las posibilidades de formular una consideración global y abarcadora sobre lo que se produjo dentro de la Argentina y en el exilio, como elementos componentes de una cultura argentina sin orillas ni líneas divisorias.

ANTIDEMOCRACIA Y DEMOCRACIA EN LA ARGENTINA

HIPÓLITO SOLARI YRIGOYEN

La República Argentina de estos días de diciembre de 1984 no es un país que se dirija hacia la democracia. Vive en democracia plena desde hace un año cuando asumieron las autoridades electas que surgieron de los comicios del 30 de octubre de 1983. El gobierno que preside Raúl Alfonsín es legítimo porque ha surgido de la voluntad del pueblo, en cuyo seno reside la soberanía.

En la Argentina actual rige la plena vigencia de la Constitución Nacional, la división de poderes que ella establece y el respeto irrestricto de todas las garantías y libertades consagradas en su texto. El ciudadano argentino puede hoy pensar, querer y ejecutar todo lo que desea dentro de los límites constitucionales. Pero, pese a lo dicho, la democracia argentina es débil, porque es una democracia recién nacida. Para robustecerse le falta la dimensión del tiempo que tienen, por ejemplo, las democracias de Costa Rica o de Venezuela, porque la democracia sólo se desarrolla y afianza con su ejercicio.

La democracia perfecta no existe y los hombres debemos trabajar todos los días para perfeccionarla. La tarea que nos espera a los argentinos para lograr instituciones estables, es inmensa. La tierra prometida para nosotros tienen un azaroso camino de acceso. Nada será fácil y será un signo de madurez que quienes no lo han hecho ya, acepten renunciar a la tesis de lo providencial. El único milagro será el esfuerzo de todos para reconstruirlo todo. Tenemos la decisión política de hacerlo. Hemos emprendido la tarea, y sin caer en triunfalismos podemos decir que muchas cosas han cambiado favorablemente para los argentinos en el último año. El futuro es precisamente nuestro desafío. Pero el futuro ya no es una amenaza sino una esperanza. Está en nosotros convertirla en realidad.

Del autoritarismo a la democracia

La Argentina que quedó atrás con las elecciones del 30 de octubre de 1983 es una Argentina despótica y decadente que, particularmente en la etapa de los últimos años, vivió una orgía de barbarie. La Argentina autoritaria moderna nació el 6 de septiembre de 1930 cuando los militares irrumpieron en la vida política del país, derrocando al gobierno constitucional de Hipólito Yrigoyen. En esa fecha comenzó el período militarista en el que el poder militar dominó la Nación, desterrando al poder civil a un rol débil y secundario. El militarismo, que es una deformación de las fuerzas armadas, se caracteriza por la preponderancia de los militares, su política y su espíritu, sobre la vida de una nación.

Sería superficial e ingenuo decir que desde 1930 hasta 1983 todos los gobiernos fueron similares. Por el contrario, los hubo de signo opuesto, pero lo que caracterizó a este período es que los militares gobernaron por sí mismos, o lo hicieron mediante gobiernos delegados, o lisa y llanamente derrocaron a las autoridades que no fueron de su agrado. En este lapso se incubaron y desarrollaron los elementos autoritarios de la moderna sociedad argentina. Al mismo tiempo que la violencia pasó a ser un elemento fundamental de la vida política. La empleó el gobierno contra sus opositores y a veces éstos contra el gobierno. La tortura, la represión salvaje, la persecución al disidente, su silenciamiento por cualquier método fueron ingredientes que se habituaron a convivir con los argentinos.

Los cortos interregnos civilistas no alcanzaron a desarmar el artefacto explosivo de la violencia. La sociedad quedó frecuentemente fracturada en sectores irreconciliables. Hasta el golpe de estado del 28 de junio de 1966, los militares que usurpaban el poder aducían la necesidad de un rápido restablecimiento de la democracia. Pero en esa fecha el general Onganía sostuvo que la denominada "revolución argentina" que él presidía, no tenía plazos sino objetivos y que se quedaría en el gobierno cuantos años hiciera falta para lograr los mismos. Sus proyectos se desmoronaron frente a la obstinada búsqueda democrática del pueblo argentino. Onganía fue reemplazado por el general Levingston y éste por el general Lanusse, quien condujo al pueblo hacia las elecciones de marzo de 1973. Pero el país ya estaba sumergido en un mar de violencia.

Diversas organizaciones guerrilleras, alentadas por los coletazos románticos de la Revolución Cubana de 1959, actuaban en el país y pretendían, a su vez, sustituir con el ejercicio de la fuerza la voluntad soberana del pueblo y las instituciones republicanas. El gobierno constitucional que asumió en mayo de 1973 se mostró incapaz de pacificar al país. La ley de amnistía sancionada con ese objetivo en las jornadas iniciales del período legislativo fracasó en sus resultados. La guerilla la aprovechó para reorganizarse, los mandos militares para volver a conspirar y surgieron a la escena organizaciones paramilitares que eligieron al terrorismo como método, actitud similar a la asumida por las organizaciones guerrilleras.

Todo este período se caracterizó por una degradación institucional constante y por el desprecio hacia la dignidad del hombre. Quienes osaban levantar la voz contra la muerte, como yo lo hice en el Senado de la Nación denunciando las torturas y los crímenes, eran calumniados y se les atribuía ideologías o actitudes contrarias a sus creencias. La violencia del terrorismo guerrillero o la mucha más grave del contraterrorismo de

Estado, eran vistas con un solo ojo, según fueran las simpatías del observador.

El terrorismo guerrillero fue combatido con métodos ilegales y fue utilizado por los mandos militares como pretexto para lanzar una represión indiscriminada contra la sociedad no violenta que sostenía un pensamiento progresista, fueran sus integrantes peronistas, radicales, cristianos, marxistas, o lo que fueren. La fuerza lo podía todo. Desde aniquilar al enemigo, hasta convertir a la mentira en verdad con el dominio de los medios de comunicación y el desenfreno de la censura y autocensura. La democracia deteriorada tuvo una última oportunidad de rehabilitarse con las elecciones que debían tener lugar a fines de 1976. Pero las fuerzas armadas, por intermedio de sus mandos, terminaron con alzarse con todo el poder —ya detentaban una parte considerable, por aquel entonces— y dieron el golpe de estado del 24 de marzo de 1976.

La Argentina entró en el período más negro de su historia. Se registraron las más graves y sistemáticas violaciones a los derechos humanos. Una justicia controlada, complaciente o en el mejor de los casos impotente, desprotegió a los ciudadanos frente a los abusos de poder y al terror institucionalizado.

El país presenció la convalidación judicial de hechos aberrantes, la desaparición de miles y miles de personas, las detenciones de otras miles por mera decisión administrativa que las ponía a disposición del Poder Eecutivo, juicios arbitrarios en los que la jurisdicción castrense reemplazaba a la civil, la tortura generalizada, regímenes carcelarios inhumanos, confiscación y robo de bienes y una diáspora de argentinos que buscó en otros países la seguridad y la libertad que le habían escamoteado en el nuestro.

Al amparo de esa represión sin límites una minoría detentó el poder de Estado, poniéndolo al servicio de sus intereses y de la concentración del capital y del empobrecimiento del pueblo. Estos juicios no son expresión retórica sino que están avalados por estudios económicos profundos y detallados cuyo análisis escapa al objeto de este seminario y de mi disertación.

La lucha popular por la reconquista democrática fue tenaz pero desigual. Pero el régimen fracasó en todos los frentes y su creciente deterioro concluyó con la derrota en la aventura belicista de las islas Malvinas, fundada —debe aclararse— en la justa reivindicación de nuestros derechos sobre ese archipiélago y sobre las islas Georgias y Sandwich del Sur. La dictadura terminó por desmoronarse y todos sus planes continuistas se esfumaron. Ya en retirada el régimen convocó a elecciones generales y el pueblo en ellas recuperó su soberanía y la democracia anhelada.

Una democracia con rasgos inéditos

Generalmente los gobiernos constitucionales que suceden a regímenes de facto comienzan dictando una ley de amnistía para abrir una nueva etapa en la vida de la nación, cerrando así el ciclo anterior. El gobierno constitucional que preside el doctor Raúl Alfonsín ha iniciado su período de una manera inédita. No sólo no propició una amnistía sino que elevó y obtuvo la derogación por el Congreso de la ley de olvido que el régimen de facto se había dictado para sus delitos, pero que beneficiaba también parcialmente a la violencia insurreccional.

Entendió el gobierno que cada uno en la democracia debía asumir sus responsabilidades por lo actuado en los años anteriores. La legitimidad de los objetivos que se hubieran planteado quienes usaron la violencia en la vida política del país, no podía servir para intentar justificar la ilegitimidad de los métodos empleados. Se abrieron los estrados de la justica para esclarecer la verdad y castigar a los culpables y el gobierno designó la Comisión Nacional sobre la Desaparición de Personas para reunir las pruebas con toda la celeridad del caso. Esta entidad gozó de las más amplias facultades y desarrolló una labor encomiable que permitió el envío a la justicia de miles de nuevos casos de graves violaciones a los derechos humanos.

Otro aspecto también inédito del nuevo gobierno constitucional, que se relaciona con el anterior, ha sido el procesamiento de los integrantes de las juntas militares que gobernaron el país desde 1976 hasta 1983, así como también de los dirigentes principales de las organizaciones guerrilleras. Lo habitual era que los gobiernos de facto juzgaran a los civiles desalojados del poder y no la situación inversa de que sea un gobierno constitucional el que envíe a la justicia a los máximos responsables del régimen de facto que lo precedió. Esta actitud implicó también el rechazo práctico de la doctrina de facto que la Corte Suprema de Justicia venía siguiendo desde 1930 para intentar legitimar a las autoridades surgidas de los golpes de estado. La idea del gobierno al ordenar el procesamiento de todos los ciudadanos mencionados ha sido que la violaciones extremadamente aberrantes de los derechos que resguardan la esencia de la dignidad humana, en que incurrieron el terrorismo y el todavía más reprobable contraterrorismo represivo, no deben quedar impunes.

Hoy se está juzgando en los estrados de la justicia a quienes en el pasado reciente sembraron el terror, dolor y muerte en la sociedad argentina. Los sectores afectados por esta medida realizan una intensa campaña contra la decisión gubernamental, lo que implica reconocer que el camino elegido por el gobierno no ha estado exento de coraje al tomar la decisión.

El antiguo delito de rebelión ha sido convertido en atentado al orden constitucional y sus penas fueron considerablemente agravadas. También se castiga la amenaza pública y seria de cometer el hecho y se suspende la prescripción de la acción penal mientras dure la interrupción del orden constitucional. La tortura ha pasado a ser castigada con iguales penas que el homicidio y se han sancionado una serie de leyes que aseguran la protección integral de los derechos humanos. Entre ellas fueron aprobados el Pacto de Derechos Civiles y Políticos, el Pacto de Derechos Económicos y Sociales del Protocolo Facultativo y el Pacto de San José de Costa Rica, que establece la jurisdicción obligatoria de la Corte Interamericana de Derechos Humanos. De tal modo la comunidad internacional se ha hecho garante y control del resguardo de los derechos humanos en la Argentina.

Estas y otras normas que han dejado atrás al país autoritario han levantado y sigue levantando la oposición abierta o encubierta de sectores minoritarios que estuvieron vinculados a él. Entre éstos no puede dejar de mencionarse a algunos integrantes de las Fuerzas Armadas y a expresiones extremistas de la prensa, añoradores de despotismo, que ven con razón que el objetivo primordial de las medidas impugnadas se dirige a erradicar las causas que explican la inestabilidad política argentina en los últimos 53 años. Las disposiciones tomadas son fundamentales en tal sentido, pero no son las únicas ni las últimas que habrá que tomar para afianzar al sistema constitucional.

La participación popular y la unidad nacional

Uno de los rasgos que han caracterizado a ciertos períodos constitucionales anteriores ha sido el de contentarse con los límites de una democracia formal. Ésta era una democracia imperfecta en la que el pueblo elegía sus autoridades y luego desaparecía de la escena hasta la futura ocasión en que tuviera que reemplazarlas. El restablecimiento de una democracia formal no hubiera permitido al país remover los ingredientes totalitarios que anidan en la sociedad argentina. Es ésta una tarea que adquiere las características de cruzada para poder lograr que en poco tiempo la democracia rija a todas las organizaciones intermedias y penetre hasta los lugares más recónditos de la estructura social. La democracia no se nutre sólo del sufragio ni se desarrolla solamente en los partidos políticos. Debe abarcarlo todo.

No hay democracia con ciudadanos pasivos. Es indispensable la participación popular activa para superar los defectos de una democracia formal y convertirla en una democracia participativa. Es ésta una nueva exigencia de los tiempos que vivimos y que se orienta hacia la decisión asumida de vivir definitivamente en democracia.

La consulta del último 25 de noviembre para que el pueblo opinase sobre el conflicto mantenido durante más de un siglo con Chile en la región austral, mostró el deseo de la inmensa mayoría de los ciudadanos de ser protagonistas en los temas fundamentales del país. En la Argentina el sufragio es obligatorio y no hay tradición de voto facultativo, como lo fue en la reciente consulta popular. Pese a lo cual más de un setenta por ciento del electorado concurrió a las urnas y el voto por Sí, que expresaba el acuerdo con el tratado firmado con Chile, obtuvo el 82% frente al No que sólo recogió el 17% del apoyo popular. Fueron particularmente los jóvenes los que no quisieron sustraerse al ejercicio democrático de emitir el voto. Ellos son, tal vez, los más interesados en ocupar el espacio que les pertenece y que les fue negado por la marginación obligatoria impuesta por los regímenes de facto. A través de la consulta doce millones de electores participaron de un debate, trascendente para el país, que, de no haber existido aquélla, hubiera quedado reducido a un grupo de unos cinco mil técnicos o especialistas en el tema y a unos trescientos parlamentarios.

En las elecciones sectoriales que han tenido lugar en las universidades y que se están desarrollando en los sindicatos se evidencia el mismo afán participativo de los ciudadanos. En las organizaciones profesionales de trabajadores, pese a las imperfecciones de una ley de fondo, todavía no modificada, que no prevé la representación de las minorías, se han presentado numerosas listas y la afluencia de votantes es enorme. Esto contrasta con los hábitos escasamente concurrencistas de las elecciones celebradas con anterioridad a la dictadura militar. Hábitos que, por otra parte, estaban alentados por normas y prácticas que restringían la participación de los grupos opositores a las burocracias sindicales establecidas.

Otro de los rasgos que han caracterizado a algunos de los períodos constitucionales anteriores ha sido la democracia restringida, la limitación o el desconocimiento de los derechos de la oposición, el tutelaje de las opiniones para evitar las críticas, el control absoluto de importantes ámbitos de la vida social, la intolerancia y la prepotencia del que ejercía el poder. Así fue como democracias de origen terminaban asemejándose a las dictaduras por las prácticas empleadas. Frente a estos desviacionismos se levanta otra concepción que es la de la democracia plena que hoy impera en la Argentina. El país vive en libertad y todos los habitantes tenemos la obligación de velar para que sigamos avanzando por este camino. Cada argentino debe asumir su cuota de responsabilidad en la materia.

Nuestra idea de la Argentina es inseparable de la libertad. Pese a lo ocurrido en las últimas décadas, signadas por lo arbitrario y lo irracional, el país atesora una rica tradición de libertades públicas. En ella debemos alimentarnos para desarrollar nuevas libertades, para alentar la imaginación y la creatividad, para que la modernización y la innovación no enfrenten obstáculos y para que podamos encontrar nuevas ideas que nos permitan vivir mejor. Quienes esgrimen la coacción, el elitismo y la uniformidad ideológica son minorías extremistas que nunca deben convertirse en una emenaza para el país todo.

La democracia para la transformación

En pasadas ocasiones, los sectores elitistas de la oligarquía usaron como un arma fundamental de la desestabilización de los gobiernos democráticos, los enfrentamientos estériles entre los movimientos populares. El que estaba en el gobierno atacaba al que estaba en la oposición y éste en más de una oportunidad realizaba una prédica disolvente contra el poder legítimo. Ni uno ni otro tenían bien en claro quién era el enemigo. Cuando sobrevenía el golpe de estado ya era tarde: todos pagaban el precio del error. La represión alcanzaba a todos a su turno. Las pujas partidarias eran puestas por encima de la defensa del sistema constitucional.

Después del golpe de estado de 1966, con la creación de "La Hora del Pueblo", el país fue evolucionando hacia una convergencia de unidad nacional. Pero la misma no tuvo la fuerza suficiente como para cambiar el rumbo y evitar los golpes de estado, como se vio en 1976. La barbarie represiva que vivió la Argentina en los últimos años ha acentuado la necesidad de poner en marcha una acción que supere los enfrentamientos entre los sectores mayoritarios del pueblo argentino.

Por encima de las lógicas divergencias de enfoque que deben tener los partidos populares, debe existir una coincidencia para afianzar y desarrollar el sistema constitucional. No se trata de defender a un gobierno sino a un sistema de gobierno. La democracia requiere de la sensatez, del diálogo y del entendimiento en aspectos fundamentales. También necesita de la crítica y de la controversia. Nadie tiene la verdad absoluta. En los aspectos vitales de la Nación debe primar un espíritu de unidad nacional. Los lógicos y apasionados debates coyunturales de la vida política no deben hacernos perder de vista a los argentinos la necesaria coincidencia en los grandes temas y especialmente en la salvaguarda del sistema republicano. Lo contrario implicaría un nuevo retroceso hacia el autoritarismo. Y ello el pueblo lo siente como el mayor flagelo que podría sufrir.

Por otro lado la solución de la más grave crisis de nuestra historia, en la que estamos sumergidos, no pertenece a un solo partido, o a un único segmento del pueblo argentino. No sólo los radicales pagarán la deuda externa, ni los peronistas sufrirán los efectos perniciosos de la inflación. Esta comprensión del problema es compartida por el gobierno y por gran parte del pueblo. Los argentinos deberíamos plantearnos todos los días la necesidad de ofrendar una cuota de solidaridad para poder sobrepasar la crisis y consolidar el sistema democrático.

La democracia necesita de grandes transformaciones en el país para eliminar las injusticias sociales que ha heredado. El gobierno puso en marcha un Plan Alimentario Nacional para combatir el hambre. A pocos meses de su aplicación puede decirse que no hay nadie que sufriera antes sus rigores que no reciba los alimentos necesarios para su subsistencia. La defensa del salario, la cobertura del déficit habitacional, el pleno empleo, reactivar la economía, transformar a la Argentina en una moderna sociedad industrial son algunos de los grandes desafíos que enfrenta la voluntad de cambio de los argentinos. La libertad es el único ámbito posible para la transformación que se impone y que anhelamos, pero a la que se oponen lo nostálgicos de la dictadura, de los privilegios y del statu quo.

Vamos a conducir los acontecimientos de los días que vienen. Nuestra tarea es construir una nueva sociedad, genuinamente democrática, sin abismos de riqueza, que destierre los ingredientes autoritarios y la demagogia populista y que mantenga con firmeza su independencia internacional y su vocación pacifista. Lo estamos haciendo. Pero sólo alcanzaremos el objetivo final fortaleciendo la unidad de los argentinos en torno a esos propósitos. Un pueblo con conciencia nacional no será derrotado en sus anhelos.

ESTILOS NACIONALES DE INSTITUCIONALIZACIÓN DE LA CULTURA E IMPACTO DE LA REPRESION: ARGENTINA Y CHILE

TULIO HALPERÍN DONGHI

En los años durísimos que se quisiera creer que han pasado, eran muy numerosos, como sabemos, los argentinos que contribuían con su talento y experiencia a enriquecer la vida cultural y científica mexicanas, y ofrecían esa contribución invocando con tan imperiosa insistencia el alto ejemplo ofrecido por su tierra de origen, que no dejaban de provocar en sus huéspedes una cierta exasperación, expresada a menudo de modo mexicanamente discreto y cortés en la pregunta de por qué un país en que talentos y destrezas estaban tan generosamente distribuidos se encontraba en situación que hacía, al parecer, urgente escapar de él. Pronto descubrían esos huéspedes, sin embargo, que su sutil insidia era incapaz de hacer mella en el muro erigido por la ufanía de sus interlocutores, aun más sólida que la brasileña, porque no necesitaba apoyarse en ninguna ilusión acerca del futuro: la réplica era frecuentemente una confesión de que éstos, pese a su excepcional sagacidad, eran incapaces de resolver ese enigma. Es precisamente ese enigma el que quisiera afrontar aquí, en lo que quizá no sea sino un esfuerzo desesperado por salvar esa misma ufanía, si es cierto que, como quiere Pierre Bourdieu, la autocrítica se ha transformado hoy en uno de los modos más eficaces de darse importancia.

Habiendo entrado en ese camino, parecía lógico avanzar en él examinando el problema desde una perspectiva comparativa, y, puesto que ella parecía imponerse, el término de comparación se imponía de modo igualmente imperioso: es naturalmente nuestro vecino trasandino, no sólo porque Chile sufrió un proceso de represión política y cultural paralelo al argentino, sino todavía porque el empleo de Chile como término de comparación es una estrategia para el análisis de problemas argentinos que tiene una larga tradición; ya durante su primer gobierno, Rosas justificó su preferencia por el federalismo a partir del hecho (a su juicio tan deplorable como irremovible) de que la sociedad argentina, a diferencia de la chilena, era democrática y no ofrecía por ello base adecuada al centralismo político[1]. Y desde entonces el modelo alternativo que ofrecía Chile iba a ser evocado una y otra vez, primero para alcanzar a través de

[1] El argumento es invocado, por ejemplo, en carta de Rosas a Quiroga, de Buenos Aires, 28 de febrero de 1832, reproducida en Enrique M. Barba, *Correspondencia entre Rosas, Quiroga y López*, Buenos Aires, 1958, p. 71.

la comparación un inventario de las insuficiencias argentinas, pero, a partir de 1880, más a menudo para celebrar que el progreso argentino hubiese dejado atrás al del país que sólo pocas décadas antes había parecido ofrecer un modelo inalcanzable.

Aun para el tema específico que aquí se querrá examinar disponemos de un antecedente viejo casi de un siglo: durante la presidencia de don Luis Sáenz Peña, como primera etapa de un viaje que lo llevaría hasta los Estados Unidos, Paul Groussac visitó en 1893 Santiago y Valparaíso, y dejó estampadas sus impresiones en el primer capítulo de *Del Plata al Niágara*. Ellas se apoyan en una imagen precisa, si no original, de la sociedad chilena, que no se dejará de poner a contribución más adelante; a la vez trasunta una reacción inmediata a lo que el viajero ha visto en aulas universitarias, museos y academias, iluminada por la comparación contrastante con lo que recordaba de ámbitos similares en Buenos Aires. Hay que agregar que Groussac, que en su tierra adoptiva se constituyó en *Magister Argentinae* haciendo del sarcasmo su favorito recurso pedagógico, una vez traspuestos los Andes comienza a descubrir en el país del Plata excelencias útiles para contrastarlas con análoga acritud a la deplorable ausencia de ellas en la que visitaba; con hipocresía sin duda inconsciente, proclama esta tarea un deber odioso pero ineludible ("Cuánto cuesta cumplir con el deber de amar la verdad por sobre todo, y, al decirla, herir acaso corazones leales que se quisiera acariciar"[2]).

En cuanto a la vida cultural chilena, esa verdad dolorosa que Groussac va a develar es menos negativa de lo que la confesión preliminar de su carácter ofensivo haría suponer. Para resumir el tema que nos ofrecerá a través de infinitas variaciones, mientras en la Argentina descubre una exuberancia de talentos, derrochados individual y colectivamente (por la indolencia de quienes están dotados de ellos, y por la insuficiencia o indiferencia de las instituciones creadas para estimularlos), Chile ha aprendido a administrar sabiamente los que le ofrece una cicatera índole nacional, y logra así asegurar para su vida cultural un tono más correcto que inspirado, pero aun así altamente honorable.

Sin duda, este diagnóstico general pierde en parte relieve porque Groussac no se resigna a limitar su poco benévolo examen a los rasgos de la vida cultural chilena que se vinculan con ese que a su juicio la define: así, si la presentación satírica del cerro de Santa Lucía, cuyas decoraciones ofrecen una alucinante corporización del ideal estético de Vicuña Mackenna, es una página eficaz, la promesa de que en ese objeto de la admiración de los santiaguinos rastreará las claves del estilo cultural que luego buscará definir queda necesariamente incumplida; precisamente Vicuña Mackenna, improvisador inagotable y desordenado y exitoso intelectual y hombre público, ofrece un útil momento de que no todas las

[2] Paul Groussac, *Del Plata al Niágara,* segunda edición, Buenos Aires, 1925, pp. 30-31.

figuras dominantes de la vida chilena se ajustan a un estilo marcado por una fría y sobria corrección.

El relieve así perdido es en parte recuperado mediante una arbitrariedad de juicio que no ha de ejercerse imparcialmente: quien se queja del eclecticismo pedestremente imitativo de la arquitectura pública y privada santiaguina prefiere ignorar la presencia de rasgos análogos en su ahora preferido término de comparación porteño. Y la presentación de Bello como un mero Boileau venezolano, deplorable inspirador de toda una literatura de la que el estro está ausente, resultaría quizás algo menos chocante si no se descubriese luego que quien la formula tiene a Martín García Merou por el dechado del hombre de letras argentino.

Esas páginas inspiradas por la arbitrariedad y la malevolencia se apoyan con todo en una intuición que no se intentará refutar, porque en ella se apoya también la exploración que aquí abordaremos: ella sugiere que Chile y la Argentina han desarrollado a lo largo de su historia estilos culturales radicalmente distintos, y que esas diferencias se vinculan con otras que afectan más generalmente el modo de institucionalizar la vida pública en ambos países, para concluir desde la perspectiva de hoy que esos divergentes estilos culturales ofrecen una clave particularmente esclarecedora para entender el distinto impacto que alcanzaron, sobre ese ámbito, regímenes que tenían en común una extrema desconfianza frente a las potencialidades subversivas de cualquier desarrollo cultural e ideológico no sometido a severo control, y una tendencia a evitar toda moderación en la prevención de peligros reales o sólo imaginados.

Antes de examinar la validez de esta línea de examen, convendría, parece, preguntarse si esas postuladas diferencias en el impacto de la etapa recién cerrada en la Argentina y todavía no clausurada en Chile tienen alguna base en la realidad. Al cabo, en Chile un régimen que ofreció al mundo en su momento inaugural el espectáculo de la agonía del poeta nacional en su casa saqueada por los agentes del nuevo poder, conservó luego ímpetu suficiente para llevar adelante una tarea de represión ideológica y cultural, y demolición institucional, cuyos efectos duraderos sería peligroso ignorar. Aun así, ese Chile asistió a una ruptura institucional tanto más traumática porque cortaba una tradición larga de casi siglo y medio en que la continuidad se había mantenido (es cierto que por lo menos en dos crisis históricas —la guerra civil de 1891 y su desenlace y la instauración y liquidación del primer ibañismo— a través de artilugios formales que en todo caso revelaban el alto valor que los chilenos coincidían en reconocerle); esa continuidad seguía siendo en otros niveles más valorada que del otro lado de los Andes, si no por los nuevos dueños del poder, por grupos y fuerzas que, en medio de la brutal redefinición política en curso, conservaban aún demasiado influjo para que esa valoración pudiese ser del todo ignorada.

Las consecuencias de ello son múltiples: puede rastreárselas, por ejemplo, en la lista de publicaciones de las prensas de la Universidad de Chile: no sólo su ritmo de publicación, si no deja de reflejar el golpe de

1973, no responde a él con uno de esos hiatos provocados por una prolongada caída en la atonía, que reflejan en la más breve y accidentada historia de su equivalente de Buenos Aires la huella de situaciones análogas, y aquí menos excepcionales. Es quizás aun más significativo que la continuidad se expresa también en no pocas de esas publicaciones, que constituyen la culminación editorial de proyectos que fueron concebidos antes de esa fecha de ruptura que es 1973 (en el marco de una universidad que, como por otra parte es oportuno recordar, había estado lejos de identificarse con el proyecto político de la Unidad Popular).

Para permanecer en el campo de la historia, un libro como el que don Julio Heise escribió en defensa e ilustración de la República Parlamentaria (y que publicó la editorial del Estado)[3], considerado en su hora ejemplo de oposición alusiva al régimen militar, lleva en más de un pasaje la huella de haber sido redactado con vistas a cumplir ese papel polémico frente al gobierno de la izquierda; otra obra menos dispuesta a ofrecer moralejas para el presente, pero por otra parte nada orientada a brindar apoyo a las visiones históricas favorecidas por ambos gobiernos —y con particular énfasis en el caso del militar, que tuvo la audacia de colocar su acción bajo la égida de la figura de Portales— es la excelente *Historia de Chile*[4] dirigida por Sergio Villalobos; la obra trasunta una larga y cuidadosa preparación, quien sugiere que también ella maduró y alcanzó a publicarse como resultado de un proceso que ni aun la más brutal catástrofe institucional de la historia chilena alcanzó a interrumpir.

Estos ejemplos, que no son excepcionales en Chile, tienen pocos paralelos en la Argentina. Pero de nuevo sería erróneo deducir de ellos necesariamente una mayor sensibilidad de los dueños del poder ante las exigencias institucionales que la vida de la cultura plantea (así en cuanto a la *Historia de Chile* la frecuencia con que los paquetes de distribución se extraviaban en el correo llegó en cuanto al volumen tercero —que precisamente incluía el período portaliano— a nivel particularmente sugestivos). Se trata más bien de que quienes participan activamente en esa vida cultural tienen una conciencia más clara de esos requisitos de su tarea de lo que es habitual del otro lado de los Andes, y están dispuestos a proceder en consecuencia.

Un ejemplo de ello puede rastrearse a través de las peripecias vividas a través de estos años terribles por una publicación chilena de merecido prestigio académico, la revista *Estudios Internacionales*, creada en el ámbito del Instituto de Estudios Internacionales de la Universidad de Chile. Lo primero que se advierte examinando su colección desde 1972 a 1978 es la extrema dificultad de encontrar un reflejo de esas peripecias, que se adivinan intensas, en la publicación misma. El número de abril-junio de

[3] Julio Heise, *Historia de Chile. El período parlamentario 1861-1925*. Santiago de Chile, Editorial Gabriela Mistral, 1975.

[4] Sergio Villalobos, *Historia de Chile*, Santiago de Chile, Editorial Universitaria, 1974-75.

1973 (último preparado antes de la caída de la Unidad Popular) incluye artículos de Aníbal Pinto, Osvaldo Sunkel, y los extranjeros Felix Peña (argentino), James Blyth (norteamericano) y John Fogarty (australiano); en él es evidente la preocupación, si no de eludir el tema chileno, sí de evitar un embanderamiento difícilmente soslayable en esas horas consideradas por muchos como de vísperas de guerra civil. El número siguiente, ya publicado después de la caída, no la refleja en absoluto; sólo en el subsiguiente encontramos en la sección de Documentos el texto del discurso pronunciado en las Naciones Unidas por el ministro de Relaciones Exteriores de Chile, almirante Ismael Huerta, y un estudio de Francisco Orrego Vicuña titulado "Algunos problemas de derecho internacional planteados por la nacionalización de la industria de cobre en Chile", que, aunque no se aparta de un tono objetivo, no refleja ninguna especial comprensión por los problemas creados al gobierno de Unidad Popular como consecuencia de una medida que, como se recordará, contó en su momento con el apoyo de todos los alineamientos políticos chilenos. En abril-junio de 1974 el tema dominante es por fin la crisis chilena; el número 26 incluye en efecto un artículo sobre ella de Helio Jaguaribe y otro de Ignacio Palma Vicuña ("Aportes para un análisis de la crisis chilena") seguidos de comentarios de Benjamín Prado, Ricardo Valenzuela y Jaime Castillo; incluye también un estudio de Paul Sigmund sobre "El bloqueo invisible y la caída de Allende", que prefiere ver en esa caída el resultado de erradas decisiones del gobierno de Unidad Popular, pero, tras proponer esa tesis sin duda inobjetable para los nuevos dueños del poder, cree necesario explicar por qué tan pocos entre sus colegas en ciencias políticas están de acuerdo con ella, y señala que es "nuestro justificado horror ante los excesos del golpe militar de setiembre" el que "nos ha impedido captar la magnitud del fracaso" de la experiencia a la que puso fin.

La posibilidad de esa toma de distancia crítica, a menos de un año de acontecimientos en efecto horrendos, y cuando los responsables de ellos se felicitaban de sus resultados y se manifestaban dispuestos a perseverar, cada vez que fuese necesario, en las tácticas brutales entonces inauguradas, sorprende legítimamente a cualquier lector. La sorpresa se disipa apenas se lee con mayor atención la contraportada de la revista: se advierte entonces que la impresión de continuidad cuidadosamente mantenida es ilusoria. Desde su número 25, de enero-marzo de 1974, la revista ha dejado de ser publicada por el Centro de Estudios Internacionales de la Universidad de Chile; por un afortunado accidente, ya desde antes del derrocamiento del gobierno constitucional se venía imprimiendo en Buenos Aires (en ese momento todavía gobernada por otro régimen constitucional, que sin duda estaba entrando en criminosa agonía, pero tenía problemas más urgentes de qué ocuparse que el representado por una publicación independiente, pero nada militante, de estudios internacionales) y ello la pone fuera del alcance de los recursos más discretamente eficaces con que contaba el gobierno chileno ante publicaciones indeseables. Por un año aparecerá en Buenos Aires sin ningún respaldo institucional; el número de enero-marzo de 1975 la declara "publicada bajo el patrocinio del *Foro Latinoamericano*", y bajo esos auspicios seguirá apareciendo, siempre en Buenos Aires, hasta que el primer número del volumen XI proclame a comienzos de 1978 la vuelta a su afiliación originaria; la publica desde entonces el Instituto de Estudios Internacionales de la Universidad de Chile, y corona esa vuelta al hogar perdido la traslación de las tareas de imprenta a los talleres de la Editorial Universitaria, cuya huella inconfundible se reconoce desde entonces en la aérea y ventilada tipografía de las páginas de la revista. Ha terminado así sin ruido la peregrinación en el desierto comenzada cinco años antes con la misma pudorosa discreción, y de esa intermitencia en la continuidad institucional no queda más que una leve memoria sólo recuperable por algún lector tenaz en la búsqueda de sus casi escondidas huellas.

Pero si esa continuidad no es mucho más que una ilusión sabiamente mantenida gracias al diestro uso de la reticencia, lo que no es ilusorio es la terca voluntad colectiva de mantener por lo menos su apariencia; una voluntad a cuyo servicio se une solidariamente un grupo de estudiosos identificados desde el origen con la revista, pero cuyas afinidades en otros campos están lejos de ser totales. Si es difícil rastrear en la revista las huellas de la crisis de 1973, sería del todo imposible adivinar a través de ella que esa crisis no fue la primera vivida por el Centro que la editaba y el grupo formado en torno de él. Desde 1968 comenzaron a llegar allí los ecos de la gran remezón universitaria de esa fecha, y poco después de instalado Allende en la presidencia, la agitación se hizo en el Centro tan intensa que su fundador Claudio Véliz se alejó de su dirección (y también de Chile), comenzando una suerte de auto-exilio académico en Australia. Esa peripecia no lo preparó para asistir con ánimo benévolo a la experiencia socialista, y sí en cambio a abrir un crédito de confianza quizá demasiado prolongado al régimen militar que la clausuró; por entonces sus cartas al *Times* declarando falsas algunas acusaciones contra el régimen que en efecto lo eran, pero prescindiendo de comentar otras que no lo eran, y las modalidades de su breve presencia en Santiago, en circunstancias cuyas dimensiones trágicas se obstinaba en no querer reconocer del todo, no dejaron de afectar en el plano personal sus vínculos con otros integrantes del grupo con quienes éstos habían ido mucho más allá de lo meramente profesional.

Nada de eso se refleja por cierto en *Estudios Internacionales*. Claudio Véliz figura en el comité de redacción en octubre-diciembre de 1972, junto con Felipe Herrera (reciente y frustrado candidato promovido por Unidad Popular para el rectorado de la Universidad de Chile), José Piñera, Darcy Ribeiro y Luciano Tomassini. El mismo consejo se mantendrá luego de la caída de Unidad Popular y hasta 1975 (desde el número 23, primero posterior a ella, acompaña a esa lista la mención de Véliz como fundador y de Tomassini como director). En 1975 se incluirá un consejo de redacción de quince miembros, entre los cuales se hallan los chilenos del comité originario, con la excepción de Felipe Herrera y el agregado de Francisco Orrego Vicuña; el contingente extranjero incluye entre otras a figuras representativas de los grandes centros latinoamericanos de investigaciones en ciencias sociales (Helio Jaguaribe y Cándido Mendes; José Matos Mar; Víctor Urquidi); en el número que marca el retorno a la afiliación chilena originaria, a la mención de esos redactores se agrega la de Francisco Orrego Vicuña como director (no es claro si del Instituto o también de la revista).

Esta historia, no sé si con final feliz, o aun si con final, tiene en todo caso el mérito de acotar con mayor precisión, a través de un contraste particularmente revelador, el rasgo cuyas raíces históricas se trata aquí de rastrear. Porque —repitámoslo— ella difícilmente hubiera encontrado paralelo en la Argentina. No es que falten aquí ejemplos en que la supervivencia académica, individual o de grupo, se conquista a través de un esfuerzo tenaz, pero los héroes de esas empresas tienen habitualmente características muy distintas de los que integran el grupo animador de *Estudios Internacionales*: los caracteriza un sincero desinterés por los grandes debates ideológicos de nuestro tiempo, excepto como fuente de posibles percances en la carrera de un académico, que se refleja en el esfuerzo por mantenerse al margen de ellos, o abordarlos sólo cuando el clima colectivo lo hace imprescindible, y aun entonces a través de tomas de posición lo suficientemente anodinas para que no hayan de trasformarse, en un clima distinto, en motivo de peligrosas represalias. La consecuencia es, nada sorprendentemente, que aunque el valor científico de quienes han aprendido a cultivar con éxito este penoso arte de sobrevivir no sea siempre tan escaso como suelen sugerir quienes han quedado en el camino, víctimas de sus propias imprudencias, el cultivo de ese arte les prohíbe de antemano participar de modo eficaz en los esfuerzos por afrontar la problemática de cada una de esas duras etapas que se han prometido atravesar sin daño para esa carrera.

Al señalar esa diferencia no se busca aquí fundar una preferencia moral entre una actitud y otra; sí, en cambio, señalar cómo en esa experiencia argentina el conflicto se da entre la búsqueda de la continuidad en la carrera individual y la lealtad a preferencias científicas, culturales o ideológico-políticas que, en una ocasión u otra, pondrían a aquélla en grave riesgo. Al lado de los reclamos del instinto de supervivencia individual, y los de lealtades a partir de las cuales se definen sin duda solidaridades colectivas, pero cuya raíz se encuentra también en una opción individual, apenas queda espacio para esa alternativa que toda la tradición histórica chilena impide allí ignorar, que se vincula con una experiencia de acción colectiva que ha encontrado un marco institucional definido, y reclama con igual imperio la lealtad de quienes encuadran su actividad dentro de él.

Es toda la historia de Chile republicano, y no sólo la de sus instituciones de cultura, la que subtiende esta actitud. Lo que la separa en este aspecto de la experiencia argentina se revela ya, en la etapa inmediatamente posterior a la Emancipación, en la afinidades y diferencias entre el estado portaliano y el rosista. La primeras son inocultables: uno y otro tienen a su frente a hombres que unen a una destreza política no limitada por escrúpulos humanitarios una imagen definida y madura de los problemas centrales que afrontan sus respectivos países; con ese bagaje, uno y otro dirigente se proponen imponer la clausura definitiva de una etapa de febril experimentación ideológica y política, no para retornar al pasado, sino para crear las condiciones necesarias para el surgimiento de un orden capaz de encuadrar en un marco estable los ya ineliminables rasgos nuevos dejados en herencia por la crisis de emancipación; uno y otro hacen de un autoritarismo muy poco tolerante y un misoneísmo estrepitosamente proclamado y sólo selectivamente practicado, las notas definitorias de sus respectivos regímenes.

Pero mientras el Estado portaliano, que no ahorra prisiones, deportaciones o cesantías de desafectos, se trasforma en la escuela política de la América española, y ofrece un oasis de regularidad institucional en el caótico sobcontinente, bajo la égida de la constitución de 1833 (que por cierto hace posibles, pero no prescribe, los rasgos autoritarios del estilo político vigente), el rosista se constituye en un ejemplo negativo, ya antes que la práctica del terror lo rodee de un aura siniestra: ya el retorno de Rosas al poder con atribuciones dictatoriales, en 1835, se acompaña de episodios que reflejan, si no la voluntad de socavar el prestigio de quienes ocupan las posiciones más eminentes en la estructura política, judicial o eclesiástica, sí la de dejarles sólo un lugar humillantemente subordinado en un orden político cuya cohesión no deberá nada al común acatamiento a la autoridad impersonal de las instituciones en cuya cumbre se encuentran, y todo a la solidaridad facciosa que Rosas se propone inculcar con minuciosa pedagogía, ya que le ofrece un admirable instrumento para concentrar el poder en sus manos. Pero si el rosismo utiliza la debilidad y el desprestigio de las instituciones del Estado para sus fines políticos, es más dudoso que la haya venido a crear, y los rasgos que en esta etapa alcanzan a la vez su punta extrema y una clara funcionalidad política se mantendrán luego atenuados cuando esa funcionalidad sea ya menos evidente.

Aun después de la caída de Rosas la Argentina opone a la parquedad de los homenajes a los gobernantes durante su gestión, característica de los usos políticos chilenos, un exuberante culto de la personalidad, que sin duda comienza por parecer tan sólo contrapartida del avance inesperadamente contrastado de la institucionalización del poder, que se había esperado consecuencia casi automática de su constitucionalización: que a comienzos de la década de 1860 la calle principal de Córdoba lleve todavía el nombre del más poderoso caudillo nacional se entiende mejor cuando se recuerda que en el curso de esa década se dio el tránsito contrastado y laborioso entre la hegemonía del general Urquiza y la del general Mitre, cuyas vicisitudes se reflejaron en varios cambios en la titularidad de la disputada arteria. Pero el avance de la estabilidad institucional no será seguido sino a distancia y de modo muy incompleto por su despersonalización: en la década siguiente el coronel Mansilla escribirá sus cartas sobre la frontera india al presidente Sarmiento desde el fuerte al que acaba de dar el nombre de su corresponsal, y en la sucesiva esas iniciativas de subordinado obsequioso palidecerán al lado de la frenética conquista de la toponimia argentina por el séquito político y militar del general Roca.

¿Era sólo la tardía e incompleta maduración del orden institucional argentino la que permitía reconocer, aun medio siglo más tarde, las huellas de las diferencias que hacia 1835 habían separado al Estado portaliano del rosista? Ya para esa fecha ha madurado en la Argentina una explicación sobre una clave opuesta y más halagadora: no es primordialmente la inmadurez del proceso de institucionalización política argentino la que perpetúa esa divergencia, sino la vitalidad, el dinamismo incomparablemente mayores de la sociedad argentina, que encuentra finalmente estrecho cualquier marco institucional. Es lo que Sarmiento cree descubrir ya en 1855, en su primer contacto prolongado con ese Buenos Aires que antes ha presentado como congelado en su progreso por la tiranía rosista: el espectáculo que ella le ofrece, exhibiendo insolentemente la prosperidad de sus minorías y la para Sarmiento más significativa de sus masas populares, ensanchándose y construyendo para un futuro que permanece institucionalmente indefinido, sin que esa indefinición alarme a una ciudad segura de su destino, lo convence de que la insistencia en los requisitos institucionales del progreso, que es la lección atesorada a partir del ejemplo del Chile portaliano, es irrelevante a las circunstancias argentinas.

He aquí ya esbozados los fundamentos del juego de contraposiciones a partir del cual Groussac iba cuatro décadas más tarde a analizar la peculiaridad del estilo cultural chileno contrastándolo con el argentino: el corolario de que, si Chile es sabio al cultivar metódicamente, creando para ello un estable marco institucional, esa honorable medianía al que sólo le está permitido aspirar, la exuberante vitalidad que también en este aspecto es el rasgo diferencial argentino permite a su vida cultural avanzar sin esos subsidios, derrochando talentos y recursos que no necesita administrar tan parsimoniosamente como es preciso hacerlo en la tierra, también en esto avara, que se encuentra más allá de los Andes.

Pero si esta explicación que contrapone el dinamismo y la estaticidad, la abundancia y la escasez, y que encuentra su causa última en la diferencia del marco geográfico, quiere ir más allá de la mera metáfora (y de la pulida injuria que denuncia en la mediocridad el rasgo definitorio de la inteligencia chilena) debe establecer entre el rasgo natural y el cultural un nexo explicativo, que encuentra de inmediato en las peculiaridades de la sociedad chilena; aquí Groussac, seis décadas largas después de Rosas, las define a partir del indisputado predominio de la aristocracia, que sobrevive mejor que en el Plata gracias al menor dinamismo económico

—y en consecuencia social— del país trasandino; es ese predominio de una aristocracia poco amiga de innovaciones incontroladas el que se refleja a su vez en un estilo cultural poco dado a las aventuras de ideas o a las audaces exploraciones artísticas.

Esta línea de indagación, que nos llevaría demasiado lejos (o más probablemente a ninguna parte), no va a ser seguida aquí. Más que especular sobre las claves que los rasgos básicos (por otra parte parejamente mal conocidos) de la sociedad argentina y la chilena ofrecen para las diferencias en el ritmo y el alcance de la institucionalización en una y otra área, nos interesa acotar con mayor precisión esas diferencias mismas, para apreciar de inmediato su impacto en la vida de la cultura.

Si la incompleta institucionalización se acompaña, en la Argentina, de una expansión exuberante de las fuerzas sociales, el resultado será que éstas se encauzarán mal en el marco institucional que a pesar de todo se está erigiendo, y tenderán a marginarse de él. La consecuencia será a su vez que esas instituciones participarán muy poco en el dinamismo de una sociedad en vertiginoso cambio; la indiferencia con que ésta contempla una institucionalización a la que permanece ajena permite que ella se acompañe de un precoz anquilosamiento. Es lo que señala ya con admirable sagacidad en 1870 un colaborador del *Río de la Plata* de José Hernández, que firma *Quevedo*, al ofrecer su comentario sobre la supuesta corrupción sistemática del poder judicial de la provincia de Buenos Aires:

> "Bajo un régimen despótico como el de Rosas, el robo y la inmoralidad se atribuía a un círculo muy reducido de personas bien conocidas del pueblo; hoy, bajo la égida de gobiernos liberales, a favor del ruido que ocasiona la política y el gran movimiento mercantil, un enjambre de sanguijuelas ávidas de fortuna han estado por muchos años chupando la sangre del robusto cuerpo social, sin que éste, a causa de su misma exuberancia de vida, se apercibiera de la presencia de los parásitos"[5].

Las tensiones producidas por el contraste entre un cambio social vertiginoso y un marco institucional que corre riesgo de anquilosarse en el momento mismo en que se lo erige tienden a acentuarse con el tiempo hasta hacerse insoportables; cada vez que ello ocurra, la relación de mutua indiferencia dejará paso a un brusco reajuste, alcanzado por medios que no siempre excluyen el conflicto violento.

Hasta aquí la presentación descarnadamente esquemática de un conjunto de rasgos diferenciales entre el marco institucional en que la vida de la cultura, como la de otras actividades públicas, se desenvuelve en la Argentina y Chile: esos rasgos tienen validez sólo hipotética, y la tentativa de entender en el marco por ellos ofrecido las diferencias entre las experiencias sufridas por ambos países en la etapa represiva hoy cerrada o

[5] "La escoba del Dr. Gómez", remitido firmado "Quevedo", en *Río de la Plata,* Buenos Aires, 19-II-1870.

en menguante, puede entre otras cosas contribuir a poner a prueba esa validez misma. Esa comparación de experiencias la centraremos en la Universidad, no sólo porque el carácter público de lo que en ella acontece ofrece para su examen ventajas que se tornan particularmente significativas en situaciones en que la publicidad de los actos del Estado se encuentra excepcionalmente restringida, ni tampoco primordialmente porque su historia más prolongada se presta mejor para abordar los problemas que aquí nos interesan que la de otras instituciones más recientemente creadas por el Estado para estimular y encuadrar actividades científicas y culturales, sino sobre todo porque ese mismo carácter público hace de ella un terreno de elección para explorar los nexos entre las modalidades de una tradición cultural específica y las actitudes más generales de la sociedad que la enmarca.

Y la Universidad ofrece un ejemplo particularmente convincente de la divergencia de estilos ya apuntada. La de Chile, creada en 1842 como continuación después de un largo eclipse de la colonial de San Felipe y Santiago, retuvo sus estatutos originarios hasta 1931. Éstos eran comparables a los que recibió la de Buenos Aires en su más temprana fecha de fundación: la integraban firmemente en la estructura del Estado, con muy poco espacio para su desenvolvimiento autónomo, y a la vez le asignaban funciones de dirección y orientación que alcanzaban al nivel primario y sobre todo secundario (de acuerdo en uno y otro aspecto con el modelo francés, que había inspirado a ambas). Esa estructura singularmente arcaica sobrevivió sin aparente esfuerzo al sacudimiento que desde México hasta Lima y La Habana significó el movimiento de reforma universitaria, lanzado desde la Argentina; cuando fue finalmente reemplazada en 1931 (por un régimen ibañista ya en menguante, que sin duda buscaba con ello hacerse menos impopular en el ámbito universitario, pero no respondía a presiones reformistas demasiado poderosas surgidas de él), no lo fue por ninguna de las fórmulas de coparticipación del gobierno entre estamentos que el llamado reformismo prohijaba, sino por una que recortaba el ámbito de la institución a la enseñanza universitaria y transfería atribuciones numerosas al cuerpo de profesores. Era ése el sistema de gobierno que sobreviviría hasta que, ya antes de que se hiciese sentir en Chile la influencia de la tormenta mundial de 1968, la de la ya entablada crisis general del sistema político chileno, destinada a culminar cinco años más tarde, y de la cual la universitaria aparece retrospectivamente como uno de los claros signos anunciadores, introdujo a la Universidad de Chile en una atípica, pero también breve, etapa de febril experimentación institucional.

¿Es necesario recordar que la trayectoria de la Universidad de Buenos Aires fue muy distinta? No se trata tan sólo de los frecuentes cambios institucionales, que reflejan los de la provincia, hasta que —como consecuencia de la derrota de ésta en la guerra civil de 1880— la Universidad pasa a depender del gobierno federal. Se trata sobre todo de que ella sufre también esa tendencia al anquilosamiento que el colaborador del *Río de la Plata* denunciaba en 1870 en la administración de justicia, y que ésta es contrarrestada desde muy pronto por desafíos que —cuenten o no con apoyos poderosos dentro de la Universidad misma —gozan de un crédito de benevolencia de la sociedad, dispuesta de antemano a creer que esos remezones algo violentos ofrecen un instrumento eficaz para devolver algún dinamismo a una institución que parece carecer de estímulos interiores para conservarlo.

En 1871 un estudiante de derecho, reprobado en un examen, se suicidaba; la respuesta fue una agitación de alumnos y una minoría de profesores de esa facultad, cuyas demandas fueron de inmediato acogidas por el rector Juan María Gutiérrez y el gabinete provincial: muy significativamente, el primero agregaba a la creación de mesas examinadoras pluripersonales la de que algunos de sus miembros fuesen abogados ajenos al cuerpo docente de la facultad; la desconfianza en la capacidad de autorregulación de la institución universitaria alcanzaba, como se ve, a quien ocupaba la más alta jerarquía dentro de ella. La agitación no termina allí; mientras asambleas estudiantiles de derecho solicitan reformas más abarcadoras, en la facultad de Medicina (en ese momento separada de la Universidad) ella va a estallar al año siguiente: el promotor es un alumno de primer año, José María Ramos Mejía, que publica en *La Prensa* una serie de artículos de acerba denuncia contra las insuficiencias culturales del cuerpo docente, cuyo nivel "no corresponde siquiera al grado de cultura de la sociedad en que vive"; cuando la facultad decide sancionar a su precoz crítico rehusándose a inscribirlo en el segundo año, la campaña periodística se extiende a otros órganos; las autoridades de la Facultad así impugnadas solicitan asesoramiento del fiscal de Estado, que declara que carecen de facultades para imponer sanciones disciplinarias a estudiantes por su conducta fuera del establecimiento; si se sienten agraviadas por Ramós Mejía, el camino que les queda abierto es iniciarle querella ante los estrados judiciales: muy comprensiblemente, éstas no se sienten tentadas de hacerlo.

Este segundo episodio refleja con claridad cruel la falta de solidaridad de la sociedad en su conjunto (y su agente político del Estado) con la universidad como institución y la élite que la gobierna. Al cabo, la Argentina de la década de 1870 no se caracteriza en general por una actitud permisiva hacia los desafíos a las jerarquías sociales o institucionales: al presidente Avellaneda reprocha sin duda Sarmiento no haber advertido del todo que la Argentina sólo puede gobernarse haciendo uso abundante de ese instrumento providencial que es el estado de sitio, pero basta examinar su estilo de gobierno para advertir que el reproche de su predecesor es por lo menos exagerado. Si las autoridades de la Facultad de Medicina no son mejor protegidas de la reiterativa insolencia de un alumno principiante, de la que casi toda la prensa porteña termina por hacerse cómplice, no es entonces porque se juzgue que la insolencia es en principio tolerable, sino porque no se cree que esas autoridades en particular merezcan ser defendidas: por el contrario, para que su presencia al frente de la Universidad no tenga efectos irreparables, es necesaria una constante vigilancia ejercida desde fuera, a través de instrumentos regulares, como esos examinadores ajenos al cuerpo que Gutiérrez propone, o menos regulares, como esas ruidosas disidencias internas a la Universidad misma, demasiado débiles para imprimirle el ritmo de renovación necesario, pero capaces de suscitar u orientar la acción correctiva de la opinión pública, y a través de ella la del Estado.

La insatisfacción frente a una Universidad en cuya capacidad de adaptación espontánea a las cambiantes exigencias de una cultura en avance y una sociedad dinámica es imposible confiar, encuentra de nuevo expresión elocuente en las discusiones parlamentarias en torno del proyecto sobre régimen legal de las universidades nacionales, presentado en 1885 por el ex presidente Avellaneda, en ese momento rector de la de Buenos Aires. Las resistencias a ampliar el área de autonomía de la Universidad no se deben tan sólo al ministro de Justicia, Instrucción Pública y Culto, Eduardo Wilde, que defiende la designación de profesores por el Ejecutivo y denuncia en su selección por concurso una recaída en los bárbaros usos de las universidades medievales; más significativo que esa defensa de sus atribuciones por un régimen que dedica sus más tenaces esfuerzos a ampliarlas a toda clase de impensados campos, es el consenso parlamentario sobre la imposibilidad de dejar el gobierno de las casas de estudio a los profesores, que atenderían sus propios intereses con total indiferencia a los de la ciencia. El resultado de los debates es que las estipulaciones de la ley, que fijan un mínimo de un tercio a la representación de los catedráticos en las academias que gobernarán las distintas facultades, son reemplazadas por otras en que se asegura a esas academias una mayoría formada por graduados que se renuevan por cooptación. El propósito es aventar el ''mezquino espíritu de círculo''; el resultado es sin duda el opuesto, ya que los académicos, si no reflejan el que se teme domine en el cuerpo de profesores, bien pronto consolidan el propio, en espléndido aislamiento tanto de la universidad como de la sociedad.

En esa historia marcada por breves invasiones renovadoras separadas por etapas de ensimismamiento y estagnación, el nuevo ordenamiento institucional abre una de estas últimas, que será particularmente larga y tendrá su correlato institucional en la ocupación de la silla rectoral, durante dos décadas, por el doctor Basavilbaso. En 1906, cuando éste finalmente la abandona, la Universidad ha entrado ya en una nueva crisis que, aunque retiene los rasgos básicos de las anteriores, innova sobre ellas en un aspecto esencial.

El hecho nuevo es la capacidad del movimiento de protesta de volcar a las calles a muchedumbres de estudiantes que sencillamente la institución no había albergado en número comparable treinta años antes. La transformación de la Universidad en un más vasto centro de posibles agitaciones, más capaz por eso mismo de trasmitirlas a la entera sociedad, no modifica sin embargo en lo esencial la actitud del poder político frente a esas agitaciones mismas. Como en 1873, el cuerpo gobernante de la Facultad de Derecho debe afrontar sólo el embate de la acción estudiantil, provocada por su intransigencia ante los pedidos de reforma del régimen de exámenes finales. El Consejo Superior Universitario lo desautoriza, en una reunión a la que se han presentado varios diputados nacionales como mensajeros de los estudiantes en protesta; el ministro de Instrucción Pública, señalando sin ningún espíritu de censura la amplitud que esa protesta ha alcanzado, propone como moraleja que la reforma universitaria es ya una necesidad impostergable. Ante esa reacción decepcionante, la Academia depone su intransigencia frente a las demasiado bien avaladas exigencias estudiantiles. Con ello no cesa sin embargo la huelga, que parece contar con el apoyo de las oposiciones políticas,pero también con el del presidente de la República; el general Roca, en efecto, tras responder con un elocuente silencio a la invitación a condenar el movimiento, que le dirigieron en tono conminatorio las autoridades de la Facultad, lo quiebra para manifestar su plena solidaridad con las intenciones reformadoras de su ministro...

De nuevo, como treinta años antes, un régimen consagrado con decisión a la defensa del orden establecido, en fecha en poco posterior a la implantación de la ''ley de residencia'' y un par de años anterior a la eficaz represión del alzamiento de la oposición radical, que muestran con cuánta seriedad sigue tomando a su cargo esa tarea, confirma con sus hechos y sus palabras que para defender el orden vigente en la Universidad no cree del caso aplicar el celo y la energía derrochados frente a desafíos que afectan a otros sectores del aparato institucional, o al equilibrio social. Y no oculta por qué no lo cree: es sencillamente que a su juicio ese orden universitario no merece ser defendido.

Pero si esa actitud no parece innovar sobre la madurada en las décadas anteriores, se aplica sobre un contexto transformado, que a la vez no deja de modificarla. La benevolencia del general Roca hacia los levantiscos estudiantes se debe en parte a que ha descubierto ya que esos estudiantes tienen una gravitación política que ha dejado de ser insignificante, y acaba de utilizar la agitación estudiantil contra la negociación de conversión de la deuda llevada adelante por Carlos Pellegrini para frustrar la ambición presidencial de quien ha sido hasta ese momento su más íntimo aliado. A la vez, la continuidad con el pasado se refleja en la total falta de recato en la búsqueda de dividendos políticos a través de la manipulación de la protesta universitaria; si se la practica tan abiertamente es porque un sólido consenso sigue juzgando que la estabilidad y continuidad institucional de la Universidad no es un bien que merezca ser tutelado, y está dispuesto a juzgar con benevolencia a un político que —así sea por motivos interesados— arroja su influencia en favor de las presiones (que para ser eficaces necesitan ser descorteses) orientadas a imponer a una institución irremediablemente anquilosada los cambios que se han hecho impostergables.

Esa perspectiva conservará su vigencia cuando los conflictos universitarios pasen a confluir con los que seguirán a la transferencia del poder político a la oposición radical, en un marco de democracia ampliada. Pero aunque el presidente Yrigoyen, al ofrecer al reformismo de 1918 su apoyo discreto pero decisivo, no innova sobre el arte político del general Roca, de nuevo la continuidad, en un contexto político que sólo ahora está completando su redefinición, no podría ser total.

En primer lugar, la reforma crea, al lado de la estructura institucional de la Universidad como organismo docente, una estructura paralela de ésta como organismo político, y los integrantes de la comunidad universitaria deben aprender a desempeñar papeles diferentes, y a primera vista contradictorios, en una y otra esfera. En sus deliciosas *Memorias de un provinciano*, Carlos Mastronardi nos ha dejado un testimonio lleno de estudiado candor de lo que podía significar esa situación desconcertante:

> "Eran los tiempos de la Reforma Universitaria, cuyos principios ya habían sido llevados a la práctica; pese a ello, las reiteradas huelgas estudiantiles demostraban que 'los representantes de la reacción' aún se mantenían activos. Con un grupo de estudiantes en huelga, estuve cierta noche en el bufete del profesor Mario Sáenz, quien se presentó a nosotros acompañado de su colega Jorge Eduardo Coll. Recuerdo que en esa ocasión se discutió la estrategia a seguir y que ambos catedráticos deploraron que los alumnos de Derecho no hubiesen extendido la huelga a la Facultad de Medicina. Estimaban que el éxito del movimiento dependía de su magnitud. Como hasta entonces no había conocido sino apacibles profesores de provincia, y como imaginaba, obstinado en mi candor, que los maestros son imperturbables hombres de gabinete, esas palabras me sorprendieron. Una vez más me lamenté inexperto"[6].

Pero el surgimiento de un complejo sistema de alianzas y hostilidades exquisitamente políticas, que ignoran a menudo las fronteras estamentarias, no es la novedad más significativa aportada por la tormenta de 1918. Si la crisis universitaria tiene consecuencias más serias que las antes atravesadas, ello se debe sobre todo a que las víctimas predestinadas de esos cambios, que no hallan en el ámbito universitario aliados eficaces, los buscan cada vez más fuera de la institución: desde 1918 hasta las vísperas mismas del derrocamiento del gobierno constitucional en 1930, una oposición conservadora que hace de la Facultad de Derecho de Buenos Aires su fortaleza contra las autoridades centrales de la Universidad reformada, mientras invoca en su favor la lealtad a un modelo de Universidad definido por la continuidad institucional y su espléndido aislamiento de las agitaciones de la ciudad, estrecha abiertamente sus lazos con fuerzas políticas opositoras al radicalismo mayoritario, y quebrando una tradición todavía poderosa, va más allá para buscarlos también con el ejército, a través de un ciclo de conferencias inaugurado por el general Justo, ministro de Guerra del presidente Alvear, y cuya culminación en un descomunal escándalo estudiantil quizá no haya dis-

[6] Carlos Mastronardi, *Memorias de un provinciano*, Buenos Aires, 1967, pp. 181-2.

gustado a los organizadores, en cuanto mostraba con la deseada claridad quiénes eran en el seno de la Universidad los amigos con quienes podría contar la institución armada, y quiénes los irreconciliables adversarios a quienes estaría siempre en el interés de éstas privar de gravitación universitaria.

De este modo la apelación a fuerzas externas a la Universidad, que había sido hasta entonces táctica exclusiva de quienes desesperaban de poder renovarla desde dentro con sus propias fuerzas, se transforma en el marco de un conflicto político-social cada vez más generalizado en recurso también favorito de quienes quisieran ver a la Universidad tomar el camino de la restauración.

Pero no fue sólo esa imbricación —cada vez más universalmente buscada— entre el conflicto universitario y el que se daba en la arena política nacional la que vino a conferir a la crisis de 1918 una hondura mayor que a las precedentes: ella abarcaba por añadidura dimensiones nuevas, por cuanto desde el filo del nuevo siglo la Universidad había comenzado a desempeñar un papel menos marginal en la vida cultural e ideológica de la nación. Como consecuencia de ello, entre los problemas nacidos de la perezosa circulación de las elites que siempre había caracterizado a la institución, el de la igualmente perezosa renovación de las ideas está ahora más presente a los ojos de quienes no comienzan sólo ahora a contemplar con impaciencia la marcha de la Universidad. Nótese que esa frustrada aspiración a la renovación cultural no necesita apoyarse en ninguna definición política igualmente innovadora; aun así, el hecho de que la agitación en su favor se integre con otras institucionales y políticas la politiza irremediablemente.

Así el reformismo, que en Córdoba se inscribe en el marco del conflicto con las posiciones católico-tradicionales allí dominantes desde antiguo (conflicto que por su naturaleza misma tiene desde su origen una dimensión política ineliminable), en Buenos Aires se define en este aspecto como una reacción antipositivista, que viene a integrarse en un solo haz reivindicatorio con otras políticas e institucionales. De allí proviene que no sólo a los ojos de los participantes en el conflicto universitario, sino de los sectores conservadores de opinión pública, esa integración parezca reflejar una afinidad de inspiraciones que el puro análisis de las ideas sería incapaz de descubrir entre posiciones políticas que van de la democracia radical hasta el socialismo revolucionario, y una reacción antipositivista cuyas potencialidades reaccionarias sólo paulatinamente van a ser descubiertas, pero que están presentes ya en su origen.

De este modo uno de los aspectos esenciales de la vida más íntima de la Universidad —el ritmo y orientación del proceso de renovación cultural que debiera darse dentro de ella— quedaba también él incluido en el área de contacto a menudo conflictiva entre la Universidad y la sociedad, y ello aun cuando ese proceso mismo no incluía elementos que lo hiciesen merecedor de la atención vigilante que desde esa sociedad ahora se le prodigaba.

A partir de aquí no hay ya aspecto de la actividad universitaria que no encierre en potencia una controversia cuya vocación será desbordar el ámbito universitario para expandirse a la sociedad entera, y ese recíproco desbordamiento se constituye en el dato básico de una situación que sólo se modificará en el futuro para tornarse más aguda y extrema. Las razones para esa agudización que ya no ha de cesar son numerosas, y por otra parte se alimentan recíprocamente.

La primera es el agravamiento de la crisis político-social a partir de 1930, que —unido al mayor peso que una Universidad de más numeroso alumnado ha adquirido en la sociedad— hace que desde ésta el prejuicio favorable al movimiento y al cambio, que había dominado antes frente a una institución que parecía encontrar difícil eludir espontáneamente el anquilosamiento y la inercia, se haga cada vez menos unánime: devolver a la Universidad la quietud un poco soñolienta que la había caracterizado en etapas que quizá habían sido juzgadas con excesiva severidad comienza a ser desde entonces ambición común a regímenes políticos en otros aspectos tan distintos como el presidido por el general Justo, el del decenio peronista, el de la Revolución Argentina y los que sucesivamente encararon el problema universitario a partir de la memorable Misión Ivanissevich.

Las razones para esa coincidencia son fácilmente comprensibles: todos esos esfuerzos coinciden en el propósito de impedir el desencadenamiento de tormentas que, surgidas en la Universidad, se teme capaces de expandirse fuera de ella. Esas etapas de estricto control se introducen cuando por otra parte la universidad ha aprendido a no separar los objetivos de cambio cultural o científico de los político-institucionales: no es sorprendente entonces que el quietismo que se trata de imponer en este último plano se extienda también a aquéllos, y que el anquilosamiento institucional que esos esfuerzos tratan de restaurar tenga ahora como explícito corolario un militante misoneísmo en el terreno cultural y científico.

La confluencia de quietismo cultural con quietismo político-ideológico tiene como respuesta necesaria la consolidación de otra alianza —que sería difícil de justificar a partir de cualquier afinidad más intrínseca— entre las tendencias renovadoras que en distintos planos eran contenidas por esa política represiva; esa alianza alcanzó su más alta intimidad y eficacia al abrirse el interregno entre los dos peronismos, en 1955. Sólo en este contexto puede entenderse la lealtad inquebrantable que un cuerpo de profesores en su mayoría poco interesado en militancias políticas o ideológicas otorgó durante casi una década a la gestión de Rolando García en la Facultad de Ciencias Exactas, que la mantuvo en la primera línea de fuego en medio de una creciente politización de la vida universitaria. No se trataba tan sólo de que este admirable caudillo universitario de la era del cientificismo se esforzaba con sorprendente éxito por dar a su base profesoral lo que ésta quería, creando una institución a la altura del mundo y de los tiempos; se trataba también de que esa base advertía muy bien que los rivales que le proponían una Universidad más ceñida a sus funciones supuestamente específicas no tenían ni la vocación ni la capacidad para reemplazarlo en esa tarea; una vida político-ideológica caracterizada por una suerte de agitación perpetua parecía ser el precio que era necesario pagar por una Universidad dispuesta a salir de su larga parálisis cultural.

Necesario pero también imposiblemente elevado, en cuanto esa agitación política no revuelve ya, como en la década de 1920, motivos tan audaces en su extremismo como irrelevantes a los conflictos concretos que definen la vida política del momento; en un país que parece encaminarse a la guerra civil, la serenidad poco profética con que aún en 1955 el general Lonardi y el general Aramburu devolvieron un lugar legítimo en el campo universitario a esos ejercicios de audacia, que sin duda juzgaban tan inofensivos como en su momento el general Roca y el doctor Yrigoyen, parecía cada vez más incomprensibles.

Esa alarma parecía más justificada por los cambios en el clima nacional que por las actitudes de un movimiento estudiantil cuyo compromiso ideológico no venía de ayer y que no parecía más próximo que en el pasado a sucumbir a las tentaciones de la acción revolucionaria. No iba a entregarse a ellas ni aun en respuesta a la intervención universitaria dispuesta por el régimen militar instalado en 1966, que vino a privarlo de esa modesta cuota en los beneficios de un orden establecido del que abominaba, representada por su participación en el gobierno universitario; y sólo lo haría en el marco de la clamorosa crisis final de ese régimen, y de una mucho más vasta movilización juvenil en la cual el papel del movimiento universitario estuvo aun entonces lejos de ser protagónico.

Hasta ahora hemos examinado la progresiva crisis de la universidad a partir de estímulos que llegaban de la sociedad; de la sociedad argentina en su conjunto, y de esa sociedad que es la universidad misma, cuyos rasgos básicos no podían dejar de ser radicalmente afectados por su incontenible crecimiento numérico. Hay otro estímulo que viene del interior mismo de la vida cultural e ideológica argentina, y cuya significación sería imposible exagerar: es el del fin del largo consenso ideológico que ha subtendido la experiencia histórica nacional desde su comienzo mismo; ese consenso ha logrado incorporar triunfalmente elementos heterogéneos y contradictorios, a partir de su primera formulación bajo el signo de la tímida renovación ilustrada en su versión hispana, y a lo largo de un siglo y medio las tensiones entre todos esos elementos no lograron quebrarlo.

La ruptura no iba a venir por cierto de la introducción a comienzos del siglo de ideologías de signo revolucionario que se identificaban orgullosamente con la clase obrera; los mismos que impusieron contra ellas una legislación represiva muy poco contemporizadora formaban en el público que aplaudía a las grandes figuras del socialismo latino, en sus triunfales giras oratorias a Buenos Aires; los portavoces locales de esas corrientes, por otra parte, se veían a sí mismos como los herederos legitimos, y no los impugnadores, de una vocación nacional que la clase dirigente había comenzado a su juicio a traicionar; como ha señalado muy finamente Oscar Terán, hasta que en su destierro mexicano Aníbal Ponce adoptó una perspectiva genéricamente populista para contemplar el proceso histórico hispanoamericano, la que le había inspirado su férrea identificación con la causa del proletariado se había expresado en puntos de vista difíciles de distinguir de los de, por ejemplo, Miguel Cané[7].

La primera quiebra de ese consenso vendrá en cambio de la presencia de un proyecto de cultura alternativa que bajo signo católico fue propuesto desde la década de 1880, pero que sólo iba a aflorar maduramente en la de 1930. Las razones para esa tardía maduración son complejas, pero la más importante es sin duda que en la primera fecha el proyecto no es más que eso, y la orgullosa consigna *Instaurare omnia in Christo* no consigue ocultar que quienes la agitan no sabrían cómo comenzar a hacerla verdad en el mundo de las ideas y la cultura; así, un José Manuel Estrada que proclama en tono cada vez más desafiante su total recusación del mundo moderno, sigue esgrimiendo en la polémica político-institucional la autoridad de Ahrens, sin que lo preocupe que éste se proclame inspirado en la filosofía de Krause... Para 1930 hace ya décadas que León XIII ha proclamado cómo debe encararse la construcción de una cultura alternativa, y los instrumentos para apropiársela están al alcance de la mano.

Pero en verdad lo que comienza en esta última fecha es algo más que la articulación, a niveles ideológicos hasta entonces resguardados de esos y otros desafíos, de las reticencias que el catolicismo político había mantenido desde su origen frente a la orientación dominante en este aspecto en la Argentina. Es también una primera respuesta al agotamiento de ese formidable avance que en la vulgata política argentina se hacía comenzar en 1852, pero que los más sagaces entre los que se identificaban con él —y en primer lugar Mitre— sabían que venía de más atrás: era ese agotamiento, más que el desafío en verdad poco temible que en el plano de las ideas representaba esa disidencia de signo católico, lo que hizo de ésta el comienzo del fin de ese largo consenso; su eficacia en este aspecto vino pronto a sumarse a la del revisionismo histórico, empresa ideológicamente menos ambiciosa, pero capaz de hacer sentir su influjo más allá del círculo relativamente estrecho que se define primordialmente a partir de su identificación exclusiva con el catolicismo.

Aun esa más difusa y por eso más abarcadora disidencia ideológica sólo lograría consumar la destrucción del consenso que impugnaba luego de la caída del primer peronismo, y de la agudización del conflicto a la vez político, social e ideológico en América Latina que siguió a la revolución cubana. Durante la primera etapa peronista, en efecto, frente a una oposición que se abroquelaba en su identificación con ese consenso tradi-

[7] Oscar Terán, *Aníbal Ponce: ¿El marxismo sin nación?*, México, 1983, en particular pp. 44-46.

cional tan amenazado, el régimen (tan innovador en otros aspectos como poco tentado por la innovación en el cultural e ideológico) exasperó aún más el eclecticismo que había dotado a ese consenso de la capacidad de sobrevivir y consolidarse a lo largo de siglo y medio. Sin duda, con ello la coherencia de las posiciones en torno de las cuales ese consenso se daba, desde el comienzo muy débil, desapareció casi totalmente: el integralismo católico, que se buscaba ahora integrar en él, era por definición refractario a esa tentativa, y los resultados de un esfuerzo de síntesis condenado de antemano se reflejan, por ejemplo, en un texto como el de *La comunidad organizada*, firmado por el general Perón, pero al parecer escrito en parte considerable por el P. Hernán Benítez.

Cualquiera que sea el mérito de ese ejercicio de manipulación de ideas (y no faltan quienes, contemplándolo con los ojos de la fe, han hallado modo de reconocérselo muy considerable), él refleja todavía la voluntad de mantener en ese plano un consenso que el peronismo no parecía por entonces advertir del todo hasta qué punto estaba socavando en el político. Luego de la caída del primer gobierno peronista, tanto el jefe del movimiento como los protagonistas de la etapa cerrada en 1955 iban a revisar sólo lenta y gradualmente esa actitud, pero a la vez esa caída vino a proveer de un séquito potencial, integrado por los sectores políticos y sociales a los que ella había arrojado a una muy dura intemperie, a las ideologías de ruptura con el consenso heredado que iban a proliferar desde entonces.

No se va a seguir aquí su eclosión, en la que confluyó un catolicismo político de inquebrantable vocación extremista, pero ahora al parecer dispuesto a probar suerte en el extremo opuesto del espectro político (anticipando esa evolución colectiva, el P. Benítez, confesor de Eva Perón y proveedor de textos filosóficos para su marido, iba a resurgir a la escena pública bajo el signo de la Revolución Cubana), y una izquierda a la cual el espectáculo inesperado de esa revolución incitaba a unir a su lenguaje revolucionario las acciones correspondientes. Tampoco se examinarán los avances que en una década hicieron de esa disidencia el núcleo de un incipiente e inmediatamente frustrado nuevo consenso en el cual pareció reconciliarse por un momento un país fatigado de sus divisiones, y que en 1973 celebraba su reencuentro consigo mismo encuadrándose tras los mismos símbolos que habían hasta la víspera ofrecido un reflejo cruel de sus desgarramientos (desde la efigie de Juan Manuel de Rosas hasta los orgullosos estribillos en que la nueva izquierda peronista evocaba las sangrientas hazañas de sus "formaciones especiales"). Baste señalar que, apenas disipada esa ilusión necesariamente fugaz, ella vino a dejar en herencia la subsunción del debate ideológico-cultural en un debate político que adoptaba el lenguaje, y pronto no sólo el lenguaje, de la guerra civil, en el cual los defensores de la nueva disidencia, que se resignaban mal a ver frustrada su ambición de trocarla en núcleo de un nuevo consenso, afrontaban la feroz contraofensiva de los herederos de la primera y menos afortunada versión disidente.

Lo que ello significó para la específica historia que se trata de rastrear aquí puede apreciarse en el hecho de que, de todas las renovaciones universitarias, la que se frustró en 1973 es la que menos claramente alcanzó a perfilar una imagen de la Universidad renovada que estaba en sus ambiciones; ello no se debía quizá tan sólo, como sugerían los críticos de esa experiencia, a que los principales responsables de ella carecían de toda idea precisa sobre el punto, sino más aún a que advertían en cambio muy bien que el influjo que habían ganado en la Universidad era una de las pocas bazas con que aún contaban para un mortal juego político del que el entero país era a la vez el teatro y el premio, y en el cual no alcanzaron en cambio a advertir a tiempo hasta qué punto las reglas habían sido de antemano fijadas en su contra.

Hemos seguido, hasta el momento mismo en que le tocaría emprender el descenso a los infiernos, la trayectoria de la Universidad de Buenos Aires, para tratar de rastrear a lo largo de ella los avances de la actitud que habíamos buscado primero perfilar a través del contraste con la que hallábamos mejor representada en Chile. Comenzando por una situación en que una sociedad excepcionalmente dinámica, y orgullosa de este rasgo, contempla con prejuicio benévolo y, cuando es necesario, apoya a los que dentro de la Universidad misma buscan (con medios que ignoran todo respeto a la continuidad institucional) quebrar su inercia para incorporarla más plenamente a ese proceso de avance, atravesando otra en que la Universidad misma se torna más espontáneamente dinámica y conflictiva, y sus conflictos se imbrican con los de una sociedad que cree estar coronando su proyecto histórico al alcanzar la democratización política, y todavía otra en que ese movimiento ascendente que se prolongó por siglo y medio se agota, y junto con él entra en crisis el consenso —tan sólido como rico en inconsecuencias y contradicciones— que lo acompañó, hemos visto entonces cómo todas esas situaciones tan diversas tienen en común un rasgo negativo pero esencial para lo que aquí nos interesa: cada una de ellas fomentó la consolidación de lealtades culturales, ideológicas o políticas que cruzaban las fronteras de la institución, e hizo difícil el arraigo de las institucionales, que desde el comienzo mismo de la experiencia histórica de la Universidad de Buenos Aires habían sido notoriamente débiles en ella.

Cabe todavía preguntar después de esta breve exploración de una historia relativamente larga, qué valor conservan las claves buscadas para ella hace casi un siglo por Groussac en los rasgos más generales de la experiencia histórica argentina, luego de que su influjo, así se lo reconozca decisivo en aquel momento, ha sido mediado por las complejas vicisitudes que a lo largo de nueve décadas redefinen varias veces la relación entre sociedad y Universidad. Si contemplamos el punto de llegada de esta exploración según la perspectiva sugerida por Groussac para el de partida, veremos surgir una conclusión evidente: la sociedad argentina ha perdido esa potencia de crecimiento vegetativo que imprimió sus rasgos peculiares a nuestra experiencia histórica; como consecuencia de ello ciertos rasgos que fueron funcionales en ese marco han dejado de serlo; entre ellos se cuenta la relativa indiferencia a los imperativos de la institucionalización, legítima cuando ésta amenazaba disminuir el ritmo del avance al fijarle cauces más rígidos, y su ausencia podía por otra parte ser suplida gracias a la sobreabundancia de recursos que precisamente ese vertiginoso avance estaba creando.

He aquí una conclusión que no parece justificar ningún pronóstico optimista: hace ya medio siglo que la experiencia histórica argentina se ha venido organizando sobre la obstinada esperanza de revertir una inflexión en su rumbo que se quisiera creer es sólo un temporario accidente en el camino: una izquierda siempre dispuesta a anunciar los porvenires que cantan, un populismo y una derecha que embellecen cada día en el recuerdo la imagen de sus respectivos paraísos perdidos (que se proclamen capaces de recuperar, si se los deja hacer) son parte de la larga lista de cómplices de una ilusión colectiva que se alimenta sobre todo de la desesperada —y tan comprensible— negativa a renunciar a ella por parte de una colectividad nacional que tiene tan pocas otras razones para hallar tolerable el destino que le ha tocado. La conclusión de que ha llegado para la Argentina la hora de imitar en la organización de su vida cultural la parsimonia y mesura que Chile aprendió en la escuela de una naturaleza avara, que esos episodios en que todo un acervo tradicional se quema en alegre fogata, como en 1973, sólo para despertar un eco de menos simbólicas hogueras inquisitoriales, como luego de 1975, marcan el punto de llegada de un camino que ya no conduce a ninguna parte; esas conclusiones tienen muy poco que pueda hacerlas atractivas, lo que no significa necesariamente que sean erradas.

HACIA UN ANÁLISIS DE LAS RAÍCES ESTRUCTURALES DE LA COERCIÓN EN LA ARGENTINA: EL COMPORTAMIENTO DE LAS PRINCIPALES FRACCIONES EMPRESARIAS, 1976-1983

MÓNICA PERALTA RAMOS

La últimas décadas de la historia política argentina se han caracterizado por el ejercicio del gobierno a través de formas crecientemente coercitivas. Poco a poco, el uso de la violencia descarnada se constituyó en el principal método de resolución del conflicto social. La sistemática recurrencia al golpe de estado como solución a la crisis política desembocó en formas de represión inéditas en la historia de nuestro país. En el marco de una sociedad sacudida por las secuelas del terrorismo de Estado, la crisis económica y la derrota militar ante una potencia extranjera, en diciembre de 1983 —y tras una victoria electoral sin precedentes— el partido radical pareció inaugurar una nueva etapa en la vida política argentina. Una etapa caracterizada por la promesa de una convivencia democrática y la búsqueda del consenso como principal mecanismo de gobierno. Sin embargo, a más de un año de dicha fecha persisten en la coyuntura actual una serie de factores que ponen en jaque a estos objetivos. En lo que sigue, trataré de aislar a uno de ellos y de abordar lo que podríamos llamar sus raíces estructurales. Más concretamente, intentaré analizar a la inflación y a las prácticas especulativas asociadas a la misma, como una resultante de una peculiar relación de fuerzas entre las principales fracciones empresarias.

El sistemático enfrentamiento por la redistribución del ingreso entre estos sectores, y su recurrencia al ejercicio de prácticas especulativas como forma de hacer valer sus reivindicaciones específicas, no sólo habría originado un desarrollo descontrolado de la inflación. Además de ello, se habría constituido en uno de los elementos desencadenantes de la crisis de legitimidad institucional que ha sacudido al país en las dos últimas décadas. Si bien este enfrentamiento habríase hecho patente en períodos caracterizados por diferentes formas de gobierno (civiles y militares), habría tendido a agudizarse en circunstancias en que una apertura democrática habría puesto a la orden del día la posibilidad de un incremento en las demandas salariales[1].

[1] El tema de la crisis de legitimidad institucional argentina ha sido abordado en Mónica Peralta Ramos: ''Etapas de acumulación del capital y crisis política argentina, 1930-1974'', editorial Siglo XXI, México, 1978.

La simple amenaza de una mayor demanda de participación en lo producido por parte de otros actores sociales habría históricamente incentivado el conflicto por la apropiación de los ingresos que caracteriza a la relación entre las principales fracciones empresarias.

Esta situación se ha visto particularmente agudizada en la coyuntura que se inicia con el llamado a elecciones y el posterior acceso del partido radical al gobierno, en diciembre de 1983.

Ahora bien, pareciera que en circunstancias en que la especulación y la inflación galopante dominan el escenario político, tiende a ganar fuerza una tendencia a creer que la solución a la aguda crisis de legitimidad institucional residiría en la simple vigencia de mecanismos de gobierno consensuales y en la persistencia de las instituciones democráticas. Sin embargo, esta visión del presente no sólo peca por simplista sino que está, además, condenada al fracaso. En efecto, si la solución a la crisis de legitimidad que recorre a nuestra sociedad residiera en la simple vigencia y persistencia de un orden formalmente democrático, este intento será distorsionado de raíz por el desarrollo descontrolado de la inflación y de las prácticas especulativas. Estas prácticas no sólo constituyen un mecanismo de lucha por la redistribución de los ingresos; constituyen, además, un poderoso corrosivo de los valores más intrínsecos a nuestro sistema de vida, poniendo al desnudo las relaciones de poder que articulan a la sociedad. Si bien no es posible desarrollar este tema dentro de los límites de este trabajo, conviene sin embargo señalar, aunque sea muy sintéticamente, algunos aspectos teóricos centrales al mismo.

En la sociedad capitalista, el trabajo de los individuos deviene parte del trabajo social (o de la sociedad) sólo a través de las relaciones que el intercambio establece directamente entre los productos e indirectamente —y a través de éstos— entre los productores. Las relaciones sociales que conectan el trabajo de un individuo con el de otro se presentan como relaciones entre cosas (mercancías, dinero). Las relaciones económicas aparecen siempre como relaciones de intercambio entre productos de un valor equivalente. Son pues relaciones de carácter material, impersonal y de orden equivalente. Este aspecto que adoptan las relaciones permite desplazar, oscurecer, a la raíz social del intercambio. La existencia de una peculiar estructura de relaciones sociales a nivel de la producción —estructura que implica una desigual distribución del poder económico— desaparece detrás de un escenario: el mercado, donde los principales actores son los objetos (el dinero) que circulan de acuerdo a una legalidad propia, al margen de la voluntad de los productores, más aún, sometiéndolos a sus propias leyes.

Todo intercambio presupone una relación de puesta en equivalencia entre los objetos intercambiados, cualquiera que sea la índole específica de esto. Es pues básicamente una relación de sustitución, de reemplazo, de representación. En tanto tal, introduce siempre una norma e institucionaliza por esta vía una organización reglamentada. Todo intercambio estructura así relaciones de poder. Cuando este intercambio es entre productos de valor en el escenario del mercado el mismo reproduce además relaciones de poder que se establecen a nivel de la producción entre los propios agentes de la producción. Es decir, reproduce relaciones de poder que se estructuran en otro escenario: el de las relaciones de producción.

Ahora bien, en un contexto como el mercado —signado por las relaciones materiales e impersonales, dominado por la abstracción de las cantidades y de las proporciones en que se intercambian las cosas— los individuos actúan como sujetos autónomos y privados, independientes los unos de los otros. En estas circunstancias, la condición para que puedan establecer relaciones de intercambio es que frente a ellos la sociedad también exista como algo material y autónomo, exterior e independiente de sus intereses esencialmente contradictorios. Así como el vínculo entre sus trabajos se representará a través de una cosa —el dinero—, es necesario que la totalidad social revista frente a ellos también una forma impersonal y material. Deberá pues desligarse de los agentes de la producción y de sus intereses particulares y adoptar la forma de una estructura normativa, de un código neutro, estructurado en torno de determinados principios o valores. Más específicamente, de un código elaborado en torno del principio de la equivalencia de valor entre los objetos intercambiados, la libertad para intercambiar y la igualdad de oportunidades en el intercambio. Y así como las relaciones sociales tienden a presentarse prioritariamente bajo la forma de un intercambio entre productos de igual valor, la estructura normativa que rige a estas relaciones tenderá a constituirse en el núcleo central a partir del cual una determinada concepción del mundo se difundirá a nivel social e impregna a todas las relaciones sociales, independientemente de su contenido (sea éste psicológico, político, etcétera).

Las nociones de equivalencia en el contenido de lo intercambiado, y de libertad e igualdad de oportunidades en el intercambio tenderá a estructurar la posibilidad de toda relación social en el campo de la percepción de los distintos actores sociales. Estos valores asumirán así una importancia central en la percepción que los mismos tienen de su realidad inmediata. Constituirán el núcleo central del contrato social sobre el cual descansa o se asienta la propia sociedad.

Sin embargo, hay algo más. Si el individuo es la unidad de análisis a partir de la cual se enfocan las relaciones de intercambio económico, éstas aparecerán ante la percepción de los actores sociales como una consecuencia inevitable de las necesidades humanas, es decir, como un fenómeno natural, ahistórico, atemporal. En consecuencia, el código que rige a estas relaciones también se presentará como algo natural y por ende de índole universal. Ambos movimientos permiten consolidar el oscurecimiento de la raíz social del intercambio, el hecho de que el mismo estructura y reproduce relaciones de poder. En efecto, las necesidades humanas que motivan el intercambio serán percibidas como algo natural,como un fenómeno de carácter universal y no como el producto de determinadas relaciones sociales y por lo tanto como un fenómeno históricamente determinado. Asimismo el código que rige a estas relaciones aparecerá como una cosa neutra,un fenómeno también natural, ineludible resultado del desarrollo del espíritu humano y no como un sistema de normas y valores resultado de específicas relaciones de poder. La sociedad y el presente aparecerán como el mejor de los mundos posibles y no como lo que realmente son; las circunstancias que nos toca vivir, y por lo tanto susceptibles siempre de ser perfeccionadas.

Estas nociones de la sociedad y del presente, estructuradas en torno de la prevalencia de los principios de libertad para intercambiar igualdad de oportunidades en el intercambio y de equivalencia de valor entre los objetos intercambiados, se distorsiona a partir del desarrollo descontrolado de prácticas especulativas en el área económica. Esto es así, porque la especulación es una actividad de tipo esencialmente coercitivo, basada en el ejercicio de un cierto poder de monopolio sobre los recursos y la información. En tanto tal, la misma tiende a poner en evidencia que el intercambio no se rige precisamente por los principios de equivalencia, igualdad y libertad. Por el contrario, muestra que las relaciones de intercambio se apoyan en una situación de asincronía de poder, de desarrollo desigual de relaciones de poder, independientemente de cuál sea el origen de estas relaciones, o su contenido. La especulación crea entonces un contexto que permite visualizar al intercambio como un vehículo de diferencias, como un mecanismo de reproducción de relaciones de poder. En esta medida, tiende a subvertir el código que rige a estas actividades. De ahí su carácter esencialmente explosivo, especialmente en circunstancias en que se pretende consolidar a un sistema democrático de gobierno. Si este sistema aparece como el medio mas idóneo de legitimizar a las instituciones en la medida en que en el mismo el ejercicio de gobierno se base sobre mecanismos consensuales, el desarrollo descontrolado de la especulación subvertirá a ese intento de raíz, al poner en evidencia a las relaciones de poder que estructuran el contrato social sobre el cual se apoya la sociedad.

En lo que sigue de este trabajo, intentaré analizar el período comprendido entre el golpe militar de 1976 y el acceso del partido radical al gobierno en diciembre de 1983, a la luz de la evolución de una particular relación de fuerza entre las principales fracciones empresarias. Trataré de mostrar que esta relación no sólo explica el desarrollo descontrolado de prácticas especulativas y la consiguiente inflación, sino que además es uno de los factores que determinan la crónica inestabilidad política del país en las últimas décadas. De ahí la importancia fundamental de este fenómeno, no sólo para comprender las dificultades que presenta la actual coyuntura política, sino también, y más esencialmente, el futuro de la convivencia democrática en la Argentina.

i- Las condiciones que estructuran la relación de fuerza entre las principales fracciones empresarias

A grandes rasgos podría decirse que la estrategia de desarrollo seguida en la Argentina desde principios de la década del 60 constituyó el marco estructural de una peculiar evolución en la relación de fuerza entre las fracciones más importantes del empresariado. En efecto, los diferentes gobiernos que se sucedieron hasta 1976 compartieron una misma estrategia centrada en dos grandes ejes: alta protección arancelaria para la industria y estímulo a las inversiones directas extranjeras en las ramas con mayor densidad de capital[2]. Esto se tradujo en una sistemática intervención del Estado en la economía a fin de estimular el desarrollo prioritario de estas ramas de la industria. A través de un tipo de cambio especial, destinado a subsidiar sus exportaciones e importaciones, de líneas especiales de crédito subsidiado para la producción, de alta protección arancelaria y de exenciones impositivas de todo tipo, el Estado promovió el desarrollo de estos sectores industriales. Como contrapartida de estos subsidios a la industria, se establecieron gravámenes especiales a las exportaciones agropecuarias, un tipo de cambio especial para las mismas que actuaba como un gravamen más y un sistemático control sobre los precios internos de estos productos. La conjunción de estas políticas trajo aparejada una recurrente traslación de ingresos desde el sector agropecuario hacia el industrial. Sin embargo éste no fue el único efecto de este estilo de crecimiento. El mismo tendió además a generar un crecimiento sobredimensionado de importaciones crecientemente sofisticadas. Diversos factores explican esto último, desde el comercio no regulado entre partes del complejo multinacional y la sobrefacturación de importaciones resultante, hasta la incidencia a nivel local de la velocidad en la renovación de tecnología en los países centrales. En estas condiciones el desarrollo industrial no dio una respuesta efectiva a la tendencia al desequilibrio del balance de pagos propia a los países de escasa industrialización[3]. Durante este período, el crecimiento de las importaciones no fue correspondido por un crecimiento equivalente o superior de las exportaciones agropecuarias, principal fuente de divisas del país. Este estilo de crecimiento quedó así encerrado progresivamente en una paradoja: toda expansión de la acumulación liderada por las ramas más intensivas en capital tendió a desembocar en una crisis del sector externo, con el consiguiente impacto sobre el endeudamiento externo del país.

[2] El análisis de la estrategia de acumulación aplicada a partir de principios de la década del 60 y su comparación con la aplicada entre 1946 y 1955 puede encontrarse en "Etapas de acumulación y alianzas de clase en la Argentina 1930-1970", Mónica Peralta Ramos, op. cit.

[3] Esta situación se asocia con el deterioro de los términos de intercambio de los bienes primarios, que constituyen los principales productos de exportación de estos países.

La crisis del sector externo y la necesidad de encontrar divisas "fáciles" para hecerle frente, generaron las condiciones para que el sector agropecuario encontrase el poder económico y político necesario para presionar y eventualmente obtener un cambio circunstancial en las políticas que lo gravaban. El carácter paradójico de este estilo de crecimiento encerró las condiciones para la preservación del poder de veto de la fracción más importante del empresariado agropecuario. En este sentido, se puede decir que desde el punto de vista de la relación de fuerzas entre el sector industrial y el agropecuario, este estilo de desarrollo generó un creciente conflicto entre las fracciones más poderosas[4]. El poder de veto del sector agropecuario impidió que el conflicto se zanjase definitivamente en favor de la industria. Se dieron así las condiciones para el ejercicio de una creciente presión sobre la toma de decisiones oficiales por parte de ambos sectores. Esta presión adoptó distintas formas. A mi juicio las más importantes por su incidencia a nivel de la estabilidad institucional fueron el creciente uso político del poder corporativo y la recurrencia a prácticas especulativas para provocar bruscas traslaciones de ingresos desde un sector hacia el otro. Se configuró así una situación muy particular: la disputa entre estos dos sectores sociales por hacer valer sus reivindicaciones específicas no fue saldada a través de un proceso de negociación tendiente a la conciliación de intereses. En lugar de ello, se saldó a través de medidas arbitrariamente tomadas desde el gobierno al influjo de la presión corporativa de uno u otro sector. Se saldó también de un modo más anárquico, difuso y explosivo a partir del desarrollo de prácticas especulativas de distinto tipo destinadas a afectar los precios de uno u otro sector. El resultado no se hizo esperar y la inflación se estableció como un fenómeno crónico en la vida argentina. La difusión de estas prácticas especulativas fue posible debido al poder de monopolio ejercido por estos dos sectores en sus áreas de actividad respectivas. La alta protección arancelaria y el estímulo dado desde el Estado al desarrollo de las inversiones extranjeras en las ramas de la industria con mayor densidad de capital, trajeron aparejado un creciente control monopólico y oligopólico sobre estos mercados. Esta situación, sumada a la importancia estratégica de estas ramas para el conjunto de la industria, explica que las pautas de producción y competencia que prevalecieron en las mismas tuviesen una importancia decisiva en la determinación de los precios del conjunto de la industria, y por esta vía de la economía argentina. Así, florecieron en estas ramas distintas prácticas destinadas a ejercer presión sobre los precios. Entre éstas, la principal fue la acumulación de stocks, el desabastecimiento y el consiguiente mercado negro de insumos y productos industriales[5]. A diferencia de la gran industria cuyos precios sur-

[4] Entendemos por tales: a la fracción más concentrada del capital industrial, y en particular a la ubicada en las ramas estratégicas de la industria, es decir en las ramas con mayor densidad de capital; y a la fracción agropecuaria vinculada con el negocio de exportación.

[5] La sobrefacturación de importaciones fue también un poderoso recurso utilizado en determinadas coyunturas, y en particular en la década del 70.

gen directamente de su control monopólico u oligopólico del mercado interno, el sector agropecuario ha dependido tradicionalmente de los precios internacionales y de la intervención del Estado en la determinación de sus propios precios. A pesar de ello, cuando las circunstancias climáticas y el ciclo económico lo permitieron, la fracción más poderosa del sector agropecuario vinculada con el negocio de la exportación recurrió también a la práctica de retener sus productos para incidir sobre los precios.

En síntesis, se podría decir que la estrategia de desarrollo aplicada desde los inicios de la década del 60 hasta el 76, no fue precisamente el producto de una concertación entre las principales fracciones empresarias. Fue más bien el resultado de la imposición crecientemente coercitiva de los intereses inmediatos de un sector sobre los intereses del otro sector. La consecuencia de esto será el desarrollo endémico de la inflación, la puja creciente por provocar traslaciones de ingresos desde un sector hacia el otro a partir de la presión ejercida por el accionar político de sus respectivos organismos corporativos, y la difusión cada vez más abierta de prácticas especulativas de todo tipo. Poco a poco la inversión productiva tendió a ser sustituida por la especulación como principal fuente de incremento del capital.

Ahora bien, este estilo de crecimiento tuvo otra consecuencia de importancia crucial para la estabilidad institucional del país: el desarrollo de un mercado de trabajo crecientemente restrictivo y heterogéneo. A pesar de que me es imposible desarrollar este tema dentro de los límites de este trabajo, creo que es importante señalar aunque sea muy brevemente una serie de fenómenos que se asocian con este estilo de crecimiento[6]. En la medida en que las ramas que lideraron el desarrollo industrial en este período eran altamente intensivas en capital, el mismo tuvo escaso efecto positivo sobre la capacidad de absorción de fuerza de trabajo por parte de la industria. Al mismo tiempo, los salarios tendieron a depender del tamaño de las empresas y de la rama en la cual las mismas se encontraban insertadas. La práctica de pagar salarios por debajo del salario mínimo vital y móvil tendió a generalizarse en la pequeña y mediana empresa y en las ramas con menor crecimiento relativo. Las características que asumió el mercado de trabajo fueron erosionando la capacidad de negociación salarial de los gremios. Los salarios efectivamente pagados tendieron a depender en mayor medida de los incrementos de la productividad que de las mejoras obtenidas por los sindicatos. Se originaron así crecientes demandas insatisfechas que no encontraron en los sindicatos un canal institucional adecuado para su expresión. Frente a estas demandas, los distintos gobiernos que se sucedieron a lo largo del período acudieron progresivamente al ejercicio de la coerción: desde el reemplazo de las convenciones colectivas de trabajo por la determinación de aumentos salariales

6 El análisis de las alternativas que asume el mercado de trabajo en la Argentina y su relación con la evolución de las demandas obreras y la estabilidad institucional ha sido abordado en Mónica Peralta Ramos: op. cit.

a partir de decretos oficiales hasta diferentes formas de represión policial. En lugar de un escenario donde la concertación de intereses es posible a través de la actividad sindical eficiente y las convenciones colectivas de trabajo, tendió a prevalecer un escenario caracterizado por la eliminación del derecho de huelga y formas de control del conflicto social crecientemente represivas. Todo esto fue configurando una progresiva crisis de legitimidad del modelo de desarrollo aplicado, crisis que se verificó tanto para las principales fracciones empresarias como para las capas asalariadas.

La asincronía entre el poder económico y el acceso al poder político a través del sistema electoral ha sido un rasgo constitutivo de la historia política argentina. En efecto, los sectores sociales que en diferentes coyunturas han concentrado la mayor cuota de poder económico han sido tradicionalmente incapaces de constituir un partido político con suficiente clientela electoral como para garantizarles el acceso al poder político a través del sistema electoral. En lugar de ello, la vía de acceso al poder político han sido los golpes militares, los comicios fraudulentos y la presión política de sus respectivos organismos corporativos. No ha sucedido lo mismo con los sectores asalariados, tanto de la clase media como de la obrera. Ambos constituyeron en diferentes coyunturas históricas el eje vertebral de los dos principales partidos políticos de la Argentina: el radicalismo y el peronismo. Esta circunstancia es uno de los factores que explican la persistente inestabilidad política argentina. La incapacidad de los sectores que concentran el mayor poder económico para constituirse en un partido político con suficiente clientela electoral como para disputar el acceso al poder político en elecciones democráticas pone en evidencia el carácter eminentemente coercitivo del poder económico en la Argentina. Éste ha sido tradicionalmente incapaz de negociar, de conciliar intereses, de constituir coaliciones con otros sectores que plantean reivindicaciones diferentes. La arbitrariedad y la coerción desembozada han sido el medio utilizado sistemáticamente para imponer sus intereses específicos y su particular visión del mundo.

En distintas coyunturas históricas los sectores asalariados lograron el acceso al poder político por la vía democrática. Sin embargo, como lo pone en evidencia la historia de los últimos 50 años, la respuesta no se hizo esperar y los gobiernos constitucionales fueron derrocados y sustituidos por gobiernos militares.

Desde principios de la década del 60 los efectos de esta sincronía se tornaron más explosivos debido a la lucha por la redistribución de los ingresos que sacudió a toda la sociedad, y en particular a las fracciones más poderosas del empresariado. La posibilidad de una apertura democrática, con el consiguiente incremento de las demandas salariales que la misma puede traer aparejado, agudizó la lucha entre las fracciones empresarias. Arreció entonces el comportamiento especulativo y la presión política ejercida a través de sus respectivas organizaciones corporativas. Estas circunstancias contribuyeron a erosionar la legitimidad de las instituciones políticas, una legitimidad puesta en cuestión por diversos factores: desde la sistemática proscripción política del peronismo y la crisis de representatividad de los partidos políticos aceptados por el sistema hasta las sucesivas intervenciones militares. Así se fue configurando una situación muy particular: la acumulación de demandas de tipo económico y político no encontró una expresión adecuada dentro de los canales institucionales vigentes. De ahí la progresiva crisis de legitimidad institucional que sacudió al país.

Hacia fines de la década del 60 la protesta social saldrá a la luz del día a través de diferentes erupciones de violencia. La violencia será también el principal método de resolución del conflicto social y político. Y en esta espiral, la actividad represiva del Estado pasará a adoptar formas crecientemente "clandestinas", es decir, violatorias de su propia legalidad. Esta situación culminará en 1976 con la implantación sistemática de lo que hoy ha dado en llamarse terrorismo de Estado. En nombre de Dios, de la Patria, de la Familia y de la Libertad, proliferaron los campos de concentración, los asesinatos, las torturas de todo tipo, el aniquilamiento moral, la "desaparición" de personas.

Éste será el resultado del accionar de las fuerzas represivas del Estado organizadas al margen de su propia Ley. Pondrá en evidencia la profundidad de la crisis de valores, de la crisis moral que sacudió a importantes sectores sociales.

ii- El Proyecto de Martínez de Hoz a la luz de la lucha entre las principales fracciones empresarias

Ahora bien, ¿cuál fue el significado del golpe militar de 1976 desde el punto de vista del tema que me preocupa en estas páginas: la relación entre las principales fracciones empresarias y el impacto de esta relación sobre la estabilidad institucional? Para tratar de dar respuesta a este interrogante hay que diferenciar estre los objetivos perseguidos por el proyecto oficial y los resultados concretos obtenidos. Como es de suponer, los mismos no necesariamente coinciden en la medida en que los segundos dependen estrictamente de la capacidad de respuesta de los distintos actores sociales ante la política oficial.

a- Objetivos perseguidos

A mi juicio, uno de los principales objetivos perseguidos por la política económica del gobierno militar instaurado en 1976 residió en el logro de una drástica modificación de las "reglas de juego económico" preexistentes, a fin de provocar una alteración en la relación de fuerzas entre las principales fracciones empresarias. En este sentido se podría decir que el gobierno pretendió: 1°, promover un desarrollo "más armónico" entre campo e industria, quitando a esta última una cuota del poder político y económico previamente sustentado y restituyendo al sector agropecuario parte de los privilegios vulnerados en períodos anteriores; 2°, promover el desarrollo del capital financiero privado; 3°, incentivar formas de concentración del capital tendientes a la fusión de las cúpulas empresarias de los diversos sectores productivos bajo el predominio del capital financiero. Estimular así el desarrollo de grupos económicos concentrando intereses económicos previamente dispersos en diversos sectores económicos.

El gobierno inició su gestión con una definición de la inflación como una lucha por la redistribución de los ingresos de carácter inaceptable para el sistema[7]. Por consiguiente, la gestión oficial giró en torno al intento de desarticular a los sectores que a juicio del gobierno eran los principales responsables de la misma: los sectores obreros y la industria. Una de las primeras medidas adoptadas fue una drástica reducción salarial. Ésta fue de tal magnitud, que en palabras del propio ministro de Economía eliminó a los salarios como fuente de inflación futura (''La Nación'', 2-6-76). De este modo, hacia fines del 76 los salarios reales industriales estaban cerca del 45% por debajo del nivel sustentado por los mismos dos años antes[8]. Como es de público conocimiento, esta medida económica fue acompañada de una violenta represión sobre la clase obrera[9], una represión de carácter inédito en la historia de nuestro país. La conjunción de estas políticas permitió eliminar a las demandas salariales de la escena política. Esto fue una constante durante prácticamente todo el gobierno militar[10].

[7] En las propias palabras del jefe del gabinete de asesores del ministro de Economía: ''La inflación es la expresión de la lucha social en torno del ingreso. Todo aquello que agite esta lucha lleva consigo un potencial inflacionario. En algunos de sus aspectos, la política económica aplicada a partir del 2 de abril de 1976 arrastra este peligro ya que aspira a introducir cambios profundos en la vida económica que se llevan a la práctica a través de modificaciones en los precios relativos (la reforma financiera y una economía más abierta son los cambios más relevantes) que pueden a su vez inducir contrarréplicas de los intereses afectados, las cuales se manifiestan vía del sistema de precios'' (''La Nación'', 3-4-79).

[8] A no ser que se haga expresa mención contraria, todo el material estadístico utilizado en este trabajo proviene de los ''Economic Memorandum for Argentina'', 1983 y 1984, del World Bank, y del ''Argentina, Special Report: private sector impact of the 1976-1980 economic program'', febrero de 1982, de la misma institución.

[9] De acuerdo con el informe presentado por la CONADEP al presidente Alfonsín, en septiembre de 1984, de las 8.960 personas desaparecidas registradas en dicho informe: el 30.2% eran obreros, el 21% estudiantes, el 17.9% empleados, el 10.7% profesionales, el 5.7% maestros, el 5% otros varios, el 3.8% amas de casa, el 2.5% conscriptos, el 1.6% periodistas, el 1.3% actores y artistas y el 0.3% religiosos.

[10] Las limitaciones de espacio han obligado a dejar expresamente de lado el análisis de la situación de la clase obrera a lo largo del período estudiado. Generalmente se sostiene que este sector social es el principal responsable de la inflación en la Argentina. Sin embargo este período de nuestra historia es particularmente interesante porque demuestra justamente lo contrario. Cuesta recordar en nuestra historia una época mas salvaje en lo que se refiere al control de la protesta social. A pesar de prácticamente haberla liquidado, de haberla borrado literalmente de la escena política, el gobierno no pudo controlar la inflación.

Luego de este comienzo, todo el esfuerzo de la lucha antiinflacionaria se volcó sobre el sector industrial. En este sentido, el gobierno comenzó por desmontar la compleja maquinaria de subsidios destinados a este sector; establecida a lo largo de décadas de desarrollo industrial promovido a partir de una sistemática intervención del Estado en determinadas áreas económicas. En 1976, el gobierno eliminó los tipos de cambios especiales y por consiguiente el subsidio que por esta vía obtenían las importaciones y exportaciones de ciertas ramas de la industria. Se eliminaron además una serie de exenciones impositivas y de líneas especiales de crédito destinadas a la promoción de las exportaciones de las ramas con mayor densidad de capital.

Paralelamente, y en carácter de "compensación" al sector agropecuario, se eliminaron las retenciones a las exportaciones y el tipo de cambio especial para estos productos que actuaba como un gravamen más, y se liberaron los precios agropecuarios. El efecto de estas medidas no se hizo esperar: se produjo un mejoramiento de los precios relativos del sector *(cuadros 1 y 2)* y un incremento de su producción y de sus exportaciones[11].

En lo que hace a la industria, la drástica reducción de los salarios disminuyó sustancialmente sus costos. Sin embargo, esto no se tradujo en una disminución de los precios. En efecto, lejos de disminuir, éstos aumentaron vertiginosamente. Hacia fines del 76 el ministro de Economía responsabilizaba a ciertas empresas de ejercer presión sobre los precios a través del ejercicio de "prácticas irregulares", básicamente la acumulación de stocks y el mercado negro ("La Nación", 20-12-76), instando al empresariado a asumir sus responsabilidades y a aceptar las nuevas reglas del juego. Como la situación no se modificó, hacia marzo del 77 el gobierno impuso una "tregua de precios" a las empresas más grandes por el espacio de tres meses. Explicando el porqué de estas medidas el ministro sostendrá: "Hemos observado en el pasado que ciertos sectores empresarios se han aprovechado de su situación de alguna manera monopólica o de oligopolio en el mercado, para efectuar frecuentes o grandes aumentos de precios. Quiero advertir que estas situaciones van a ser observadas muy de cerca por nosotros y que llegado el caso sabremos adoptar todas las medidas necesarias dentro de la amplia gama que tiene el Estado, desde las medidas arancelarias para permitir la importación, hasta las de otro orden, para que estas empresas entren en razón y no ejerzan estas prácticas contrarias a una actuación legal en el mercado...

Sólo hacia principios del 82 la tensión social acumulada durante años amenazará con salir nuevamente a la luz estimulada por la evidente crisis del Proceso y la creciente inestabilidad política. Esto explicará la invasión a las Malvinas, y el posterior llamado a elecciones. Pero esto ocurrirá en el marco de un creciente deterioro del Proceso, producto básicamente de las luchas interempresarias.

[11] Las exportaciones agropecuarias crecieron a una tasa anual acumulativa del 16.3% entre 1976 y 1980.

El gobierno está dispuesto a mantener siempre la conducción y el control del Proceso. A tales efectos, no se dejará llevar por nerviosismos, por impaciencias, por voluntades débiles ni por aquellos que quieren torcer la línea en beneficio propio o de un interés sectorial'' (''La Nación'', 9-3-77). Concluirá su discurso con una formal exigencia al empresariado industrial ''para que absorban el aumento salarial de marzo y mantengan su nivel de precios de fines de febrero sin trasladar en forma generalizada nuevos aumentos al precio de sus productos durante un período transitorio que estimativamente podrá ser de unos 120 días'' (ídem). Éste era el tiempo que se daba el gobierno para concertar con las principales empresas industriales su futura política de precios. Sin embargo no todas las empresas aceptaron esta concertación, y, como se verá más adelante, los efectos de las políticas subsiguientemente adoptadas fueron muy dispares.

Hacia el final de la tregua se hizo patente que amplios sectores de la industria se resistían a abandonar sus tradicionales métodos de presión sobre los precios. De ahí que ante la nueva estampida inflacionaria el gobierno cumplirá su promesa, y no sólo anunciará la implementación de una reforma arancelaria destinada a terminar con el privilegio de la alta protección estatal sino que implementará medidas de otro orden: la reforma financiera de junio del 77 y la ''tablita'' a fines del 78.

La primera consistió en una descentralización de los depósitos bancarios,la liberación de las tasas de interés y una ley de entidades financieras. Uno de los objetivos perseguidos por la política financiera fue poner fin al crédito subsidiado y obstaculizar por esta vía la posibilidad de acumulación de stocks, desabastecimiento y mercado negro de determinados insumos y productos industriales. Como se verá mas adelante, estas medidas no lograron el efecto deseado, por lo que en noviembre del 78 el gobierno impuso en forma total la reforma arancelaria. Los plazos primitivamente establecidos por la misma para reducir aranceles de distintos productos industriales fueron vulnerados por el propio gobierno en su afán de castigar a los sectores y empresas que no aceptaban el cambio en las reglas del juego y realizaban en forma anticipada sus expectativas de inflación futura.

En diciembre del mismo año el gobierno introdujo lo que habría de ser su herramienta más formidable para controlar los precios industriales: la ''tablita'' o esquema anticipado de incrementos en el tipo de cambio, menores al aumento de la inflación. Se estima que hacia fines del 80 y como resultado de esta política el valor real del peso en relación al dólar era un 40% superior al sustentado en 1977.

Tanto la reforma arancelaria como la política cambiaria perseguían en un principio el objetivo de inundar el mercado interno con productos industriales más baratos a fin de obligar a la industria local a disminuir sus precios. Sin embargo, los objetivos que se perseguían con las mismas no se limitaban a combatir la inflación o si se quiere a doblegar la capacidad de determinación de los precios internos por parte de la industria. Al igual que la reforma financiera, estas medidas pretendían en sus orígenes imponer una reestructuración drástica de la actividad económica. Si con la primera se pretendió estimular una violenta traslación de ingresos hacia el sector financiero a fin de promover la conformación de grupos económicos hegemonizados por el capital financiero, con la política arancelaria y cambiaria se trató de impulsar una mayor concentración del capital industrial y la imposición de un nuevo modelo de desarrollo industrial basado en el liderazgo de ciertas ramas de la industria: las agroindustrias. La capacidad de veto de ciertos sectores empresarios hizo que algunos de estos objetivos de mediano y largo plazo fuesen progresivamente perdiendo vigencia en la propuesta oficial. Esto es así especialmente en lo que concierne al cambio del modelo de desarrollo industrial. En efecto, podría decirse que frente a la reacción negativa de ciertos sectores de la industria ante la propuesta oficial, y consiguientemente ante la persistencia de la inflación, el gobierno quedó cada vez más encerrado en las contradicciones de una política cambiaria que no sólo tendió a desarticular la capacidad de determinación de los precios por parte de la industria sino que bien pronto ejerció su influencia negativa sobre el conjunto de las actividades productivas. A pesar de ello, algunos de los objetivos propuestos fueron ampliamente logrados, y hoy en día nos toca develar el significado político de estos últimos.

b - *Efectos de la política económica aplicada*

Como consecuencia de la reforma financiera de junio del 77, el crecimiento de las tasas de interés real en el mercado interno fue tan considerable que las mismas superaron en todo el período de Martínez de Hoz al crecimiento de las tasas de interés real vigentes en el mercado financiero internacional (*cuadro 3*). Al mismo tiempo, el spread bancario local fue uno de los más altos posible de encontrar en el mercado financiero internacional. Al amparo de estos dos fenómenos se registró un masivo ingreso de capitales extranjeros[12], una transferencia de recursos desde los sectores productivos hacia el sector financiero, y el desarrollo de todo tipo de prácticas especulativas en el mercado financiero local. La garantía oficial sobre el total de los depósitos[13], la escasa magnitud del capital requerido para abrir un banco o una financiera[14], la inexistencia de una su-

[12] Resulta imposible internarse en este trabajo en el análisis de la coyuntura internacional que hizo posible este fenómeno. Sin embargo es bueno recordar que si ésta no hubiese adoptado ciertas características que redundaron en una enorme movilidad de los flujos financieron, el resultado de las políticas económicas aplicadas en la Argentina habrían sido muy diferente.

[13] Es bueno recordar que ésta le fue impuesta al proyecto original de Martínez de Hoz por la CAL y en particular por la influencia de la Marina y la Aeronáutica.

[14] A título de ejemplo: en Chile (y desde diciembre de 1983) el capital mínimo para operar como banco es de 8.2 millones de dólares y el de las entidades financieras es de 4.1 millones de dólares. Si este criterio se aplicara en la Argentina, de los 203 bancos privados

pervisión o control por parte del Banco Central sobre las actividades financieras, las enormes ganancias obtenidas a partir de la relación existente entre una tasa de interés para los depósitos siempre negativa, y una tasa de interés para los préstamos siempre fuertemente positiva (*cuadro 4*) explican la sobreexpansión del sistema financiero (*cuadro 5*). Entre 1976 y fines de 1979 el número de sucursales bancarias creció en más de un 28% acumulativo anual; el de centrales bancarias creció a una tasa anual del 23.1% y el de entidades financieras en un 27% anual. Este crecimiento del número de entidades financieras se dio paralelamente con un alto grado de la concentración del capital en el ámbito financiero. En efecto, hacia fines del 82 el 13% del total de los bancos comerciales controlaba el 68% del total del patrimonio neto y el 65% del total de los préstamos.

Se dio así una situación particularizada por las enormes ganancias realizadas por las distintas fracciones del capital financiero. Por un lado, un reducido núcleo de grandes bancos comerciales capturaron no solamente las significativas economías de escala existentes en el sector bancario sino también enormes rentas provenientes de los grandes spreads necesarios para la supervivencia de las instituciones financieras más chicas e ineficientes. Estas últimas se mantuvieron en el mercado gracias a la garantía oficial sobre el total de los depósitos, las tasas de interés negativas para los depósitos y positivas para los préstamos y la práctica de pasar los enormes spreads a los ahorristas y tomadores de crédito. La inexistencia de control o supervisión por parte del Banco Central posibilitó el florecimiento de diferentes prácticas especulativas (o "bicicletas") en el ámbito financiero. Si bien esta situación permitió que todas las fracciones financieras realizasen ingentes ganancias, desde un principio existió una fuerte segmentación del mercado financiero. Éste se dividió entre los bancos y entidades con acceso al mercado financiero local y al internacional, y los bancos y entidades que sólo tuvieron acceso al primero. El primer grupo se especializó en clientes de bajo riesgo: las grandes empresas con vínculos en el exterior. El segundo grupo, en cambio, al depender exclusivamente de los recursos financieros obtenidos localmente, para competir con el primero ofreció las mayores tasas de interés y se especializó en empresas de alto riesgo, con escaso o ningún acceso al crédito externo.

El acceso al crédito externo, más barato que el obtenido localmente, en un mercado financiero con las características descriptas más arriba, posibilitó que un reducido número de instituciones realizase enormes ganancias.

Las políticas aplicadas tuvieron múltiples y dispares consecuencias a nivel del sector industrial. Desde una perspectiva global, se acentuó la re-

---

registrados en 1983 sólo quedarían en pie unos 60, y de las 102 entidades financieras existentes en dicha fecha sólo quedarían 4 autorizadas para operar. Por último, de los 60 bancos que quedarían, 17 serían oficiales, 25 serían privados de capital nacional y 18 serían privados de capital extranjero.

cesión iniciada a mediados de los 70: la participación de la industria en el total del producto bruto pasó de representar el 33% del mismo en 1976 a representar el 28% en 1983. Hacia fines de 1982 el valor agregado del sector industrial era menor que en 1970 y la fuerza de trabajo empleada en la industria había sido reducida al 73% del nivel que tenía en 1970. Por otra parte, las políticas aplicadas acentuaron todavía más la fragmentación del sector industrial preexistente a 1976[15]. En efecto, introdujeron un nuevo eje divisivo: el permanecer o no bajo protección arancelaria. Un grupo[16], que nucleó a la mayoría de las ramas que lideraron el desarrollo industrial en el período anterior al 76, permaneció altamente protegido. Este grupo registró entre 1976-1980 importantes crecimientos del producto, de la productividad, del coeficiente ganancias/ventas y de las inversiones. Tuvo además un fácil acceso al crédito externo. El otro grupo, sometido crecientemente a la competencia de productos importados, tuvo escaso o ningún acceso al crédito externo y registró caídas de la producción, del coeficiente de ganancias/ventas y de las inversiones. Registró además un crecimiento de la productividad semejante al caso anterior. En ambos grupos se dio una drástica reducción de la mano de obra empleada[17]. Las empresas pertenecientes a este último grupo adoptaron diferentes tácticas para sobrevivir. Las mismas dependieron de su tamaño y de su grado de acceso al crédito externo. Un recurso generalizado fue el fortalecimiento de los vínculos de propiedad con el sector financiero. Para muchas empresas que antes carecían de estos vínculos, los mismos se constituyeron en la garantía de supervivencia en la coyuntura. Otro recurso consistió en transformarse en importador y proveedor de servicios de los productos anteriormente producidos. Muchas empresas redujeron su actividad al mínimo esperando un cambio de políticas y otras optaron por fusionarse. De más está decir que las pequeñas y me-

[15] En el período anterior a 1976 la industria se fragmentaba a partir de diferentes criterios. Por un lado existía un grupo, de crecimiento dinámico, esencialmente constituido por las ramas que producían bienes intermedios, de capital y de consumo durable. En ellas predominaban las grandes empresas vinculadas de una u otra forma con el capital extranjero. Por el otro lado, existía un grupo constituido por las ramas productoras de bienes salarios. En ellas predominaba la empresa pequeña y mediana y de capital nacional. Estas ramas tuvieron durante el período un crecimiento vegetativo. M. Peralta Ramos: op. cit.

[16] El grupo que permaneció altamente protegido estaba constituido por las siguientes ramas: petróleo y derivados, plástico, cemento y otros minerales no metálicos, material de transporte, productos farmacéuticos y químicos, imprenta y editoriales, cigarrillos y tabaco. El grupo que fue sometido a una creciente competencia de productos importados estaba a su vez constituido por: alimentos y bebidas, textiles y vestido, cuero y calzado, papel y cartón, vidrio y porcelana, hierro y acero, productos metálicos, maquinaria y ciertos productos químicos.

[17] El grupo protegido registró entre 1977 y 1980 unas tasas de crecimiento acumulativo anual de producto, la productividad y el empleo, del orden de 1.90%, 3.71% y -1.76% respectivamente. El otro grupo registró las siguientes tasas de crecimiento anual acumulativo del producto, la productividad y el empleo: -0.9%, 3.72% y -4.47% respectivamente. La mayor restricción de la mano de obra ocupada se dio justamente en el grupo sometido a la competencia extranjera.

dianas empresas fueron las principales víctimas de estas políticas y muchas de ellas fueron literalmente borradas del escenario.

En lo que hace al sector agropecuario, puede decirse que pasado el primer año de extrema bonanza de precios derivado de las medidas inicialmente tomadas por el gobierno, el sector —y de nuevo, especialmente las pequeñas y medianas empresas de las zonas menos fértiles— se vio crecientemente perjudicado por el encarecimiento del crédito resultante de la reforma financiera, y por la política cambiaria adoptada a fines del 78. Durante el período 1976-80 —y con la excepción de lo ocurrido en 1977— los precios internacionales de los productos agropecuarios tendieron a superar considerablemente a los precios domésticos (*cuadros 6 y 7*). La liberación de los precios agropecuarios, prometida por Martínez de Hoz, no logró satisfacer la tradicional aspiración del sector: la equiparación de los precios domésticos con los internacionales. Por lo demás, amplios sectores se vieron perjudicados por factores climáticos y por la baja de los precios internacionales de algunos productos claves. La conjunción de todos estos factores hizo estragos en la pequeña y mediana empresa, carente de vínculos de propiedad en el sector financiero y sin ningún acceso al crédito externo.

Ahora bien, cabe preguntarse por los efectos de la política antiinflacionaria del gobierno en lo que hace a la relación de precios entre sectores. Como se dijo más arriba, las mejoras otorgadas al sector agropecuario entre el 76 y el 77 se tradujeron en un mejoramiento notable de los precios de sus productos en relación a los precios de los productos industriales. Sin embargo, esta situación no perduró. Entre 1978 y 1979 el crecimiento de los productos industriales domésticos superó en un 10% al crecimiento de los precios de los productos agropecuarios. Hacia 1980, este margen de diferencia era de un 20%. Por lo demás, el propio sector industrial no registró un comportamiento homogéneo en lo que hace a la evolución de sus precios. En efecto, los precios de los productos producidos por el sector que permaneció protegido variaron sustancialmente en relación con la evolución de los precios del sector sometido crecientemente a la competencia de productos importados. Hasta 1979 los dos gupos incrementaron sus precios en una proporción semejante. A partir de entonces, sus respectivas políticas de precios tendieron a divergir. El grupo sometido a la competencia de productos importados registró un crecimiento del 60% en sus precios entre 1979 y 1980. El grupo que permaneció protegido los incrementó en un 90%.

A lo largo de todo el período 1976-82 los precios de los productos industriales domésticos crecieron más rápidamente que los precios de los productos industriales importados. Más aún, hacia 1980 los precios industriales domésticos tanto relativos a los precios de los productos agropecuarios como a los precios de los productos industriales importados, eran más altos que en 1970. Esto es por demás significativo si se tiene en cuenta que por ese entonces la política oficial se caracterizaba por una alta protección arancelaria para el conjunto de la industria y por numerosos controles de precios. Vale decir que la conjunción de políticas aplicadas por el equipo de Martínez de Hoz no había logrado, en las postrimerías de su pasaje por el gobierno, revertir la capacidad que tenían ciertos sectores de la industria de determinar sus precios en forma monopólica u oligopólica. Ni tampoco habría podido impedir que los efectos de estas pautas de producción y competencia se propagasen de alguna manera al conjunto de la industria. Tal vez esto se explique a partir de la alta interpenetración de la propiedad entre la gran empresa industrial, comercial y financiera existente en el período anterior a 1976[18], y a las características asumidas por el mercado financiero local a partir de la reforma de junio del 77. En efecto, uno de los resultados de la política de crédito subsidiado predominante a partir de los sesenta fue precisamente el establecimiento de fuertes vínculos entre las grandes empresas ubicadas en las ramas líderes de la industria promocionadas oficialmente, y el sector financiero privado. Los principales beneficiarios de las tasas de interés subsidiado fueron las grandes empresas vinculadas a las entidades que otorgaban el crédito[19]. Esta situación condicionó la capacidad de respuesta del sector más concentrado de la industria ante la política antiinflacionaria del gobierno. Por lo demás, el fácil acceso al crédito externo por parte de este sector permitió que se adaptase rápidamente a los cambios introducidos en junio del 77 por la reforma financiera, y que realizase ingentes ganancias en el mercado financiero local. Al mismo tiempo, las características asumidas por este último estimularon el desarrollo de nuevos vínculos entre las fracciones empresarias industriales y las financieras. El resultado fue el desarrollo meteórico de nuevos grupos económicos, algunos de los cuales llegaron a constituirse rápidamente en los principales bancos nacionales. De este modo el mercado financiero local se transformó en el escenario privilegiado de la lucha por la traslación de ingresos entre fracciones empresarias. La misma adoptó la forma de una lucha entre grupos económicos, diferenciados entre sí a partir de su posibilidad de acceso al mercado financiero internacional y por el tipo de empresas industriales que los constituían: de alto o bajo riesgo, según la rama en la cual se encontrasen insertadas y por ende según el grado de protección arancelaria que pudiesen todavía sustentar. En consecuencia, el mercado financiero se transformó en el principal escenario de la actividad especulativa, una actividad que llevó a todo el sistema al borde de la quiebra en 1980.

Otra consecuencia de las políticas aplicadas en el período fue el enorme crecimiento de la deuda (tanto pública como privada) en pesos y en dólares. Las altas tasas de interés domésticas y la baja tasa de devaluación nominal estimularon un rápido flujo de capitales externos. En la medida en que el crédito externo era más barato que el que se podía obtener en el mercado local, la práctica común de las instituciones con acceso

[18] Economic Memorandum for Argentina, 1984, World Bank.

[19] Op. cit.

al mercado financiero internacional fue justamente tomar crédito en el exterior y reciclarlo en el mercado financiero local. De este modo, la inversión productiva fue sustituida por inversiones de corto plazo en el circuito financiero. Entre 1979 y 1982 el total de la deuda externa creció a una tasa acumulativa anual del 36.7%. La deuda pública a un plazo menor de un año creció en dicho período a una tasa del 62.1% anual, la privada por el mismo concepto creció al 43% anual. Las empresas estatales fueron usadas como imanes para atraer flujos de capital externo necesarios para equilibrar el balance de pagos y apoyar la política cambiaria del gobierno. Desde 1978 hasta principios del 81 se estimuló a estas empresas a contraer deuda externa, aun cuando la presión social para obtener una devaluación se volvía cada vez más fuerte y la sobrevaluación del peso era cada vez más notoria. Como resultado de este manejo de las empresas públicas, el endeudamiento externo de las mismas pasó de 3.1 mil millones de dólares a fines del 77 a 9.2 mil millones en marzo del 81.

c- La presión empresaria

Una de las primeras medidas adoptadas por el gobierno militar en 1976 consistió en el rígido control de la actividad de los partidos políticos, los sindicatos y las entidades empresarias. Estas últimas, y en particular la vinculada a la industria, fueron sometidas a un proceso de reestructuración controlado por el gobierno[20]. Desde un principio éste contó con la adhesión explícita del conjunto de organizaciones empresarias que nucleaban al sector agropecuario y financiero y la reticencia y en ciertos casos la oposición de los organismos corporativos de la industria. Sin embargo esta situación no habría de durar mucho pues al calor de las medidas adoptadas por el gobierno se produjo una fisura dentro del sector agropecuario y del industrial. La adhesión en un caso, y la oposición en el otro dejaron de ser unánimes.

El proceso de reestructuración al que estaban sometidas las entidades empresarias y el rígido control sobre las actividades políticas llevó a una disgregación de la presión política ejercida a partir de las organizaciones empresarias. Esto no significó, sin embargo, la desarticulación de la capacidad de oposición al gobierno por parte del empresariado. Muy por el contrario, ésta constituyó el eje de la presión ejercida sobre el gobierno; una presión que adoptó la peligrosa forma de la especulación y la

[20] Una de las primeras medidas oficiales fue disolver a la CGE, entidad empresaria que había tenido destacada actuación en el período previo al 76. En 1973, la Unión Industrial Argentina (UIA), que nucleaba al sector más concentrado de la industria, se había fusionado con su antigua adversaria, la CGE, y había compartido la responsabilidad de la política económica aplicada entre el 75 y el 76. En 1976, luego de disolver a la CGE, el gobierno militar reflota a la antigua UIA como único exponente del sector industrial y la somete a un estricto proceso de reestructuración interno controlado por un interventor. En 1979, se institucionalizan las nuevas autoridades surgidas de este proceso de reorganización.

estampida inflacionaria con su consiguiente impacto sobre la estabilidad del propio gobierno y la legitimidad de las Fuerzas Armadas. Si en marzo de 1977 —como se vio más arriba— el ministro de Economía creyó necesario instar públicamente a las principales empresas a dejar de lado sus prácticas monopólicas y oligopólicas en la determinación de los precios, a creer en el Proceso y en la capacidad del gobierno para conducir, a creer en la imposibilidad oficial de torcer el rumbo de la política aplicada ente la presión sectorial, hacia fines de 1979 exhortaba "a creer de una vez por todas en la continuidad del programa que se está ejecutando. Yo quiero decirles hoy, que recuerden que este programa no es el programa del Presidente Videla ni el programa del ministro Martínez de Hoz, es el programa aprobado por las Fuerzas Armadas y como tal continuará en su aplicación y en sus grandes lineamientos después de marzo del 81. De manera que no sigan ahora pensando que el cambio se va a producir en marzo del 81, porque van a volver a equivocarse" ("La Nación", 28-11-79). Pocos días después habría de reiterare lo mismo en un discurso en la Bolsa de Comercio, agregando: "quienes no crean esto correrán el riesgo de ahogarse en su propia corriente. Es hora de que los ciegos comiencen a ver, y los sordos a escuchar... Tengan la seguridad que no habrá otra oportunidad, y ésta no es otra que la consolidación del Proceso" ("La Nación", 6-12-79).

¿Qué había ocurrido? El Estatuto de la revolución de 1976 preveía un cambio en la presidencia de la Junta Militar en 1981. Esta circunstancia posibilitó un aceleramiento de la puja por la hegemonía entre las distintas armas[21] y dentro mismo del propio Ejército. Esto se tradujo en una lucha entre sectores por imponer sus respectivos candidatos a la presidencia en 1981. Al calor de la temperatura política en ascenso, los organismos empresarios encontraron desde 1979 en adelante la oportunidad para ejercer presión política sobre los distintos sectores de las Fuerzas Armadas a fin de obtener un cambio en las políticas que los gravaban, y en particular un cambio de la política cambiaria. El gobierno quedó así progresivamente aislado, encontrando adhesión abierta sólo en los sectores más altamente concentrados y con acceso al mercado financiero internacional.

La conjunción de las presiones políticas ejercidas sobre los distintos candidatos a la presidencia y la estampida de la actividad especulativa que comenzó a desplazarse hacia el mercado de cambios ante la posibilidad de una devaluación, crearon un clima de gran inestabilidad política.

[21] A diferencia de lo sucedido con otros golpes militares, el de 1976 se caracterizó por una carencia de una clara hegemonía del Ejército sobre las demás Fuerzas Armadas. Desde un principio ésta fue disputada por las otras dos fuerzas (y en particular, por la Armada), y esto quedó claramente evidenciado en la repartición que se hizo de las diferentes instituciones públicas. Por otra parte, tampoco existía dentro del Ejército una clara hegemonía de la facción gobernante. Esto se hizo patente en la ardua negociación para imponer un candidato común para la presidencia de la Junta.

La crisis de confianza del sector empresario se tradujo en fuertes salidas de capital extranjero. Estos flujos financieros tuvieron su consiguiente impacto sobre el balance de pagos y la política cambiaria oficial. Las dudas sobre la continuidad de la política económica oficial provocaron un auge de las "prácticas irregulares" de todo tipo.

La respuesta del gobierno no se hizo esperar: por un lado, y como se dijo más arriba, estimuló fuertemente a las empresas públicas a tomar crédito externo. Este ingreso de divisas le permitiría contrarrestar las salidas de capitales y la presión ejercida en el mercado negro sobre el tipo de cambio oficial. Por el otro lado, intervino a la principal institución financiera nacional —cabeza de un grupo económico de meteórico desarrollo—: el Banco de Intercambio Regional (BIR). El momento elegido para ello y las razones alegadas[22] pusieron en evidencia que el gobierno estaba dispuesto a cualquier cosa con tal de mantener la política oficial. Poco después sobrevino la intervención a otras tres entidades financieras nacionales ubicadas también entre las más grandes de capital local. Entre abril del 80 y marzo del 81 el gobierno intervino o liquidó 62 instituciones financieras que controlaban en conjunto el 20% de los depósitos. Es decir, usó toda su fuerza para saldar la lucha entre grupos económicos. Sin embargo, no se limitó a la eliminación de los más díscolos, de los que más se oponían a su política, sino que también intercedió para salvar a ciertos grupos financieros amenazados por la incertidumbre generalizada. Como consecuencia de la intervención del BIR, se produjeron corridas de ahorristas que retiraron fondos de las instituciones consideradas más vulnerables y los volcaron a la banca oficial y a la extranjera. Muchos de estos fondos se desviaron hacia la compra de divisas en el mercado negro de cambios. Ante la posibilidad de un crack bancario y ante la eventualidad de un cambio en la política cambiaria, este mercado pasó a ocupar un lugar privilegiado en el desarrollo de las actividades especulativas. De esta manera, la crisis de confianza tendió a generalizarse y la posibilidad de una bancarrota del sistema financiero estuvo a la orden del día.

El gobierno intervino entonces con el fin de salvar a determinadas instituciones financieras amenazadas por la crisis, otorgando líneas especiales de crédito para estos fines. Entre 1979 y 1980 estas líneas se incrementaron en un 50.2%, entre 1980 y 1981 aumentaron en un 81.9%. Desde 1980 en adelante, la principal reivindicación de las fracciones empresarias será precisamente la liquidación de la deuda privada a través

[22] Es bueno recordar que la intervención al BIR se da en una coyuntura en que arrecia la disputa política entre el almirante Massera y el grupo liderado por el general Videla, en momentos en que se han agotado los plazos establecidos por el Estatuto para nombrar presidente de la Junta. Según informes periodísticos del momento existía una estrecha relación entre el grupo económico controlado por el BIR y el grupo de Massera. Es bueno también recordar que el Banco Central conocía desde tiempo atrás la situación financiera del BIR pues había nombrado a un funcionario con rango equivalente al de interventor, a cargo de dicha institución. Podría pues haberlo intervenido antes, pero no lo hizo.

del otorgamiento de líneas especiales de crédito subsidiado. Éste será también el principal eje de la disputa interempresaria y de la actividad especulativa.

En síntesis, entonces, se puede decir que hacia las postrimerías de la gestión de Martínez de Hoz, su proyecto había obtenido resultados parciales. Las medidas adoptadas produjeron una violenta traslación de ingresos hacia el sector financiero e incentivaron enormemente la concentración del capital y la constitución de grupos económicos a partir de la fusión de fracciones empresarias ubicadas en diversos sectores económicos. La lucha por la apropiación del ingreso entre las principales fracciones del sector agropecuario e industrial pasó a un segundo plano, y lo que predominó en la escena política y económica fue precisamente la puja por la traslación de ingresos entre diversos grupos económicos. Éstos se diferenciaban a partir de dos grandes ejes: el grado de acceso al mercado financiero internacional y el tipo de clientes de alto o bajo riesgo que lo constituían. Como resultado de esta lucha, el mercado financiero se transformó en el lugar de privilegio para el desarrollo de las actividades especulativas. El gobierno no logró imponer a la industria un consenso respecto de las nuevas reglas de juego económico, y la capacidad de determinar los precios que tenían ciertos sectores, quedó intacta. Como consecuencia de la persistencia de la inflación, el gobierno quedó encerrado en una táctica que progresivamente fue quitándole el apoyo empresario con que contó desde un principio. En un escenario político progresivamente caldeado por la puja entre fracciones de las Fuerzas Armadas por imponer sus respectivos candidatos a la presidencia de la Junta, y en el contexto de un desarrollo descontrolado de la actividad especulativa en el mercado financiero, los grupos económicos disidentes encontraron una ocasión óptima para presionar políticamente por un cambio de política económica. La respuesta desmedida del gobierno ante esta presión provocó una amenaza de crack bancario, y con ésta la inestabilidad política del gobierno militar estuvo a la orden del día.

iii- El resquebrajamiento del Proceso y la actividad especulativa de las principales fracciones empresarias

En marzo de 1981 se concretó finalmente el traspaso de la Presidencia prevista en el estatuto de la Revolución del 76, y asumió el gobierno el general Viola. Su reinado fue efímero y plagado de contradicciones. Ante la fuga de capitales, el nuevo gobierno optó por una sistemática devaluación, poniendo así punto final a la política cambiaria de Martínez de Hoz. Pero fue todavía un poco más allá, y ante la sorpresa del equipo económico depuesto reinstauró la dualidad de mercados de cambio prevaleciente antes del 76, incrementó los gravámenes a las exportaciones agropecuarias y designó una comisión especial constituida por miembros del Ministerio de Hacienda y Finanzas, Agricultura e Industria, a fin de evaluar los efectos de la reforma arancelaria y de hacer recomendaciones para el futuro inmediato y mediato. Es decir, pareció que el nuevo gobierno daba una marcha atrás forzada, y retornaba al modelo de desarrollo prevaleciente en el país en el período anterior al golpe de 1976. Sin embargo, las circunstancias eran ahora muy diferentes.

Desde un principio se hizo evidente que el nuevo gobierno inauguraba un período de aceleramiento de las tensiones interempresarias. Rebrotó el enfrentamiento entre campo e industria por hacer valer con carácter prioritario sus específicas reivindicaciones sectoriales. A éste se sumará el enfrentamiento entre grupos económicos en el ámbito del mercado financiero.

Como un síntoma más de estas tensiones, el Ministerio de Economía se dividió en cinco ministerios, cada uno de los cuales respondió a una clientela específica. Los distintos sectores empresarios presionaban o para restablecer privilegios perdidos, o para mantener los recientemente adquiridos. Sin embargo, el punto central de la presión sobre el gobierno fue la liquidación de la deuda privada. Respondiendo a estos reclamos, éste anunció en el mes de junio un plan de refinanciación de la deuda privada en pesos, llamado Bono. El mismo pretendía refinanciar un 50% de la deuda del sector industrial y el 40% de la deuda del sector agropecuario. La puja entre estos dos sectores por obtener una mayor cuota de la refinanciación dilató la aplicación del plan, y limitó sus alcances. También en el mes de junio el Banco Central introdujo un sistema de garantía oficial del tipo de cambio destinado a cubrir los préstamos externos del sector privado cuyos vencimientos hubiesen sido extendidos por lo menos en 540 días posteriores a las fechas originales de pago. La prima inicial pagada por este concepto por el Banco Central era de sólo 2% mensual, y aunque posteriormente fue incrementada, permaneció siempre por debajo de las tasas de devaluación que prevalecieron en la coyuntura. El estímulo era grande para que el sector privado maximizase su uso, hasta el punto de crear una deuda ficticia. En efecto, se estima que unos 5 mil millones de la deuda externa se originaron en una salida de capitales por esta sola medida. De este modo, el tipo de cambio subsidiado otorgado por el Banco Central para que ciertos sectores empresarios saldaran su deuda en el exterior no fue precisamente usado para estos fines. En su mayor parte salió del país en concepto de autopréstamos, o deuda ficticia creada en el exterior por residentes en la Argentina con el único fin de acceder a este tipo de cambio subsidiado.

Las salidas de capital por este concepto agravaron la situación de las reservas. Esto llevó al Banco Central a ofrecer swaps en moneda extranjera al sector privado en diciembre del 81, aplicando por los mismos una prima mensual del 5%. Estas operaciones fueron luego suspendidas pero reasumidas más tarde por el Banco Central en junio del 82, como parte del esquema de liquidación de los atrasos de pago de la deuda externa privada. En septiembre del 82, los swaps representaban 5.6 mil millones de dólares. Hacia fines del mismo año representaban 7 mil millones de la misma moneda. A su vez, los contratos con garantía de tipo de cambio crecieron desde los mil millones de dólares en junio del 81 a los 11 mil millones de dólares en septiembre del 82. Aunque luego tendieron a declinar, a mediados del 83 representaban todavía unos 7 mil millones de dólares. Estimar las pérdidas que estos diferentes tipos de subsidios al sector privado representaron para el Banco Central, es tarea difícil. Sin embargo una estimación conservadora supone que las mismas representaron el 1% del producto bruto interno argentino en el 81, el 3% del mismo en el 82 y el 5% en el 83.

Sea como fuere, estas medidas tuvieron un efecto inmediato sobre el endeudamiento del sector privado, y en particular del industrial.

En 1980 la deuda externa de corto plazo representaba el 65% del total de la deuda externa del sector. Hacia 1981 ésta se había reducido al 33% del total. Sin embargo, esto no acalló los reclamos y la presión ejercida sobre el gobierno para obtener una liquidación total de la deuda externa. De ahí que estas medidas fueron reinstauradas en el 82 y luego en el 83. Los subsidios otorgados por este concepto explican buena parte del crecimiento de la deuda externa. En efecto, se estima que del total de unos 35 mil millones de dólares de la deuda externa contraída entre 1976 y 1982, el 54.2% correspondió a fuga de capitales, gran parte de los mismos en concepto de autopréstamos o "paper loans" elegibles para los beneficios derivados de los distintos programas de tipo de cambio subsidiado (swaps, contratos con garantía de tipo de cambio) ofrecidos por el Banco Central[23]. Cabe ahora preguntarse por el destino de la deuda privada contraída en pesos. Como se dijo más arriba, el gobierno de Viola intentó darle una solución a través del Bono, pero la misma no llegó a satisfacer a ninguna de las partes interesadas: las instituciones financieras y las empresas industriales y agropecuarias. La solución habría de llegar un año después, con otro gobierno militar.

En efecto, las tensiones acumuladas durante el período de Viola culminaron con un autogolpe, y un nuevo general —el señor Galtieri— asumió la presidencia en diciembre del 81. Las primeras medidas adoptadas presagiaron el retorno de la política aplicada por el equipo de Martínez de Hoz. Sin embargo, sus posibilidades de continuidad habrían de deteriorarse a raíz de la guerra de las Malvinas, la caída del gobierno y la total crisis de legitimidad de las Fuerzas Armadas. En una situación política totalmente inédita, otro general —el señor Bignone— asumirá la presidencia. Ante la evidencia del fracaso del Proceso, del resquebrajamiento de su principal soporte —las Fuerzas Armadas—, de la derrota militar ante una potencia extranjera, y de la posibilidad de un aceleramiento de

[23] El 37% de esta deuda correspondió al servicio de la propia deuda externa del país, el 28.5% correspondió a importaciones no registradas —básicamente de armas y equipo militar— y el 7,4% se debió específicamente al crecimiento de las reservas. World Bank, op. cit.

las tensiones sociales acumuladas a lo largo de los años[23], el nuevo gobierno se comprometió a otorgar elecciones en el plazo de un año. Esto no hizo más que intensificar los reclamos empresarios en torno a la liquidación de la deuda privada. La respuesta del nuevo gobierno consistió en la reforma financiera de Cavallo. El resultado de la misma fue drástico. Se calcula que como consecuencia de las medidas financieras adoptadas en junio del 82 en sólo seis meses se liquidó el 40% de la deuda del sector privado. La proporción de los préstamos incobrables en relación al patrimonio total de los bancos comerciales se redujo también aceleradamente. Si en diciembre del 81 representaban el 60.6%, en diciembre del 82 esta cifra llegaba a sólo el 10.2%. Las obligaciones del sector privado al sector financiero fueron parcialmente liquidadas a través de tasas de interés fuertemente negativas. En sólo un mes éstas llegaron al nivel mínimo del -18%. La reacción de los distintos sectores empresarios ante esta liquidación de la deuda no fue precisamente incrementar las inversiones productivas. Si el gobierno pretendía con la reforma financiera provocar una salida de capitales desde el sector financiero hacia los sectores productivos, lo que realmente logró fue un incremento de la actividad especulativa en el mercado cambiario y una creciente salida de capitales.

En síntesis, la liquidación de buena parte de la deuda privada bajo el esquema de la reforma financiera de Cavallo, y los subsidios otorgados por el Banco Central en concepto de contratos con garantía de tipo de cambio y swaps, no sólo incidieron de un modo decisivo sobre el endeudamiento externo del sector público y sobre el pesado déficit fiscal, dieron todavía un mayor estímulo a las prácticas especulativas de todo tipo, y en particular en el mercado cambiario. El comportamiento disociador de las distintas fracciones empresarias se tradujo además en una caída todavía mayor de la inversión fija y en un incremento de la evasión impositiva de todo tipo.

En 1983 la proporción de los impuestos recaudados sobre el total de los gastos del sector público llegó al 46%.

Con el correr de los meses y ante la evidencia de que los comicios prometidos eran inevitables, se aceleró notablemente el fenómeno inflacionario. Y junto con él florecieron nuevas prácticas especulativas. A la especulación en el sector financiero y al mercado negro de insumos y productos industriales y cambiario, se sumará ahora el así llamado mercado "informal" del dinero entre grandes corporaciones. Este mercado negro financiero corroe hoy en día al sistema financiero en su totalidad y obstaculiza enormemente el control del mismo por parte del Banco Central.

De manera que el gobierno elegido en octubre del 83 llegó al poder en el cuarto año de una recesión económica, en el medio de una estampi-

24 La invasión a las islas Malvinas fue inmediatamente precedida por un período de alta tensión signada por la convocatoria a una movilización obrera en menda de mejoras salariales.

da inflacionaria de más del 600% anual, un déficit del sector público equivalente en el último cuarto del 83 a más del 20% del Producto Bruto, salarios reales fluctuando en torno de los niveles alcanzados en los años 70, el desempleo y el subempleo en torno al 10% de la población económicamente activa, las reservas del Banco Central en estado calamitoso, una pesada deuda externa cuya tercera parte tenía vencimientos en el 84, y con el acceso a los mercados financieros internacionales severamente restringido. Pero ésta no fue su peor herencia. Desde esta perspectiva de análisis, uno de los obstáculos mayores a la consolidación de la democracia en la coyuntura que se inicia con el acceso del partido radical al gobierno es precisamente el comportamiento disociador de las principales fracciones empresarias. Ante la promesa oficial de contrarrestar el deterioro del nivel de vida sufrido por los sectores populares a lo largo de los distintos gobiernos del proceso, se estimuló todavía más la lucha por la traslación de ingresos entre sectores empresarios. Si a principios de los 80 esta actividad empresaria puso en jaque la estabilidad de un gobierno militar aparentemente irreductible, hoy amenaza la posibilidad de una convivencia democrática.

La especulación, con sus secuelas de corrupción y violentas traslaciones de ingresos no sólo atenta contra la estabilidad de las instituciones; corroe también los propios valores de la democracia.

ANEXO

Cuadro 1: Incrementos de los precios de los distintos sectores de la producción: cambios porcentuales en relación al período anterior (1974-77).

	1974	1975	1976	1977
Índice de precios Mayoristas	20.0	192.5	499.0	149.4
Índice de precios Agropecuarios	10.0	144.9	526.6	163.6
Índice de precios No Agropecuarios Domésticos	23.9	208.6	469.2	146.9
Índice de precios No Agropecuarios Importados	36.9	257.5	690.4	126.2

Fuente: World Bank, op. cit.

Cuadro 2: Incrementos de los precios de los distintos sectores de la producción: cambios porcentuales en relación al período anterior (1977-83).

		Precios Mayoristas			
	Costo de vida	Índice Gral.	Agropecuarios	No Agrope. Domésticos	No Agrope. Importados
1977	176.0	149.4	163.6	144.4	126.2
1978	175.5	146.0	141.6	147.6	75.9
1979	159.5	149.3	150.7	148.7	93.0
1980	100.9	75.4	63.0	80.1	74.5
1981	104.5	109.6	93.8	112.2	157.7
1982	164.8	256.2	293.5	234.8	377.1
1983	343.8	360.9	373.5	358.8	335.7

Fuente: World Bank, op. cit.

Cuadro 3: Tasas de interés real prevalecientes en el mercado financiero local e internacional. Promedio anual en % (1976-1980).

	Ti local	Ti internac.
1976	— 60.0	— 54.8
1977	20.0	— 5.3
1978	21.4	— 22.0
1979	6.9	— 18.4
1980	29.9	— 9.5

Fuente: World Bank, op. cit.

Cuadro 4: Tasas de interés real anual para los depósitos y los préstamos (1976-1983).

	Depósitos	Préstamos
1976	— 65.14	— 65.04
1977	— 19.78	— 0.66
1978	— 14.61	11.92
1979	— 9.43	2.58
1980	— 4.38	— 25.91
1981	9.51	7.03
1982	— 15.13	— 12.42
1983	— 9.56	— 18.44

Fuente: World Bank, op. cit.

Cuadro 5: Evolución del número de entidades financieras. Tasas de incremento anual acumulativo (1977-79, 1979-83).

	1977-79	1979-83
Bancos comerciales (1)	23.4 %	— 0.77
— sucursales	8.1	3.1
Bancos comerciales nacionales (1)	35.26	— 2.75
— sucursales	17	3.36
Bancos comerciales extranjeros (1)	5.56	9.85
—sucursales	2.57	9.36
Entidades financieras	27	— 7.2
— sucursales	52.2	0.29

(1) Se refiere a las casas matrices. *Fuente:* World Bank, op. cit.

Cuadro 6: Indice de precios de los Cereales, Argentina y USA (1970:100).

	Argentina	USA
1976	87	122
1977	120	101
1978	98	110
1979	78	104
1980	68	119

Fuente: World Bank, op. cit.

Cuadro 7: Índice de precios de la Carne, Argentina y USA (1975-1980).

	USA Precios Fob de Exportación	Argentina Precios Domésticos
Promedio 1975-1977	109	99
1er. semestre 1979	126	100
2do. semestre 1979	150	118
1er. semestre 1980	136	99
2do. semestre 1980	138	91

Fuente: World Bank, op. cit.

Cuadro 8: Evolución de Índice de precios de los distintos grupos industriales (1977-1980).

	1977-78	1978-79	1979-80
Grupo protegido	162.1	137.3	98.1
Grupo ''competitivo''	156.0	146.3	56.0
Índice precios Mayoristas No Agropec. Domésticos	156.5	130.6	60.7
Índice precios Mayoristas No Agropec. Importados	75.9	93.0	61.7
Índice precios Consumidor	175.5	158.4	84.0

Fuente: World Bank, op. cit.

Cuadro 9: Índice del promedio de los salarios reales del sector público (1950:100). 1970-83, algunos años seleccionados.

1970	127.3
1972	118.8
1974	180.4
1976	96.2
1978	98
1980	123.5
1981	120.7
1982	92.1
1983	101.0

Fuente: World Bank, op. cit.

POLÍTICA Y VERDAD
La constructividad del poder

JOSÉ PABLO FEINMANN

Introducción: La politización del saber

Una de las características de la actividad teórica en América Latina es acceder a ciertos problemas cuando ya están resueltos. Marginados de los ámbitos de producción y discusión del saber por la represión política e ideológica, perdemos nuestra condición de "contemporáneos".

A veces ocurre lo contrario: nos "adelantamos". Cuando es así, el orgullo del pensamiento colonizado no tiene límites. Ha pensado "antes". Ha dicho una "verdad" antes que fuera formulada en la Metrópoli. ¿No fundamenta ese acontecimiento su derecho a participar —aun en forma dependiente y complementaria— de la universalidad del saber?

El cuento *El Matadero,* por ejemplo, escrito por Esteban Echeverría a mediados de la década del '30 en el siglo XIX, ¿no duplica acaso su valor por haberse "anticipado" al naturalismo de Zola? El concepto de "intervención de humanidad" que aparece en los escritos montevideanos de Alberdi (en 1839, en el periódico "El Nacional"), ¿no engrandece el genio de su autor por elaborar un concepto al que recién los especialistas europeos en Derecho Internacional accederán a partir de 1870?[1]

La generación de jóvenes peronistas de los años '70 no incurrió en ninguna de estas modalidades. Es nuestro caso también (pertenecemos a esa generación) y el de quienes hacían con nosotros una revista que llevaba por nombre *Envido.* No nos sentíamos contemporáneos de nadie. Éramos la contemporaneidad. La historia tenía su centro en nuestra patria. A lo sumo, en el Tercer Mundo. Pasaba por aquí. Nosotros la estábamos haciendo.

Sería sencillo encontrar, como fundamento de esta dolorosa (porque lo sabemos: terminó en tragedia) ingenuidad política, una concepción simplista y lineal de la temporalidad hegeliana.

No había rupturas temporales en nuestra historia. Existía una *continuidad sustancial* de la que éramos sus herederos, sus actuales representantes: la *línea nacional.*

[1] Cfr.: Ruiz Moreno, Isidoro, *El Pensamiento Internacional de Alberdi,* Eudeba, Buenos Aires, 1958, p. 103.

Más adelante, con mayor minuciosidad, desarrollaré la concepción que el peronismo joven del '70 elaboró sobre las relaciones entre política, poder y verdad. Aquí, en esta *Introducción,* bastará citar algunos textos para mostrar hasta qué punto la exultante militancia había producido núcleos teóricos nuevos (desde luego, no sistematizados) que hoy recibimos de las Metrópolis del saber prestigiados por los nombres restallantes de determinados teóricos. Entre los principales: Michel Foucault.

Cometeremos dos irreverencias simultáneas: citar no sólo un texto propio, sino también extenso. Fue escrito en febrero de 1973, tres meses antes que la primera de las seis conferencias que Foucault pronunció ese año en Río de Janeiro: *La verdad y las formas jurídicas.* Proponemos que en lugar del patético "adelantamiento" del teórico colonizado, se vea en la explicación de estas fechas el señalamiento de una contemporaneidad problemática.

El texto intentaba responder la siguiente cuestión: ¿es posible la "objetividad" histórica? Y también: ¿hay una "verdad" de la historia? ¿Cómo se produce? ¿Desde dónde se descubre?

Decía así: "El militante político encuentra en su práctica cotidiana la herramienta adecuada para una comprensión profunda del pasado: ha aprendido a desconfiar de las versiones 'desinteresadas y objetivas'. El desinterés se le antoja una forma acabada de la estupidez o la mala fe. En todo caso, y por aquello de que las cosas son reaccionarias, una forma más de complicidad con el orden establecido. *Ante el hecho histórico no hay sino posturas interesadas, porque aun estos mismos hechos están tejidos por intereses.*

"¿O es que acaso hay alguno que no exprese la práctica política de una clase social o un movimiento de liberación? Que la batalla de Caseros tuvo lugar en febrero de 1852 es algo que nadie discute. Es una 'verdad histórica' si se quiere, pero no sirve de mucho. Lo que sí está en juego es la interpretación y el sentido final de esa batalla, *pues la verdad histórica es también una práctica y una conquista política.* A nosotros, peronistas, nos toca hoy decidir que la verdad definitiva de nuestra época sobre la batalla de Caseros no sea la de nuestros enemigos, sino aquella que asumimos como propia. Y así va siendo"[2].

Se nos acusaba, durante esos años, de "sobrepolitizar" el saber. No era así. *Solamente lo politizábamos.* Esta actitud nos condujo inevitablemente a una concepción de la verdad como producto de la práctica política. La verdad sobre el pasado se conquistaba en la militancia del presente. Se trataba de sumar poder, y desde aquí, desde nuestro poder, desplazar la verdad del enemigo del centro del saber e instalar allí la nuestra.

Insistimos: pertenecíamos al peronismo esperanzado, lineal y tumultuoso del '70. La utilización del concepto "enemigo" y no el de "adversario" para definir al oponente político evoca una interpretación muy ge-

[2] Revista *Envido,* N° 8, marzo de 1973. Texto incluido en nuestro libro *El peronismo y la primacía de la política,* Editorial *Cimarrón,* Buenos Aires, 1974.

neralizada de la *política* como *guerra*. La frase final (''Y así va siendo'') responde al abstracto triunfalismo que expresaron vastos sectores de la militancia política durante esa coyuntura.

¿Cuál es, entonces, nuestro objetivo? Exponer tres momentos de la constructividad del poder en la Argentina. Es decir: la construcción de un discurso ideológico que expresa, en el modo de la *verdad,* una práctica política diferenciada, un poder del cual surge y sobre el que revierte potenciándolo.

Estos tres momentos son: 1°) La verdad liberal; 2°) La verdad de la Juventud Peronista 1970-73 (importa señalar esta periodización pues durante la misma creció la hegemonía del grupo Montoneros introduciendo variables de importancia); 3°) La verdad de la Seguridad Nacional (1976-1983).

Por último, precisaremos algunas relaciones entre democracia y verdad.

La constructividad liberal: Civilización y Barbarie

La verdad liberal, que es la que se impone en la Argentina hacia fines del siglo XIX y se organiza institucionalmente, fue expresada por un gran texto literario: el *Facundo* de Domingo Faustino Sarmiento.

No es una casualidad. *El discurso del poder implica una constructividad de la verdad que lo acerca a la creación literaria.* Se trata de una *interpretación* —una organización creativa— de la realidad y no de un *relejo* de la misma. Hay aquí un rechazo de todas las teorías clásicas del conocimiento —desde el racionalismo de la *adequatio* hasta la dogmática marxista del *reflejo* en la conciencia pasiva— que explicitaremos más adelante.

Por ahora, esto: si la *verdad liberal* se expresa a través de un gran texto literario (*Facundo*), es porque la constructividad del poder es un acto de creación. Y lo es, esencialmente, porque el objeto que produce *no existe como elemento de la realidad antes de esta producción*.

Corresponde ahora citar la frase que pronunciaban los militantes unitarios (los que guerreaban contra Rosas) luego de leer, entre la exaltación y el develamiento, *Facundo*. Decían: ''ahora sabemos por qué luchamos''. Esto significaba que ese sanjuanino genial, instalado en su militancia, produciendo la verdad que latía en esa militancia, trabajando desde el ámbito de poder que esa militancia había creado, supo unir todos los elementos, la vertiginosa heterogeneidad en que esa lucha se expresaba.

Hablamos de *heterogeneidad* porque la verdad que el poder produce (insistimos: definimos el *poder* como el *producto-fuerza* de una *práctica política diferenciada*) se construye con elementos heterogéneos. El discurso ideológico (el que expresa la verdad) se *construye* como un texto literario. Y si alguien piensa aquí en los formalistas rusos, no se equivoca. La ideología se construye, se construye la verdad. *Esta construcción re-*

quiere no considerar aisladamente los componentes de la realidad sino como un conjunto de relaciones funcionales. Ahora bien, hay una *función hegemónica* que es el *principio constructivo*[3].

El principio constructivo del texto sarmientino (el principio, insistimos, que tuvo la función de ordenar la dispersión, la heterogeneidad y a veces el caos de las funciones) fue también una poderosa consigna política: *Civilización o Barbarie. La explicitación de esta contradicción implica la unidad profunda de este texto.* Porque todo el texto se organiza (en tanto totalidad relacionante de la heterogeneidad de las funciones) para expresar una contradicción insuperable, antidialéctica, una contradicción que concibe la *política* en términos de *guerra* porque su superación implica la aniquilación del adversario: *Civilización o Barbarie.*

De aquí la desolación que produce *Facundo* en los positivistas teorizadores de los géneros literarios. Es tan vasta la heterogeneidad de las funciones que se organizan para constituir una verdad, que Sarmiento ha recurrido, sencillamente, a todo: la estética y el historicismo románticos, el naturalismo histórico y el iluminismo racionalista coinciden en el texto. ¿Es una novela, un ensayo histórico, sociológico, filosófico, es una biografía, un panfleto político? Es todo esto. Y lo es porque es la expresión totalizadora de una práctica política diferenciada. Es la construcción de una verdad. Una verdad que se construye desde la política. Que no requiere la plácida adecuación del sujeto con el objeto. ¿Comprendemos por qué Sarmiento podía describir la pampa sin conocerla? *Porque no necesita conocerla.* Porque la relación que intentaba establecer no era entre el sujeto cognoscente y la pampa argentina. *No buscaba la adequatio de la gnoseología racionalista.* Buscaba construir una verdad. Una verdad *desde* la política y *para* la política. Concebía la verdad como fuerza, como lucha, como dominación, como conquista. "Inventé anécdotas a designio", confiesa. Algunos ingenuos historiadores —revisionistas muchos— le han reprochado esto. ¿Es que alguien supone que a Sarmiento le preocupaba la real biografía del caudillo riojano Juan Facundo Quiroga? *Sarmiento lo inventó a Quiroga.* Construyó el Quiroga que su praxis política requería. El Quiroga que expresaba la verdad de su propia militancia política.

¿Que este Quiroga no era el verdadero? *Aquí estamos en el centro de la cuestión de nuestro criterio de verdad.* ¿Qué otro Quiroga sino el de

[3] "El principio constructivo es la función que relaciona a (los) heterogéneos en una *construcción verbal dinámica.*" Altamirano, Carlos y Sarlo, Beatriz: *Literatura/Sociedad,* Hachette, 1983, p. 15. La verdad del poder, no obstante, cuando se *institucionaliza,* tiene una esencial tendencia al quietismo, al estatismo, al dogma. La consolidación de su poder, que implica la imposición compulsiva de su verdad a través del sistema institucional, no sólo la aparta de la dinámica del texto literario sino que obliga a presentar su verdad como *dogma,* como *incuestionabilidad,* como *terror.* Se trata aquí, utilizando el lenguaje sartreano de la *Critique,* de una totalidad totalizada. Por el contrario, en tanto la verdad del poder se construye, mientras aún no ha accedido al estamento institucional, su totalización está en marcha; es, siguiendo la terminología sartreana, una totalidad destotalizada.

Sarmiento ha sido el verdadero para los argentinos? El triunfo del poder liberal, la imposición de su verdad como verdad de la totalidad, la sublimación de su verdad en *cultura de la República,* han hecho del Quiroga sarmientino el único verdadero.

La verdad que produce *Facundo* aceleró la destrucción de Rosas. Ante todo, porque Rosas no alcanzó a formular una verdad semejante. No alcanzó a unificar la diferenciación de sus funciones en un discurso progresivo, superador, que pudiera enfrentar al del enemigo. Lo dijo al leer *Facundo:* ''Así es como se me ataca. Nadie me defenderá tan bien''.

Así fue y así llegó Caseros, donde, en términos de guerra, se verifica un hecho que ya se había producido en la construcción de verdades: un poder político que había formulado una verdad se impone sobre otro que ya no era capaz de formularla.

Los fundamentos de la verdad liberal

Existe actualmente en la Argentina una revalorización del liberalismo. El desprestigio de las minorías blindadas, que impulsaron en la década pasada un furioso antiliberalismo, pareciera prestigiar, de rebote, al liberalismo. Por ejemplo: siempre que se describen los componentes autoritarios, irracionales y filofascistas del grupo Montoneros, se menciona su ''antiliberalismo''.

La caracterización es correcta. Pero el peligro consiste en su generalización. En la Argentina (atención: en la Argentina) ser antiliberal no es ser fascista. Nuestra actual valorización de la democracia (concepto que no estaba precisamente de moda en la década pasada) no debe conducirnos a prestigiar a los liberales argentinos, *quienes nunca fueron democráticos.*

Si diez años atrás la condena del liberalismo económico implicó el error de desprestigiar las verdades del liberalismo democrático, no sería aconsejable que hoy la valorización de la democracia implicara el reconocimiento del liberalismo en la Argentina.

Por el contrario, para nuestros liberales, la implantación de sus proyectos económicos (que implicaron siempre la ''libertad del capital'' y su alianza con las multinacionales del Poder) tuvo como condición de posibilidad la negación del liberalismo democrático.

En el siglo XIX el liberalismo implementa un sólido proyecto (tan sólido que para muchos, creyentes en cierta lógica inmanente de la historia, era el único viable): complementar, a través del librecambio, la economía del país con la de Inglaterra. Este proyecto, impulsado por Buenos Aires y sus aliados del interior (sobre todo el Litoral entrerriano, Urquiza, después de Pavón), requería la marginación de las provincias. Al *integracionismo* que representarán Alberdi y José Hernández (también Navarro Viola, Guido Spano, Olegario Andrade y otros), Sarmiento y Mitre opondrán una dura política de exterminio de las resistencias interiores.

Esta obstinada aniquilación del adversario, esta transformación de la política en guerra, fue expresada en el *Facundo* sarmientino. La generación liberal que accede al poder después de Caseros emprende la tarea de la "organización nacional". Eran (así se asumían) la Civilización. Eran la racionalidad histórica. Eran el Progreso. Hay una frase sarmientina que resume su opción extrema: "De eso se trata: ser o no ser salvaje".

Si el oponente político es definido así —como salvaje— es porque su aniquilación ha sido decidida. La "organización nacional", entonces, requerirá la destrucción material del adversario, nunca su integración.

El discurso ideológico liberal incorpora el concepto de *naturaleza* como estructura fundante de su *verdad*. El oponente político (el gauchaje federal de las provincias) es marginado de los dominios de la condición humana. Pertenece a la Naturaleza, no a la Cultura. La utilización de ambos conceptos logra en *Facundo* una vertiginosa funcionalidad y precisión.

La barba de Juan Facundo Quiroga, por ejemplo, para Sarmiento "es un bosque de pelo". Es decir: es vegetación. La montonera sólo se siente segura a caballo, la caballería es su modalidad de combate. A Facundo le dicen "el Tigre de los Llanos".

La Civilización, por el contrario, tiene su ámbito en la ciudad. Aquí el hombre se transforma en un *ciudadano*. En un ser histórico. *Se humaniza a través de la cultura.*

Estos conceptos sarmientinos fueron también utilizados en *Amalia* de José Mármol. Esta novela, junto con el *Facundo* (aunque en menor medida), es esencia de la constitución de la verdad liberal. Tuvo menos poder que el texto sarmientino, pero Mármol supo novelar con maestría el proyecto político que impulsaba. Además, su texto se transformó en una de las *verdades institucionalizadas de la Argentina.*

Escribe Mármol: "Naturaleza especial en la América. Naturaleza madre e institutriz del gaucho (...) La Naturaleza lo educa. Nace bajo los espectáculos más salvajes de ésta, y crece luchando con ella y aprendiendo de ella"[4].

Lo esencial de esta conceptualización radica en marcar la incapacidad del gaucho para *trascender* el mundo natural. Por el contrario, forma parte indisoluble del mismo. El hombre de la cultura es el hombre de la *mediatez:* entre él y la Naturaleza existe la *Ciudad.* La Ciudad como ámbito de la *Cultura* y de la *Historia.* El gaucho desarrolla su existencia en el modo de la *inmediatez.*

Hay un notable texto de Mármol que explicita la equiparación del pueblo federal con el mundo de la *animalidad.* (Un ser que no supera su condición de *natural,* que es incapaz de acceder a la *cultura,* queda confinado en la *animalidad.*) Lo protagoniza Florencia Dupasquier, delicadísima, hermosa novia de Daniel Bello, joven unitario, uno de los héroes

[4] Mármol, José, *Amalia.* Centro Editor de América Latina, tomo II, p. 48, 1967.

de la novela. Florencia emprende la riesgosa tarea de visitar a María Josefa Ezcurra, cuñada de Juan Manuel de Rosas. Para ello, desde luego, debe entrar en su casa y enfrentarse con los variados personajes que allí habitan.

Así describe Mármol la situación: "La joven pisó el umbral de aquella puerta y tuvo que recurrir a toda la fuerza de su espíritu, y a su pañuelo perfumado, para abrirse camino por entre una multitud de negras, de mulatas, de chinas, de patos, de gallinas, de cuanto animal ha criado Dios . . ."[5]

En el lenguaje del colonizador (Buenos Aires desarrolló contra las provincias un proceso de *colonialismo interno*), el colonizado es siempre un *natural*.

Sartre, en un texto ya lejano *(Materialismo y Revolución)*, marcaba esta constante en el discurso del dominador. Se dice: un natural de la India, un natural de Sudamérica. No se dice: un natural de Londres, Paris o Nueva York.

El discurso liberal marca, así, la imposibilidad de crear con su oponente un espacio de legitimidad política. El poder que se integra con Roca en el '80 tiene como condición de posibilidad la derrota de las provincias y el federalismo que ha realizado el ala dura liberal. No se integra a los derrotados. Con Roca, el liberalismo institucionaliza su verdad y la transforma en cultura de la República.

El revisionismo histórico

A partir del golpe uriburista de 1930, una serie de historiadores se lanzan a cuestionar la versión liberal de la historia argentina.

No es, sin embargo, nuestro propósito estudiar el revisionismo histórico. Solamente señalaremos algunos elementos conceptuales que serán retomados hacia fines de la década del sesenta por la militancia juvenil peronista, pues las obras revisionistas jugaron un papel importante en el proceso de "peronización de los sectores medios", quienes encontraron en ellas una lectura no liberal del pasado argentino.

El revisionismo encuentra la gran figura negada y oscurecida de la historia argentina: Juan Manuel de Rosas. Encuentra también una gesta: la batalla de la *Vuelta de Obligado* en la que las fuerzas del Restaurador enfrentaron a franceses e ingleses.

Rosas asiste a los funerales de Dorrego. Éste es el texto: "Él iba inmutable y callado. Llevaba el traje de capitán general. Ni miraba a las

[5] Mármol, Ibíd, tomo I, p. 104. Cfr. Viñas, David, *Literatura Argentina y realidad política*, Buenos Aires, Jorge Álvarez, 1964, pp. 1229/132. Viñas realiza una aguda comparación entre el tratamiento que da Mármol a la casa de Rosas y el dormitorio de Amalia. "La dura autonomía de objeto (escribe) del Rosas anterior se trueca ahora (en el dormitorio de Amalia, J.P.F.) en inasible término de comparación de valores lejanos: las cosas que tenemos aquí con sombras platónicas de una realidad inobjetable." Hay una desaforada espiritualización de Amalia en contraste con un tratamiento cósico de Rosas y su ámbito.

gentes, que le contemplaban absortas. Ni una sonrisa, ni un gesto. Rígido, teatral, magnífico en sus galas y en su belleza, parecía despreciar al mundo entero. En su fuerte puño, el bastón de mando adquiría un terrible significado. Las gentes lo miraban sumisas, encandiladas, humildes. Algunos bajaban la cabeza. Otros se hubieran arrodillado a su paso. Su arrogancia espléndida y todo su aspecto tenía algo de los Césares romanos''[6].

No es difícil descubrir en este Rosas una encarnación rioplatense del individuo histórico universal hegeliano. Los primeros revisionistas caen en una gris melancolía ante el fracaso del golpe uriburista. El triunfo del ala liberal que encarna Justo destruye sus sueños de la patria fuerte que instauraría la ''hora de la espada''.

Sus obras, sin embargo, comienzan a cobrar nueva relevancia a partir de la segunda mitad de la década del sesenta. Pero ya son leídas desde un ámbito político distinto al que les diera origen. La militancia peronista, en efecto, encuentra no sólo en las obras de los primeros revisionistas (Julio Irazusta, Carlos Ibarguren, Ernesto Palacio, Ricardo Font-Ezcurra) sino también en los escritos de los hombres de FORJA (Arturo Jauretche y Raúl Scalabrini Ortiz, sobre todo) una fuente de información invalorable.

Es así que el revisionismo histórico juega un papel de importancia en la *nacionalización* de los sectores medios. Se encuentran los textos para elaborar una lectura no liberal del pasado argentino. Se habla de la ''falsificación de la historia''. Y se utilizan también los textos de comunistas disidentes como Rodolfo Puiggros y los que provienen de la izquierda nacional: Jorge Abelardo Ramos.

El revisionismo contribuye a la creación de lo que se denomina ''corriente nacional''. Sus escritores más distinguidos son el nombrado Puiggros, también Ramos y Juan José Hernández Arregui, así como también José María Rosa.

La ''corriente nacional'' es una línea histórica alternativa al proyecto liberal, una lucha del pueblo que se ha ido expresando a través de la historia argentina y que tiene sus puntos de mayor combatividad señalados por la emergencia de tres conductores de pueblos: Rosas, Yrigoyen, Perón.

El ''Cordobazo'' es el punto de partida de esta generación que se propone transformar la historia del país: realizar una nueva lectura de su pasado y desde el poder elaborado en el presente imponer una política que asuma la combatividad permanente del pueblo en su lucha contra el imperialismo. Ya en las paredes no se pinta: ''Fuera yankis de Vietnam''. Ahora se pinta: ''Patria sí, Colonia no''.

La *cuestión nacional* pasa a primer plano y el peronismo es visualizado como el movimiento de liberación nacional, partícipe de una revolución que protagonizan los pueblos del Tercer Mundo.

[6] Gálvez, Manuel, *El Gaucho de los Cerrillos*, Austral, Buenos Aires, 1950, p. 161.

El doble poder

Luego de su primer regreso al país, en noviembre de 1973, Perón se instala en una residencia ubicada en el barrio de Vicente López. Miles de peronistas que no habían podido acercársele el día anterior (el de su llegada a Ezeiza) a causa del infranqueable cerco militar, rodean ahora la residencia del líder y vocean variadas consignas.

La militancia peronista del setenta fue especialmente creativa en la elaboración de consignas políticas. Se consideraba que una consigna correcta poseía un alto poder concientizador y movilizante.

Ese día, quienes rodeaban la residencia de Perón, enunciaron obstinadamente una consigna que marcaba la situación de *doble poder* que (según afirmaban) se había establecido en el país. Ésta era la consigna: "La casa de gobierno/cambió de dirección/está en Vicente López/por orden de Perón".

Se hablaba más de la *creación* del poder que de la *toma* del poder. El poder se creaba a través de la *movilización popular*. Había un *poder del sistema*. Un poder institucional representado por la gran burguesía y las Fuerzas Armadas. Y había un *poder popular*. Un poder que se construía en el llano. Un poder que surgía de la organización militante del pueblo.

Había, entonces, dos casas de gobierno; esto quería decir en su nivel profundo la consigna que citamos. Una era ilegal, no respondía a la voluntad popular. La otra era verdadera, legal, estaba legalizada por la adhesión de las masas. El verdadero presidente de los argentinos era Perón aun cuando no habitara en la Casa Rosada. Porque Perón era el político cuyo liderazgo reconocía la mayoría y por cuyo retorno había luchado dieciocho años.

El proyecto era *crear* un poder para *tomar* el poder. La organización territorial del pueblo era el fundamento del nuevo poder. Así, la militancia abarcó todos los ámbitos de la nación; desde las fábricas, las villas, hasta los empresarios nacionales y los sindicatos.

El fenómeno de Juventud Peronista fue esencialmente universitario y barrial. El trabajo "en el barrio" era una tarea central del militante. Se creaban múltiples unidades básicas. Se trabaja con las familias. Y también, claro está, en las villas. El trabajo en los sindicatos era más arduo y presagiaba la lucha que habría de estallar luego entre la JP y la "burocracia sindical".

Había ciertas frases de la época que marcaban esta exaltación de la militancia: "el que no milita es un maricón", se decía. Y el concepto de *participación popular* constituye esta *verdad* creada desde la territorialidad militante para destruir la *verdad* del sistema, sostenida por el poder institucional.

Gobierno y poder

Fueron muchas las organizaciones de Juventud Peronista que militaban y creaban consignas movilizadoras. A fines del '72 una gran parte de las mismas pasan a autodenominarse "tendencia revolucionaria" del Movimiento Peronista, marcando esta decisión el punto en el que la organización armada Montoneros decide emprender una política de "base" y pasa a hegemonizar la Juventud Peronista de izquierda.

¿Era muy fuerte la "otra" Juventud Peronista? No hay que confundirla (hasta fines del '74) con la espuria JP que impulsa López Rega, aunque aquí confluyeron. Pero hasta el momento del regreso de Perón, los "ortodoxos" de la JP estaban nucleados básicamente a través de *Mesa del Trasvasamiento* y *Demetrios*. En los actos barriales o en otros lugares de la territorialidad donde la militancia se congregaba, estos sectores voceaban la consigna: "Perón, Evita, la Patria Peronista" oponiéndose al "Perón, Evita, la Patria Socialista", que identificaba a la JP más radicalizada.

Como queda dicho, estos grupos de JP se unifican bajo el nombre "tendencia" (antes eran: el M.R.P. —Movimiento Peronista Revolucionario—, J.A.E.N. —liderado por Rodolfo Galimberti—, y en el ámbito universitario: C.E.P., Cenap-Fandep y el legendario FEN —Frente Estudiantil Nacional, liderado por Roberto Grabois—, que también mantenía sus contactos con Mesa del Trasvasamiento, ligada a la "ortodoxia"), marcando esta unificación la hegemonización de Montoneros.

Sería arduo y extenso mostrar las distintas mediaciones por las que se dio esta hegemonía[7].

Pero lo cierto es que existía una franja amplia ideológica por la que la conquista de esta hegemonía se dio con cierta facilidad.

No puede ser dejado aquí de lado el tema de la violencia. Para muchos, la violencia de los grupos armados era la expresión *no deseada, no justificable, pero comprensible* de un régimen social injusto. Para otros, la violencia se integraba como *parte* de la lucha de *todo* el pueblo por su liberación. Para otros, la violencia era la vanguardia del proceso revolucionario.

Entre la población, hasta el '73 —es decir: hasta el acceso del gobierno constitucional—, los grupos armados de la izquierda peronista tienen un importante consenso. Están las estadísticas de la época, no hay más que consultarlas. Ocurría que "los muchachos" —así se los llamaba— eran visualizados como una especie de justicieros que eran producto de

[7] También estaba el P.B. (Peronismo de Base) de concepción izquierdista y que marcaba la necesariedad de la "alternativa independiente". Es decir: Perón manejaba la política superestructural, las bases debían organizarse a partir de sus propias necesidades e imperativos. Algunos acusaban al P.B. de sostener una alternativa "tan independiente que finalmente lo era de Perón y el Movimiento Peronista".

una dictadura militar usurpadora que debía retirarse cuanto antes y ceder el gobierno a Perón, el líder de las mayorías populares.

Perón, así, no desautoriza a la guerrilla. Y afirma: "a la violencia se la elimina con justicia social". Los grupos armados quedan integrados como parte de una lucha total contra el sistema (que partía de la *Resistencia* peronista del '55) y reciben el nombre de "formaciones especiales". También se los justifica afirmando: "la violencia de arriba genera la violencia de abajo". Consigna que expresa nuevamente la concepción del "doble poder": arriba el Poder institucional, el Poder del sistema; abajo el poder de las "bases combatiendo", frase esta última que respondía a otra consigna: "Perón conduciendo, las bases combatiendo".

No obstante, en la JP socialista se otorga cada vez con mayor vigor un papel de vanguardia a los grupos armados. Y en especial a Montoneros. Hay muchas consignas que lo expresan. Por ejemplo (referida ésta a la "organización territorial del pueblo"): "A la lata/al latero/las casas peronistas/son fortines montoneros". También aparece este reconocimiento en una de las estrofas que la JP socialista agrega a la marcha "Los Muchachos Peronistas": "Ayer fue la Resistencia/hoy Montoneros y Far/y mañana el pueblo entero/en la lucha popular". Aun cuando algunos proponían cambiar el "y mañana el pueblo entero" por "y por siempre el pueblo entero", la consigna seguía siendo "vanguardista" y reservaba ese rol de vanguardia a los grupos armados.

Existía una identificación entre riesgo y vanguardia. Lo expresaba la más voceada de las consignas de la JP socialista: "Si Evita viviera sería montonera". Había aquí una exaltación mítica de Evita: Evita era puro fuego y pasión revolucionaria, Evita no transaba, no negociaba, era la más decidida en su enfrentamiento al sistema. Evita (éste era el subtexto) no estaría en Madrid con Perón, negociando, agrediendo o conciliando según las oportunidades. No, Evita estaría en "el lugar más arriesgado de la lucha". Evita, entonces, sería "montonera".

El texto fundamental de la JP (descartamos aquí referencias a los "ortodoxos", que eran minoría) era el libro de Von Clausewitz: *De la guerra*. Había, en este sentido, una fuerte tendencia a considerar la política en términos de guerra. Por ejemplo: cuando Perón propone a Lanusse los "diez puntos" para negociar, las *pintadas* de la JP dicen esa noche en las paredes de Buenos Aires: "10 puntos o guerra".

La verdad de la hora era: *generar poder desde la militancia.* De aquí la concepción del "gobierno" como una mera parte del poder. Se lanza entonces la consigna: "Cámpora al gobierno, Perón al Poder". El poder del llano, el poder que se había construido con la movilización de las bases peronistas, debía ser la garantía, la fuerza del gobierno constitucional. Con este poder se derrotaría el Poder institucional del sistema.

La verdad como resultado de la práctica política

¿Dónde estaba la verdad? La verdad surgía de la organización y la movilización del pueblo. Éste era el verdadero poder y este poder derrotaría la verdad del Poder institucional.

Se está muy lejos en esta concepción de la medrosa actitud cartesiana de pedirle permiso a Dios (a la veracidad divina) para salir del *cogito*. Se está también lejos de Kant, siempre cediendo ante el empirismo de Hume, afirmando que el entendimiento sólo puede trabajar sobre los datos de la sensibilidad, que sólo hay objetos para un sujeto y que hay un "mundo de la experiencia posible" (en el que las condiciones de posibilidad de la experiencia son las condiciones de posibilidad del conocimiento) y un universo "nouménico", digamos: un "mundo de la experiencia imposible" cerrado al sujeto cognoscente. Lejos también se está de Hegel y la transformación de la sustancia en sujeto, supuesto imprescindible para que una gnoseología idealista se haga cargo de la realidad externa sin recurrir a la "veracidad divina".

Pero también se está lejos de la gnoseología marxista. De la teoría del "reflejo", donde la "verdad" no es la producción de una determinada práctica política, sino el reflejo de lo "real" en la conciencia pasiva.

Sin tematizarlo explícitamente, la experiencia teórico-política de la militancia peronista de los años setenta impulsó otro tipo de gnoseología. La "verdad" surgía de la práctica militante, se organizaba a través de la movilización popular y se enfrentaba a la "verdad institucionalizada" del sistema. La verdad no era la plácida adecuación entre el sujeto y aquello que el sujeto enunciaba del objeto. *La verdad era lucha, conquista y dominación.* La verdad era enfrentamiento.

Esta concepción de la verdad acercaba a los militantes de la JP más a Nietzsche que a cualquier otro filósofo. Es cierto que aparece aquí un Nietzsche a lo Foucault, como asimismo creemos que caracterizar la gnoseología marxista como el simple reflejo de lo real en la conciencia pasiva es reducirla a su vertiente engelsiana. Pero no es cuestionable hacerlo, ya que toda la lectura estalinista del tema no se ha apartado de allí, y las interpretaciones renovadoras llegaron desde otros ámbitos: el joven Luckács, o el Sartre de la *Critique* y el estructuralismo.

De todos modos, hay que tener cierta razonable cautela al marcar relaciones entre Nietzsche y los militantes del JP. Hoy está demasiado de moda desprestigiar a toda esa militancia confundiéndola absolutamente con la experiencia montonera. El fenómeno montonero no agota toda la rica experiencia política de la JP. Y el desarrollo siguiente de Montoneros no fue en absoluto acompañado por toda la militancia juvenil.

Después del enfrentamiento de Montoneros con Perón el 1° de mayo de 1974, las disidencias con esta organización comienzan a ser más profundas y definitivas en muchos sectores.

Los Montoneros lanzan entonces una consigna que expresa el reconocimiento de esta realidad: ''Disidentes por derecha, disidentes por izquierda/que todos los disidentes/se vayan a la m . . .''

De todos modos, Montoneros siguió hegemonizando a los sectores juveniles del peronismo. Las contradicciones se antagonizaron y —especialmente luego de la muerte de Perón— estallaron en forma violenta.

La militancia territorial se retrajo. La violencia desplaza a la política de la escena nacional o (como quería el tan consultado Clausewitz) ''la continúa por otros medios''.

En 1975 se vuelve levemente a la política de la movilización popular con el movimiento sindical que expulsa del gobierno a López Rega. Pero los militares y los Montoneros están entregados a la perversión de la violencia minoritaria. Paralelamente, hay un crecimiento lento pero creciente de deliberación y organización sindical que es observado con preocupación por el poder militar. Este sindicalismo de base no responde a las cúpulas burocráticas. De aquí el temido peligro de su ''anarquización''. El gobierno constitucional, por su parte, nada hace por buscar apoyo en la civilidad o en las bases peronistas que dice representar. Tanto para los militares como para los Montoneros es apenas un ''colchón'' molesto que enturbia la verdadera situación de enfrentamiento. Si el gobierno cae —razonan los Montoneros— el pueblo se plegará a nosotros pues quedarán en claro las verdaderas contradicciones de la Argentina, las verdaderas opciones: nosotros o los militares. Si el gobierno cae —razonan los militares— arrasaremos no sólo a la guerrilla sino también todo foco de organización popular. Propugnaban la teoría del ''enemigo interno''. Destrozar este ''enemigo'' y aplicar el plan económico de Martínez de Hoz eran partes de un mismo proyecto.

La ''verdad'' de Seguridad Nacional (1976-1983)

La Seguridad Nacional irrumpe en el exacto momento que le permitirá marcar a fuego en el país los desarrollos empíricos de sus axiomas: un gobierno desgastado, sin iniciativa, una guerrilla soberbia y solitaria que le otorgaba marco ''justificatorio'' para el desarrollo de la máxima violencia, para transformar desaforadamente la política en guerra y aniquilar todo posible disenso, un movimiento obrero disperso, reaccionando apenas de la desmovilización, un peronismo sin Perón y atado a los dogmas y los conflictos internos, unos partidos políticos cuya falta de iniciativa había sido explicitada (en desdichada frase luego instrumentada hasta el agobio por los militares: ''me piden soluciones, no las tengo'') por el más prestigioso de sus dirigentes y una clase media aterrorizada por la violencia y deseando, una vez más, el ''orden'' de los militares.

La *verdad* de la Seguridad Nacional parte de la concepción del *enemigo interno*. Esta concepción ha sido elaborada por los militares argentinos durante los años sesenta. Se parte de la división del mundo entre Occidente y Oriente. La Argentina pertenece a Occidente. Sus fronteras exteriores están resguardadas por los pactos estratégicos que ha realizado con el Pentágono. El temor está adentro. El enemigo está adentro. Es la subversión. Es todo lo que atenta contra el "estilo de vida" argentino, contra la civilización "occidental y cristiana".

Queda en claro lo siguiente: para la Seguridad Nacional el oponente político debe ser aniquilado, no incorporado. Se trata, para esta ideología, de una guerra. No es eufemismo: es una guerra. Una guerra en la que no cuentan incluso sus medios de realización. La ética ha quedado absolutamente de lado. Por eso la guerra es calificada de "sucia".

La *verdad* que se defiende es la vieja *verdad* de la gran burguesía liberal: imponer una economía de mercado, de libre competencia, de concentración oligopólica. Sofocar toda resistencia popular, toda organización, todo cuestionamiento. Una vez más: imponer el liberalismo económico a través de la implacable negación de la vida democrática.

La Seguridad Nacional postula dos guerras permanentes: una externa contra el enemigo del Este, el comunismo. Y otra interna contra el aliado del enemigo del Este, la "subversión". La Seguridad Nacional se encargará del "enemigo interno". Como la civilidad se ha mostrado impotente para hacerlo, deberán hacerlo los militares. Se produce la primacía del poder militar sobre el poder civil. Se instrumenta la militarización de la vida social y política de la nación.

A partir de 1930 (golpe de Uriburu contra Yrigoyen) hay dos características centrales que pueden marcarse en este tipo de movimientos castrenses: 1°) aumento de la "temporalidad" requerida para imponer sus proyectos; 2°) un aumento en los aspectos represivos.

Por ejemplo: la revolución que derroca a Perón en el '55 se autodenomina "Gobierno Provisional de la Revolución Libertadora". Los militares, aquí, se asumían como "provisoriedad". Ya Onganía, luego de 1966, habla de gobernar treinta años, declaración que apresura su caída, pero que no dejó de enunciarla. Y los hombres de la reciente dictadura militar insistieron tenazmente en afirmar que no tenían "plazos sino objetivos". Y hasta se daban el gusto de ironizar: "las urnas están bien guardadas".

Asimismo, se detecta en los distintos golpes militares un aumento considerable en la intensidad del espectro represivo.

¿A qué se deben estos componentes? Rouquié (en un libro muy leído en la Argentina durante 1983 y también —aunque algo menos— actualmente) señala lo siguiente: "el estado pretoriano moderno se caracteriza a la vez por la dominación militar y por la falta de consenso"[8].

El extremo del horror al que ha llegado el poder militar-financiero para imponer su *verdad* no es la expresión de su fuerza sino la de su debilidad. El aumento de la represión en cada golpe militar expresa esta exasperación, este descontrol, en suma: esta debilidad. Cada vez les resulta

[8] Rouquié, Alain, *Poder militar y sociedad política en la Argentina*, Emecé, Buenos Aires, 1983, p. 381.

más difícil integrar a su proyecto al oponente político. Esto indica, por parte del oponente, un crecimiento en su concientización política, que si bien puede tener trágicos retrocesos, ha llegado a niveles cuya integración sólo es posible a través del terror. Es decir: es imposible. Es, para la Seguridad Nacional, inasimilable. Sólo puede gobernar al precio de transformar su *verdad* en *terror* y aniquilar al oponente político.

Si el *estado pretoriano* vive condenado a gobernar sin consenso, esto significa que vive condenado a concebir la política en términos de *guerra* y *terror* pues, por definición, su proyecto le impide la creación de un espacio de tolerancia con su oponente político.

Un espacio de tolerancia. Es decir: un lugar para la política. La política, entonces, desaparece. Y donde desaparece la política, la Muerte ocupa su lugar.

Democracia y verdad

La *verdad* democrática implica la creación de *un espacio de la tolerancia* en el que las distintas verdades de los adversarios políticos no se enfrenten en términos de guerra.

¿Qué quiere decir esto? Ante todo: que una verdad, para realizarse, no deberá necesariamente destruir la verdad del adversario. Mi afirmación no requiere la eliminación del Otro para efectivizarse.

El concepto de *democracia,* asimismo, muy poco valorado en los planteos del '73, sirve hoy, por ejemplo, para impulsar la modernización de la vida política argentina. Habrá que propugnar una democracia social participativa. La participación popular, en su genuino sentido de reconocer al pueblo como sujeto de la historia, debe otorgar peso y contenido a las instituciones democráticas, a los partidos políticos.

Debe rechazarse el apotegma de la Constitución del '53: "el pueblo no delibera ni gobierna sino a través de sus representantes". No: el pueblo debe deliberar y gobernará también al acercarle a sus auténticos representantes sus auténticas motivaciones políticas. Los representantes, por su parte, sólo serán "representantes del pueblo" en la medida en que se tiendan los puentes necesarios y eficaces con las bases populares.

La crisis del peronismo, por ejemplo, sólo puede encontrar alguna punta para su solución a través de una participación democrática, que se exprese fluidamente desde la conducción a las bases y desde las bases a la conducción a través de los cuadros intermedios.

No es sencillo, sin embargo, proponer esquemas de participación popular, consenso y creación de espacios de tolerancia y pluralidad en la Argentina. La Argentina es un país periférico, fuertemente condicionado por sus compromisos internacionales. Las angustias del país en el sector externo determinan enfrentamientos, tensiones y erizamientos en el interno que no favorecen la creación de un espacio de disenso y pluralidad.

Los pasos serán concebir la política como parte del diálogo, y la persuasión, como el ámbito del respeto por el Otro, y no como guerra. La participación popular sigue siendo un objetivo prioritario. Pero también lo es recordar que quienes se mueven fuera del sistema democrático, están. Están presentes y esperan. Sólo podrá derrotarlos el triunfo de la *verdad democrática:* la participación del pueblo llenando de contenido las instituciones, la creación del espacio del disenso y la tolerancia y el fortalecimiento de la estructura productiva del país.

EL CAMPO INTELECTUAL: UN ESPACIO DOBLEMENTE FRACTURADO

BEATRIZ SARLO

Quién habla: ensayo de autobiografía

Pocos temas convocan como éste a la primera persona. Difícilmente podremos abordarlo asistidos por el sistema de mediaciones que una historia más lejana permite elaborar. E incluso,en tal caso, las garantías son mínimas: los argentinos, como lo ha demostrado Halperín Donghi[1], nos hemos dedicado empeñosamente a politizar la historia y leer en tiempo presente los hechos del pasado.

Esta costumbre, que no ha probado sus méritos ni en la historiografía ni en la política estableciendo entre ellas una relación ancilar, nos ha marcado profundamente. Pero no es a ella a la que me refería cuando afirmé la inevitabilidad de esa primera persona para pensar el proceso de los últimos años.

Se trata, más bien, de mantenerse dentro de los límites de un discurso que tiene a la experiencia como objeto. La experiencia, algo bien difícil de definir: en ella se cruzan ideologías políticas y culturales, formas de la conciencia práctica, modalidades discursivas, estilos[2]. Es, en realidad, el procesamiento de la cultura de una época, pasada a través de formas, también históricas y sociales, de la subjetividad.

Es claro que algunas de las preguntas que, subterráneamente, atraviesan este escrito, tienen que ver con un interrogante difícil de responder en los años de la dictadura militar, pero cuya resolución ocupará, quizás, el resto de nuestras vidas: cómo éramos nosotros, los intelectuales jóvenes de la Argentina, en los años setenta; sobre qué tipo de sujetos y de relaciones intersubjetivas se ejerció el poder autoritario y la violencia.

Walter Benjamín escribió, en sus *Tesis sobre la filosofía de la historia*, que la "tarea consiste en cepillar la historia a contrapelo". La imagen, que se corresponde con otra de sus afirmaciones: "Arrancar a la

[1] Tulio Halperín Donghi, "El revisionismo histórico argentino como visión decadentista de la historia nacional", en *Alternativas,* publicación del Centro de Estudios de la Realidad Contemporánea, Santiago de Chile, junio de 1984.

[2] Me remito a las consideraciones de Raymond Williams: *Marxism and Literature,* Oxford University Press, 1977.

tradición del conformismo que la acecha'', me incita a pensar no sólo sobre lo que nos hizo el autoritarismo, sino sobre nosotros. Tal vez hoy ya podamos preguntarnos qué hicimos nosotros, enfermos también de absoluto.

La convicción de que los grandes cambios revolucionarios estaban al orden del día afectó profundamente la ideología y la cultura política de los intelectuales de izquierda o peronistas, cuyo período de formación transcurre durante los años sesenta. Ya es casi un lugar común describir a los años inaugurados con la caída del peronismo como la era modernizadora del campo cultural. Efectivamente lo fue: emergieron entonces actores, prácticas y formas discursivas que fueron responsables de un nuevo ''clima de ideas'', y de nuevas modalidades de relación entre el campo intelectual y el campo político.

Vanguardia y revolución: durante algunos años, los intelectuales argentinos de izquierda creímos que tensiones jamás resueltas (que habían marcado el destino de artistas como Meyerhold o Maiacovski) habían encontrado sus vías de síntesis. La Habana se ofrecía desde comienzos de la década del sesenta como el espacio de una nueva utopía americana, y Cuba no solamente traducía la revolución al castellano, sino que se convertía en un espacio gigantesco de mediación: allí se encontraban los intelectuales y los artistas, los políticos y los milicianos revivían allí, casi byronianamente, una versión romántica del compromiso.

Para los argentinos, la figura de Cortázar duplicaba el vasto espacio de mediación cubano en el campo literario. Cortázar era, efectivamente, el que podía poner en comunicación las tradiciones intelectuales más diversas. Recuerdo un reportaje de 1963 donde Cortázar, a punto de volar de París a Cuba, recuperaba a Borges para la izquierda del campo intelectual. Y también su conferencia, publicada en *Casa de las Américas,* donde resolvía sencillamente la cuestión complicada que había sido el fantasma de las vanguardias desde la revolución rusa: ''Creo que el escritor revolucionario es aquel en quien se fusionan indisolublemente la conciencia de su libre compromiso individual y colectivo, con esa otra soberana libertad cultural que confiere el pleno dominio de su oficio. Si ese escritor responsable y lúcido decide escribir literatura fantástica, o psicológica, o vuelta hacia el pasado, su acto es un acto de libertad dentro de la revolución y por eso también un acto revolucionario''. En este clima de certidumbres ideológicas, aquello que ha demostrado ser uno de los flancos más débiles de los procesos revolucionarios, parecía una herida definitivamente suturada. Se creía, en verdad, en una continuidad ilusoria entre estética y política.

Era también el clima de mayo francés, que Godard, premonitoriamente, representó en *La chinoise,* donde la joven estudiante maoísta discute con Jeanson, con el paternalismo condescendiente de alguien que considera a los intelectuales de *Les Temps Modernes* como irremediablemente burgueses. El '68 europeo pone en crisis al reformismo y enlaza con la polémica que la revolución china había comenzado más discretamente hacia fines de los años cincuenta y había hecho violenta, pública y práctica a partir de la revolución cultural. En sus consignas, también, los intelectuales aprendimos que debían ser superadas las contradicciones entre trabajo manual y trabajo intelectual, y leyendo las intervenciones de Mao en el Foro de Yenán pensamos que podían articularse nuevos puentes entre arte y revolución. La revolución china, además, ofrecía sus consignas no sólo a los intelectuales de la izquierda, sino también a aquellos que formaban parte de la zona nacionalista y peronista: Perón ya había hablado de su amigo Mao Tse Tung y, por otra parte, las tesis maoístas sobre la contradicción podían ser fácilmente remitidas a los términos de liberación nacional o dependencia y a la rápida unificación de toda política en torno de la contradicción principal con el imperialismo.

Por otra parte, si Cuba (la frase es de David Viñas) había sido la revolución en castellano, China tenía sobre Francia la ventaja de ser la revolución en el Tercer Mundo, cuya doble valencia apelaba a la nueva izquierda y al peronismo.

Sartre leía en Fanon la imagen que, desde el Tercer Mundo, devolvían a Europa los pueblos que habían sido víctimas de la colonización. Y no leía en Fanon las marcas decisivas, que atraviesan la escritura, que él, Sartre, había dejado. Vivíamos entonces no sólo en la hora de la revolución, sino de una revolución que, *á rebours* de las predicciones ya centenarias de Marx, venía desde el sur y desde el este.

En el caso argentino, este *espíritu* encuentra un ámbito propicio, por razones que deben buscarse en la historia anterior de sus intelectuales: la tercermundización de los procesos revolucionarios permitía producir una lectura diferente del peronismo desde la izquierda. Y creaba buenas condiciones de recepción para las revisiones que tanto Jorge Abelardo Ramos como Hernández Arregui estaban realizando desde mediados de la década del cincuenta[3]. No se trataba ya solamente, como lo había sugerido Ismael Viñas en las páginas iniciales de *Orden y progreso*[4], de entender al peronismo como un fenómeno ideológico-político que desbordaba las caracterizaciones salvajes y demonizantes con que se lo había combatido, sino de construir los puentes por los cuales transitarían muchos de los jóvenes intelectuales que se desplazaron en el curso de la década del sesenta desde la izquierda tradicional a la nueva izquierda o la izquierda peronista.

Sin duda, una nueva lectura del peronismo, a la que contribuyó una copiosa ensayística proclive a la apologética, formó parte de una especie de sentido común generalizado ya hacia fines de los años sesenta y hegemónico en los primeros de la década siguiente. Esta nueva lectura se en-

[3] Un texto fundador de estas revisiones es *Crisis y resurrección de la literatura argentina,* de Jorge Abelardo Ramos, publicado en 1954, E *Imperialismo y cultura,* de Juan José Hernández Arregui.

[4] Ismael Viñas, *Orden y progreso: la era del frondizismo,* Buenos Aires, Palestra, 1960.

marca en una tendencia general de la década, que ha sido definida como la de crisis del reformismo. El peronismo, entonces, es leído en clave de movimiento de liberación nacional revolucionario, y metaforizado echando mano al inventario sugerido por las revoluciones tercermundistas.

La Argentina en la cual nos formamos como intelectuales o intelectuales-políticos, no sólo presenta las evidencias de una permanente crisis institucional, sino que la crisis del reformismo se articula con la afirmación de la violencia, primero como un camino legítimo y luego, en algunos casos, como el único camino para la transformación social. Vivíamos, esto puedo recordarlo bien, en un *clima de último capítulo,* de desenlace de una época y, en consecuencia, nos sentíamos portadores de elementos fundacionales.

No se trataba solamente de la crisis del reformismo de izquierda, sino también de la insuficiencia de la democracia como modalidad institucional para cambios que afectaran las estructuras de desigualdad e injusticia. Desentendidos de la complejidad de la teoría política, tanto los intelectuales de izquierda como los del peronismo coincidíamos en una desvalorización de la democracia, que demostró ser tan ignorante como suicida. Enfrentados en casi todo, la izquierda revolucionaria y el peronismo tercermundista coincidíamos sin embargo en una caracterización de la institucionalidad democrática como institucionalidad formal. Y a partir de ese adjetivo construíamos una cadena: formal-aparente-engañoso-falso.

Asistidos además por la certidumbre de que estábamos viviendo el fin de una época y que la aceleración de los procesos revolucionarios implicaría a la Argentina, constituidos como sujetos ideológico-políticos en el horizonte que he tratado de describir, los intelectuales comenzamos también a buscar nuevas formas de relación entre el campo cultural y el campo político, imaginando, al mismo tiempo, que podían crearse nexos nuevos entre estos campos y los sectores populares.

Por otra parte, basta recordar la lectura gramsciana de la cultura popular, la influencia de libros como *Apocalípticos e integrados* de Umberto Eco (que por esos años visitó Buenos Aires), la Bienal de la Historieta organizada por el Instituto Di Tella y las intervenciones de Oscar Masotta al respecto, para percibir que discursos provenientes de las ciencias sociales, de la teoría cultural, de las investigaciones sobre medios de comunicación, del marxismo, confluyen desde vertientes extremadamente heterogéneas sobre las ideologías culturales de la década.

Estas incitaciones teóricas (algunas de ellas muy sofisticadas) podían llegar a combinarse en el campo intelectual, hacia fines de la década del sesenta, con una fuerte tendencia al desplazamiento de contingentes importantes hacia el populismo. El interés por las formas culturales populares, por el discurso de los medios de comunicación masivos, por la identidad política popular, etc., se reforzaba desde una lectura gramsciana de la revolución cultural china o una lectura nacional maoísta del peronismo.

La complejidad de esta trama de ideas induce a pensar más que en formaciones ideológicas perfectamente perfiladas, en lo que Raymond Williams denomina estructura de sentimientos, esto es: una configuración menos formalizada de ideas, formas de la experiencia, figuras semánticas.

Si evoco esta confluencia de elementos ideológico-culturales de procedencia diversa y, en ocasiones, combinados de manera inestable, es por el intento esbozado en el comienzo de estas notas de recuperar la conciencia vivida de los años anteriores al proceso militar.

Estos pliegues de la ideología impulsaron, tanto en sectores de la izquierda como del peronismo, un movimiento de politización del campo intelectual y cultural. Con diversas realizaciones, "ir hacia el pueblo" fue la consigna. En la universidad, un ámbito particularmente sensible a los deslizamientos ideológicos y semánticos, esto se tradujo en la sustancial alteración de los puntos clásicos del programa reformista: la frase "una universidad abierta al pueblo" dejó de significar, básicamente, la democratización de la enseñanza, para significar la extraversión de la universidad hacia los espacios populares: el grado máximo de extensión y comunicación. La idea de un mandarinado intelectual fue violentamente sometida a crítica y la identidad de intelectual, artista o científico comenzó a parecer insuficiente excusa para ser eximido de responsabilidades más amplias (o más ambiciosas).

Tal pareció ser el espíritu, común a la formación peronista como a la nueva izquierda, de los primeros años de la década del setenta. Las consecuencias fueron de diverso tipo,pero me interesa acá subrayar las redes de comunicación entre intelectuales y sectores populares, producto de la actividad ideológico-política de nuevos actores constituidos en el espíritu de estos años de aprendizaje.

Desde la CGT de los Argentinos que, en 1967 y 1968, convocó en su local de la calle Paseo Colón a una concurrencia de origen pequeño burgués y universitario y articuló la escritura de Rodolfo Walsh en su periódico, hasta experiencias estéticas como "Tucumán arde" (realizada en la misma sede de la CGTA): éstos son los puntos más visibles de las redes a que me refería. En estos nudos de la trama social pueden leerse condensaciones en mi opinión significativas: el periódico *CGT* publicó desde el 16 de mayo al 27 de junio de 1968 el folletín político-policial *Quién mató a Rosendo,* una investigación de Rodolfo Walsh escrita desde el peculiar cruce de poéticas que caracterizó a su literatura y su propuesta periodística. Además, el periódico incorporaba la historieta como una de las formas de propaganda y agitación. Eran momentos en que podía citarse a El Lissitsky cuando se discutía la gráfica que debía circular en el mundo obrero (el apoyo a la huelga de Fabril fue uno de los ejemplos de este fenómeno); momentos en que la sensibilización hacia formas de la cultura popular se mezclaba con el gusto cultivado por los "primitivos".

En este clima, "Tucumán arde" fue quizás el experimento estético más audaz. Con informaciones proporcionadas por cientistas sociales, un grupo de artistas de vanguardia creó una ambientación que debía ser recorrida por el público: luces, paneles, volantes, pancartas, fotografías, diapositivas, sonido, un mimeógrafo que permanentemente tiraba información, la grabación de opiniones de los asistentes, caracterizaron la experiencia que se realizó en Rosario y luego en el local porteño de la CGTA, de donde fue desmontada ante la amenaza policial.

Quisiera recordar como condensaciones significativas de estos años también a las actividades del grupo Cine Liberación, en cuyo marco Solanas y Getino realizaron esa especie de manifiesto histórico-político que en sus diversas versiones fue *La hora de los hornos,* proyectada durante años, semiclandestinamente en sindicatos, barrios obreros y populares, centros de estudiantes, etc. Poniendo ya la cámara por completo al servicio de la ideología peronista, Solanas filmó más tarde un larguísimo reportaje a Perón, que podía verse interrumpido por aplausos y cánticos en los meses anteriores a las elecciones de 1973.

Fueron también los años, por lo menos hasta 1974, de los frentes de intelectuales de izquierda, del trabajo de los grupos teatrales en las villas miseria, de las exposiciones alternativas a los salones oficiales. Progresivamente, en este curso que es clausurado en 1976, la política impone sus regulaciones de hierro a una zona de las actividades intelectuales y artísticas. Pero la fusión de vanguardias políticas y vanguardias estéticas fue una utopía movilizadora que produjo las condiciones ideológicas de la trama que, hasta el golpe de estado de 1976, comunicó a sectores obreros y populares con zonas del campo intelectual. Algunas metáforas preferidas de este período (''usar la cámara como un fusil'', por ejemplo) anunciaban ya, en el plano discursivo, la dirección violenta que tendrían los años posteriores. Finalmente, los artistas creían haber construido su rosa blindada.

Se sabe, la rosa blindada es una utopía, pero las utopías han sido siempre principios activos en la constitución de identidades políticas y en la transformación de las sociedades. En el caso argentino, se produjo una alteración profunda en el modelo intelectual tradicional al alterarse, en el campo de la izquierda y el peronismo, el tipo de relación y de función respecto de los sectores populares. Todavía tendrá que indagarse mucho sobre qué responsabilidad cabe a estos nuevos modelos de intervención sobre los sectores populares desde la cultura, junto con otras formas de intervención e imposición política, en el signo violento de los años 70-76.

Pero, al mismo tiempo, el modelo de intelectual vinculado con los sectores populares contribuyó a producir un sistema de relaciones capilares que comunicaba al campo cultural con espacios del mundo plebeyo. Fue esta trama, rica y también conflictiva, la que destruyó la dictadura militar implantada en 1976. Es más: podría decirse que, en las declaraciones emitidas durante el primer año del proceso militar, la cuestión de los intelectuales caracterizados como ''ideólogos de la subversión'' no se agotaba en el significado obvio de este enunciado. Apuntaba también a esa realidad más compleja y evanescente, representada por la trama tejida entre la izquierda y el peronismo de los intelectuales y los sectores populares.

El golpe de estado llegó entonces para fracturar con su violencia a un sector importante y activo del campo cultural argentino. Hasta 1975, por lo menos, los intelectuales habíamos tenido la sensación y la experiencia de que podíamos mirar y hablar más allá de los límites de nuestro propio campo, que podíamos salir de la universidad y cruzar las puertas de algunos sindicatos, que se podían escribir libros pero también periódicos populares, discursos, volantes, manifiestos.

En 1976 se nos expulsaba de la intervención política, se clausuraba la esfera pública y se nos imponía una doble fractura. Al exilio de nuestros amigos e interlocutores, que cortaba al campo intelectual en un adentro y un afuera, se añadió la segregación de los intelectuales y artistas en una burbuja casi hermética, alejada, por evidentes razones de represión y las correlativas estrategias de seguridad para la supervivencia, de los espacios populares, igualmente asolados por la violencia estatal. La dictadura militar cortó el tejido social que había hecho posible la circulación de ideas y la comunicación con otros espacios. Quizás uno de los problemas que enfrentemos los intelectuales argentinos en los próximos años sea la reconstrucción de esta doble fractura, asistidos del reconocimiento de que no pueden repetirse las experiencias de los últimos quince años, regidas, la mayoría de las veces, por políticas profundamente penetradas de autoritarismo. Creo que no hay edad de oro en nuestra utopía.

Estrategias I: el exilio o la permanencia

Quisiera, en primer lugar, despejar una opción que se planteó en los primeros años de la dictadura y que no me parece que haya contribuido especialmente a comprender el proceso que nos afectaba. A través de polémicas y, más privadamente, en la forma según la que los exiliados y no exiliados vivían sus respectivos lugares, se ocluyó un aspecto fundamental de la cuestión: la fractura del campo intelectual que el exilio significaba había sido resultado de una operación victoriosa de la dictadura y no de elecciones sólo regidas por la libre voluntad de los sujetos. En lo que respecta al exilio, la dictadura logró una de sus victorias, al atomizar el campo intelectual, produciendo dos líneas de intelectuales argentinos (los de adentro y los de afuera), fomentando incluso los resentimientos entre ambas zonas y fracturando un centro de oposición democrática.

Desde la perspectiva de los intelectuales afectados (ya hubieran sido obligados al exilio o hubieran permanecido en la Argentina), se dibujaron dos tesis a la vez opuestas y complementarias: una el reflejo en espejo de la otra. Estaba, por un lado, la posición que consideró a la Argentina posterior al golpe de estado como un espacio íntegramente ocupado por la ideología y la política del régimen militar, donde, en consecuencia, estaban obturadas todas las posibilidades de acción o pensamiento. País de fascistas o de zombis, toda resistencia a la dictadura debía ser pensada desde el exilio. La posición opuesta sostenía que la única alternativa válida al régimen militar pasaba por lo que se decía y se hacía en la Argentina, que una palabra escrita en el país equivalía a ríos de tinta corridos en el extranjero.

Esta segunda posición partía de algunas comprobaciones que eran correctas acerca del efecto de los discursos emanados del campo intelectual local y de la práctica de organizaciones como las de derechos humanos que encaraban la defensa de reivindicaciones básicas dentro de la Argentina. Efectivamente, la palabra de Sábato pronunciada en Buenos Aires tenía un efecto de inmediatez, de verdad y de coraje. Ahora bien, todos sabemos, por otra parte, qué importante función les cupo a las organizaciones argentinas en el exterior, no sólo en la solución de los problemas materiales y legales más inmediatos del exilio, sino en una defensa de quienes, en la Argentina, habían quedado a merced de la represión: se obtuvieron vidas, libertades, opciones para abandonar el país, gracias a la movilización dirigida por exiliados.

Ambas tesis, al no reconocer la diferencia que la posición "dentro" y "fuera" daba a las prácticas y a los discursos, incurrieron en esa peligrosa simetría que caracteriza a los dilemas. Lo que ambas tesis olvidaban, o ponían entre paréntesis, es que esa división del campo intelectual había sido producto de las políticas del régimen y no de opciones libres. En consecuencia, someter la reflexión sobre la cultura argentina a esa división no colocaba el problema en la perspectiva más adecuada para percibir tanto los núcleos de disidencia interna como el papel de las organizaciones del exilio. Equivalía, en los hechos, a aceptar otra forma de la fractura del campo intelectual y político.

El exilio significó una pérdida importante en el campo de la cultura, no sólo en el sentido de que intelectuales de primera fila abandonaran el país, sino también porque perdieron densidad las tramas del campo intelectual, los canales donde circulaban los debates, las nuevas ideas, y donde se procesaban las propuestas ideológicas y estéticas. Al mismo tiempo, los intelectuales argentinos exiliados, incluso aquellos que podían defender al exilio como única alternativa, no podían aceptar frívolamente la lejanía cultural y lingüística. El drama desencadenado por el exilio borraba la posibilidad de explicaciones rápidas. Por lo demás, desde adentro de la Argentina, desde lo que quedaba de su desarticulado campo cultural, eran reducidos los aportes que, en los dos primeros años del régimen militar, podían elaborarse. Permanecer en la Argentina suponía soportar, en los años 76 y 77, las peores condiciones de reflexión ideológica y política.

¿Con qué razones, entonces, algunos intelectuales permanecieron en la Argentina? Aquí, nuevamente la pregunta une un conjunto de motivos personales, ideológicos y políticos difíciles de discernir. Quisiera que se me permita remitirme a mi experiencia, con la hipótesis de que en ella se inscribieron, también, algunas razones colectivas. Estaba, por un lado, una ciudad, Buenos Aires, que seguía siendo para mí ese ámbito concreto donde podía reconocerme como intelectual y donde, quizás en un acto de ensoñación política, apostaba a que mi discurso fuera nuevamente escuchado. Estaba, también, una lengua sobre cuyo desgarramiento me han hablado largamente los exiliados. Recordaba, al mismo tiempo, a los exiliados latinoamericanos que, a partir de 1973, había conocido en Buenos Aires, oscilantes entre la utopía del regreso inminente y la desesperanza. Me asaltaba, finalmente, la idea de que el pueblo, a cuyo destino yo me había sentido unida, no estaba en condiciones de seguir en masa el camino de los aeropuertos.

Claramente, este conjunto de razones sólo podían comenzar a pesar de partir de ciertos datos materiales: la discusión sobre el exilio o la permanencia se inscribe en el marco más amplio de las posibilidades reales de seguir viviendo en la Argentina. Si esas posibilidades existieron se debe a estrategias imaginativas desarrolladas durante los años del proceso militar. Pero el hecho de que hayan existido, no quita legitimidad a la salida de miles de intelectuales argentinos hacia otros países. La cuestión, es obvio, no pasa por la legitimación de opciones sino por la descripción de las situaciones objetivas que las condicionaron.

Las políticas de la dictadura

La muerte, la tortura, la cárcel o la desaparición practicadas por el gobierno militar, se articularon, en el campo cultural, con una política dirigida a liquidar los "focos de disensión", juzgados como el último reducto donde se refugiarían las ideologías cuyo combate dotaba al régimen de una bandera facciosa que pretendió convertirse en causa nacional. Al terror de Estado correspondió una concepción autoritaria en el plano de la cultura y de las ideologías filosóficas y políticas. Se trató, además, de destruir las redes que la sociedad civil podía utilizar como vías de resistencia, aunque sólo fuera pasiva, a las políticas implantadas.

A esto se unió, en un primer período, un discurso presidencial que prometía una sociedad pluralista para el futuro, remitiéndola a la conclusión de la guerra en la cual se habían comprometido las fuerzas armadas. Es preciso reconocer que algunos sectores del campo intelectual tomaron al pie de la letra este discurso, probablemente impulsados por el temor y el chantaje de que podían encaramarse en el gobierno fracciones aún más duras. De todas maneras estas complicaciones no marcaron el rasgo principal del período, que sí podría caracterizarse como el de la despolitización en todos los niveles, acompañada por la destrucción de las instancias alternativas de la sociedad civil.

El régimen militar adaptaba al discurso cultural sus tesis políticas generales. En primer lugar, haciendo responsables, en última instancia, a los intelectuales, como portadores sociales de "ideologías disolventes" e instigadores de la subversión. En segundo lugar, difundiendo un mensaje que puede esquematizarse de la manera siguiente: a. privatización de lo público, despolitización de la vida social; b. propuesta de modelos de comportamiento que colocan al individuo y su entorno familiar como instancia básica de la sociedad y deprecian los valores colectivos; c. fomento del individualismo y la competencia, del prejuicio y desconfianza ante las instancias colectivas, sean éstas sindicatos, partidos, asociaciones juveniles, etc.

Por su parte, la censura trabajó en todos los niveles imaginables con gran habilidad táctica. En tanto régimen terrorista (donde la legalidad está marcada por lo arbitrario del poder), las pautas de la censura eran sólo parcialmente conocidas por aquellos sobre los que los censores operaban. Esto se manifestó en la ausencia de indicaciones precisas sobre lo que podía hacerse o decirse. Al ampliar la zona de indefinición, el régimen militar apuntaba a significar que toda manifestación podía incurrir en un delito. De este modo, maestros y profesores sabían de la existencia de prohibiciones (libros, autores, editoriales, etc.), pero rara vez accedían a una lista completa. En los medios de comunicación de masas, si se exceptúan algunas prohibiciones notorias de periodistas, actores, directores, autores, etc., el resto podía caer en una interminable enumeración de matices: prohibidos calladamente, desaconsejables, semiaptos, reformados a los cuales probar, etc. Sometidos a este sistema de indeterminación, la educación y los medios masivos escritos optaron por quedarse más acá de la línea de peligro, probando así la eficacia de un juego cuyas leyes sólo conocía el caudillo militar que presidía cada una de las instancias.

La censura operaba con tres tácticas: el desconocimiento, que engendra el rumor; las medidas ejemplares, que engendran el terror; y las medias palabras, que engendran intimidación. Y tuvo dos esferas fundamentales: la político-ideológica y la moral. Desdichadamente, es preciso decir que, respecto de esta última, la Iglesia se sumó en varias oportunidades a los sectores más reaccionarios de la sociedad para aconsejar mayor moderación aun en los mensajes culturales y mayor vigilancia de Estado en el terreno moral.

Los blancos de estas políticas del régimen fueron la disidencia, la pluralidad, la libertad de circulación de las ideas y los bienes simbólicos. Su objetivo, el de escindir a la sociedad argentina, el de cortar los canales que comunican, en una sociedad moderna y articulada, a los intelectuales, los mediadores culturales y el resto de la trama social.

Un régimen policial, que fomentaba el miedo y la desconfianza, obtuvo, en este plano, que los sectores intelectuales quedaran escindidos de viejas relaciones con el movimiento social. Esta escisión fue repetidamente tematizada por los ideólogos y funcionarios del régimen, a través de las consignas que difundían la separación de la política respecto de la enseñanza, de la religión y del arte. Esto era funcional a la tendencia dominante hacia la atomización y privatización de las prácticas. Por otra parte, impedir la difusión de las ideas políticas y los mensajes culturales, suponía dejar a los sectores populares librados al discurso emitido por los órganos oficiales y los grandes medios de comunicación. Suponía, también, que pensar la política, la cultura o la represión fue durante años patrimonio de sectores muy aislados de la sociedad.

Estrategias II: identidad e historia

La situación descripta planteaba un desafío a los intelectuales: el de construir, desde los márgenes, desde el *underground*, algunas alternativas de futuro para la cultura argentina. Y también el de conservar un espacio indispensable para la vida intelectual, que parecía anulado por la violencia. Se trataba de inventar tácticas, dentro de límites que no estaba en nuestras posibilidades superar. La gran cuestión de esos años fue si se podía presionar sobre los límites, colocarse siempre un paso más allá de lo que opinaba el sentido común macerado por el terror, el escepticismo y el aislamiento. Por eso, una parte importante de los esfuerzos debió encaminarse a la construcción de espacios propios, ajenos al aparato del Estado y los grandes medios, fuera de las instituciones educativas oficiales. La voluntad política de subsistir como intelectuales en la Argentina debía recurrir a la imaginación alternativa.

Esto también valió para los discursos. La historia, por ejemplo, fue una forma de pensar el presente y hablar sobre él. Nos habituamos a dar rodeos, a alargar el camino recorriendo el siglo XIX. La historia fue una de las maneras en que pensamos la política: una historia donde los intelectuales del pasado eran figuras anteriores de un destino que nos seguía involucrando, metáforas para pensar nuestros errores y repasar nuestros proyectos.

La cuestión que me parece articulaba las respuestas dispersas y las iniciativas fragmentarias, era la de la identidad intelectual. En un país donde esta identidad podía llegar a convertirse en un delito, reivindicarla, no en la esfera privada donde ella significaba bien poco, sino en la esfera pública, implicaba operaciones tendientes a reagrupar fuerzas en el campo de la cultura.

La recomposición social de la identidad (que debía incluir la crisis de las utopías intelectuales anteriores) recorrió varias etapas. En primer lugar, fue necesario que se impusiera la convicción (y que se generalizara más allá de ciertos núcleos de avanzada de la capa) de que no era posible renunciar para siempre a un discurso y una práctica públicos, que una renuncia de tal tipo suponía resignar la identidad social y las funciones del intelectual.

En segundo lugar, que se extendiera más allá de sectores muy minoritarios la convicción de que había que repensar la política, y no sólo en términos de represión y terror. Es obvio que esta tarea debía realizarse sin complicidades con el régimen militar, en la medida en que repensar la política era juzgar *nuestro pasado*. Hasta fines de 1982 fue absorbida por núcleos relativamente pequeños: cientistas sociales agrupados en centros de investigación privados, que eventualmente podían conectarse con intelectuales vinculados a los partidos, revistas de reducida circulación, grupos de discusión, etc.

En tercer lugar, la recomposición de la identidad implicaba recuperar medios y espacios materiales de producción intelectual. Más que recuperar, diría que se trató de producir alternativas de nuevo tipo, surgidas de la sociedad civil y a pesar de la crisis económica[5].

Estrategias III: reconstrucción del campo y desprovincialización de la cultura

Recomposición de la identidad intelectual, construcción o recuperación de las bases materiales de esa identidad: tal el proceso trabajoso que he tratado de describir. Quisiera volver ahora al problema planteado en un principio sobre la fragmentación del campo cultural. Hacia 1980, comenzaron a restablecerse los lazos con esa otra zona del campo cultural argentino que vivía en el exilio. De la polarización silenciosa e incluso resentida, se pasó a polémicas abiertas que, pese a repetir clisés signados por una inevitable antigüedad, cumplieron la función de hacer público el debate y, por lo tanto, abrieron un espacio donde éste podía llegar a desarrollarse de manera más productiva.

Poco a poco el exilio dejó de ser esa zona desgarrada de nosotros mismos, ese lugar desde donde llegaban las cartas, para convertirse en un punto de referencia indispensable en el debate de ideas. Puedo testimoniar en primera persona sobre la importancia que tuvieron algunos viajes y contactos en el exterior, que no sólo hacían más soportable la atmósfera de plomo impuesta por la dictadura, sino que posibilitaban el restablecimiento del diálogo y el debate, el intercambio de textos producidos en la Argentina y en el exilio, el reconocimiento mutuo de las tareas emprendidas.

La fractura que había recorrido el campo intelectual de izquierda y democrático comenzaba a soldarse y una parte importante de la recomposición de las fuerzas culturales pasa por esta sutura. Los que vivimos

[5] El período que presencia estas primeras formas de reacción de la capa intelectual estuvo también atravesado por la persistencia de algunos proyectos y el surgimiento de otros, en ambos casos como alternativa a la cultura del régimen. He mencionado algunas revistas, centros de investigaciones, etc., a los que, en lo que concierne a los medios más masivos y a un mercado más amplio, debería agregarse la actividad de editoriales como el Centro Editor de América Latina, y la aparición, en junio de 1978, de la revista *Humor,* que rápidamente conquistó un público de capas medias a través del humor gráfico y escrito (de larga tradición en la Argentina), como instrumento de crítica al régimen militar, a la censura y a al pacatería moral. A comienzos de 1981, algunos medios periodísticos masivos, *Clarín* especialmente, comenzaron a publicar en sus páginas firmas y discursos proscriptos hasta entonces. También el fenómeno de Teatro Abierto, cuya primera serie de presentaciones tuvo lugar en 1981, se incluye en el afianzamiento del proceso de recuperación en el campo de la cultura. A todo esto debe agregarse el fenómeno de las revistas juveniles *underground*, que proliferaron en los últimos años de la dictadura militar, bajo formas materialmente precarias y de vida muy efímera.

los años del proceso militar en la Argentina estamos todavía marcados por un conjunto de experiencias: soportar la presión física del autoritarismo supuso mutilaciones, que recién hoy podemos evaluar; supuso también el aprendizaje de la astucia y la firmeza, de la paciencia y de nuevas razones. El exilio padeció la experiencia decisiva de la patria lejana, pero haber vivido en América o Europa también permitió la apertura de una distancia reflexiva, la adquisición de nuevos instrumentos culturales, la puesta al día en el debate político, teórico e institucional.

Desprovincializar a la cultura argentina es una tarea en la que estarán invertidas las fuerzas y la experiencia adquiridas en estas dos situaciones diferentes. El exilio argentino pudo haber aprendido a resistir a las ilusiones etnocéntricas, lo cual parece también una condición para desarrollar y enriquecer la problemática política y cultural. Si algo hemos aprendido de estos años pasados es que no existen las soluciones fáciles a las cuestiones complicadas: las utopías fulgurantes de los años sesenta son sometidas a crítica no simplemente porque la fuerza militar las barrió en 1976, sino porque no nos permitieron pensar aquello que luego, trabajosamente, en medio de los riesgos o en la lejanía del exilio, tuvimos que aprender sobre nosotros mismos y sobre la sociedad en que vivimos. Por eso, hoy no me parece el tiempo del moderado desengaño, sino el de la observación de nuestro pasado, que no puede agotarse simplemente en la condena del proyecto autoritario, cuya perversidad está suficientemente probada en el número de sus víctimas y en los resultados finales de su política.

LITERATURA. UNA DESCRIPCION DEL CAMPO: NARRATIVA, PERIODISMO, IDEOLOGIA

LUIS GREGORICH

Conviene adelantarlo para no desilusionar a nadie: el artículo que sigue pertenece más bien a la esfera de lo testimonial que al ámbito de la investigación académica. He ocupado un lugar modesto pero visible en el concierto literario y periodístico argentino de los últimos años, y desde ahí, sin inútiles protestas de neutralidad científica, quiero brindar mi aporte a la causa de la reconstrucción de un país desgarrado. Vale la pena, al menos desde mi perspectiva, explicar dónde estuve, qué hice y cómo "leí", interpreté, traté de comprender la dura época que hemos compartido todos los argentinos, en la tierra o en el exilio. Se trata entonces, ante todo, de una descripción del campo, tal como la llamarían los antropólogos al estudiar las viejas sociedades, claro que sin el menor asomo de la objetividad que ellos pueden arrogarse. Esta descripción del campo parte de una exigencia que es al mismo tiempo ética e intelectual. En el período que sigue inmediatamente a la caída de la dictadura militar, se advierte la presencia de ciertos conflictos y confusiones internos a la intelectualidad argentina, que vienen a superponerse a otros ya históricamente existentes. Las nuevas disensiones —que en ocasiones se plantean como supuestas antinomias u oposiciones entre quienes se quedaron en el país y quienes debieron exiliarse— parecen obedecer, entre otros factores, al desconocimiento mutuo y a la falta de un esfuerzo serio por abarcar la totalidad de los datos que constituyeron el contexto de la literatura argentina escrita dentro del país y fuera de él. Aparte del contexto, se desconocen, o se conocen poco, los textos mismos, salvo los más obvios y difundidos. Cuando los datos reales no se manejan, aparecen en la escena otros personajes más perturbadores: el afán acusador, el gesto teatral que reclama para sí la inocencia o el heroísmo, la simplificación ideológica y política. Nuestra literatura y nuestra cultura, en el umbral de una nueva etapa histórica, merecen sin duda un examen más riguroso y ecuánime. Por eso creo en la fecundidad de una descripción del campo, que sólo podrá completarse, desde luego, cuando otras descripciones dialoguen e interactúen con ella.

En cuanto a la "antinomia" de residentes y desterrados, al tema de las "dos literaturas", dígase de una vez por todas, antes incluso de iniciar nuestra descripción: ese fantasma no existe, al menos no como un concepto relevante y comprensivo. No hay antinomia alguna entre la literatura que se escribió durante la década reciente en el destierro y la que se consumó en el país. El período de separación física y geográfica resultó demasiado breve para deteriorar los fuertes lazos de unión que dan la lengua, la sangre y la tradición de penurias y costumbres compartidas. Apenas si podremos indagar, a modo de curiosidad literaria, en las desviaciones temáticas y estilísticas que el exilio puede haber producido en los escritores jóvenes que iniciaron su práctica literaria fuera de la patria. En todo lo demás no hay corte sino continuidad: los sistemas de prestigio y los protocolos de lectura sólo han sufrido ligeros reacomodamientos, el aparato ideológico-cultural sigue en las mismas manos y ni aun el advenimiento del régimen democrático lo ha trastornado, y la composición del público lector, aunque ha experimentado una degradación relativa, no es hoy socialmente diferente a diez o veinte años atrás.

Lo que sí hubo y seguirá habiendo —¡pero no confundamos esto con una "antinomia" filosófica e ideológica!— es oposición o enemistad o resentimiento entre individuos, entre escritores o intelectuales o periodistas concretos, con nombre y apellido, que compiten por recuperar o conservar un lugar público que, a menudo, es la única señal de identidad y la única, o mejor, posibilidad de ganarse la vida. Es natural que así sea en una sociedad que ofrece pocas recompensas a sus intelectuales, y donde los puestos disponibles en el aparato cultural y periodístico son limitados. El marco competitivo es el que explica la paradoja del surgimiento de los episodios "antinómicos" en el sector intelectual que puede calificarse de "progresista", sin intervención ni cuestionamiento alguno de la derecha cultural, que festeja desde sus seguros bastiones las escenas de pugilato en la trinchera opuesta. Por cierto que, insertada en la competencia y la lucha por la vida, se presenta también una pugna entre tendencias democráticas y autoritarias por ejercer una hegemonía sobre amplias capas juveniles e intelectuales en los próximos años.

Me permitiré aquí una breve digresión personal. La descripción de campo que he propuesto incluye la superación de malentendidos, deliberados o no, y postula la relectura crítica de textos y documentos que se suelen citar aviesamente fragmentados o entrecomillados. Valga la experiencia que sigue. A comienzos de 1981 (iba terminando el gobierno de Videla) publiqué en el suplemento cultural del diario *Clarín* un artículo sobre los escritores exiliados en el que, por primera vez desde 1976 y en un medio de difusión masivo, se hablaba con todas las letras de la más que probable muerte de Haroldo Conti y Rodolfo Walsh, y se volvía a poner en circulación los nombres de algunos de los más importantes escritores que vivían en el exilio. A fines de 1984 estas menciones parecen constituir una hazaña irrisoria. Cuando se publicaron, la situación era bien distinta: no había ningún director o jefe de redacción que se animara a incluir un texto semejante. Para superar tales resistencias, mi artículo incorporaba una serie de contrapesos verbales y conceptuales destinados a los ojos censores que lo leerían (así y todo, *Clarín* mismo tardó dos meses en decidirse a publicarlo, y creo que eligió una fecha veraniega, en que casi todo el mundo estaba de vacaciones, para que el artículo pasara desapercibido). Sin embargo, la mayoría de los lectores entendió perfectamente el mensaje y el artículo fue también reproducido, con interés, por diversas revistas de los argentinos desterrados. Quizá todo habría tenido un desenlace feliz si los responsables del suplemento de *Clarín,* sin consultarme —yo también estaba de vacaciones cuando se publicó la nodita—, no le hubieran puesto como título al artículo "La literatura dividida". De ahí en adelante no faltó quien me adjudicara el carácter de teórico, o poco menos, de la división de las letras nacionales (¡cuando precisamente lo que se quería era reintegrar simbólicamente a su seno a los que habían sido silenciados durante años!). Hasta hubo análisis textuales e ideológicos de esa escueta nota que la tomaban como una monografía que, además, hubiese sido escrita en un país y en una época que disfrutaran de absoluta libertad de expresión. ¡Una lectura literal en un momento en que la más modesta línea combativa o contestataria debía contrapesarse, para poder ser publicada, con toda clase de circunloquios y rodeos! En una fecha tan reciente como octubre de 1984, Juan Carlos Martini, un estimable narrador que estuvo exiliado en España, menciona con evidente disgusto ese artículo, y dice haber leído allí, "por primera vez", la "hipótesis de una escisión de la literatura argentina en una literatura 'interna' y otra 'externa'". ¡Curiosa lectura! Los lectores argentinos de principios de 1981, por su parte, leyeron ahí, después de casi haberse olvidado de ellos, los nombres de Haroldo Conti, Rodolfo Walsh, David Viñas, Antonio Di Benedetto, Humberto Constantini, Daniel Moyano, Héctor Tizón y Manuel Puig. Nadie parece haber descifrado en ese modesto artículo, su sentido obvio y ostensible: la reivindicación de la tradición crítica de la literatura argentina, la recuperación de un espacio en que la literatura se compromete con la realidad política y social. Para quien desee someterlo hoy a su propia lectura, incluyo ese artículo como apéndice de este trabajo.

Periodismo

Uno de los ámbitos de la vida argentina en que parece asistirse hoy a una revisión más enérgica y precipitada es el de la prensa que se publicó en el país durante el tiempo del Proceso militar. Los interrogantes que inspiran esta revisión son perfectamente razonables. ¿Cuál fue el papel de la prensa durante el régimen militar? ¿Cuáles fueron los niveles de adhesión y cuáles los márgenes de resistencia con que contó el Proceso en los medios de comunicación social? ¿Cuáles fueron las condiciones y las posibilidades *reales* de la prensa en estos años? ¿Cuál fue el papel de los empresarios periodísticos y cuál pudo ser —en este marco— el de los periodistas? ¿Qué intereses materiales y políticos existían detrás de cada diario, revista, radio o canal de televisión?

Para evaluar con mayor exactitud la actitud de la prensa a partir del golpe militar de 1976, es importante resituar esa fecha en su propio marco temporal y político, y no simplificarlo con los ojos de 1982, 1983 o 1984. Por empezar, buena parte de la población, quizá la mayoría, no veía ya en el gobierno de Isabel Perón a un régimen legítimo y revestido de los atributos constitucionales, pues la vigencia de las libertades individuales era letra muerta, la violencia y la inseguridad se habían convertido en hábitos cotidianos, la intolerancia ideológica era fomentada desde el mismo poder y el desastre económico —que no dejaba de ser estimulado por la acción desestabilizadora de grupos oligárquico-financieros— parecía inminente. Esta situación hizo que muchos, muchísimos argentinos, seguramente con apresuramiento y miopía, recibieran con cierto alivio el golpe militar, o lo consideraran no más que una continuación de la etapa anterior. Había por lo demás, una creciente desinformación, consolidada por los mecanismos de censura establecidos por los nuevos gobernantes militares, a los cuales consintieron de buen grado la mayoría de los propietarios de los medios de difusión privados, convencidos de que en aquel momento la prioridad residía en la lucha contra la guerrilla. En realidad la guerrilla ya había sido derrotada el año anterior —al menos, desde el punto de vista de su capacidad para atacar a unidades militares— y los nuevos gobernantes pretorianos trataban de establecer un régimen que durara varias décadas, que eliminara la disidencia política y gremial y que fundara un sistema militar-empresario liquidador de la Argentina industrial y reubicado, a modo de "factoría próspera", en el mercado mundial. Para ello hacía falta mucha impunidad, mucha represión y mucha clausura ideológica. Pero las cosas no estaban tan claras entonces, al menos no para la mayoría de la opinión pública. Por lo demás, la televisión, totalmente en manos del gobierno, y la radiofonía, casi íntegramente en la misma condición, contribuyeron de modo extraordinario a que se mantuvieran la confusión y la desinformación.

Vistas así las cosas, no puede extrañar hoy la tolerancia —y a veces la complacencia— de la gran mayoría de los empresarios periodísticos con el régimen castrense. Si bien no todos se alistaron en la firme adhesión como la Editorial Atlántida de Buenos Aires (editora de revistas como *Gente, Somos* y *Para Ti*) y el diario *La Nueva Provincia* de Bahía Blanca (que hoy, consecuente con su ideología ultraderechista y su nacionalismo autoritario, ataca ásperamente al sistema democrático), ninguno cuestionó el origen ni la acción represiva del gobierno militar. El tema clave de la violación de los derechos humanos y de la situación de los millares de detenidos-desaparecidos no podía ser siquiera mencionado en los medios de prensa (mucho menos aún en la televisión y la radio), y hay que subrayar que los empresarios periodísticos se cuidaban de hacerlo incluso sin necesidad de que los censores militares se los recordaran. Sólo el diario *La Prensa,* de derecha liberal y ciegamente antiperonista y anticomunista, permitía que algunos de sus columnistas tocaran y criticaran explícitamente la situación. Cabe mencionar al respecto los artículos de Mandred Schönfeld, e inclinarse ante su coraje. Claro que también

Schönfeld era, en todo lo demás, un hombre de derecha; hubiera sido impensable cualquier crítica de izquierda. En realidad, no había una alternativa de izquierda visible en los medios de prensa. Algunos medios silenciaban la represión pero criticaban la política económica de los militares, distraídos ante el hecho de que se trataba de las dos caras de un mismo proyecto global. Al revés, el *Buenos Aires Herald*, diario porteño que se edita en inglés —y por tanto dirigido a un público estrictamente acotado—, apoyó los planes económicos del equipo de Martínez de Hoz, en tanto criticaba con dureza creciente la violación de los derechos humanos. En resumidas cuentas, lo que era inadmisible para el régimen de facto —una condena total y abierta para el sistema que había instaurado—, también lo era, por razones de supervivencia, para los medios de prensa. Hubo mucha complicidad y genuflexión, mucho silencio y pasos al costado, y también atisbos contestatarios, que naturalmente pudieron asentarse con mayor rigor en los medios de escasa circulación y *underground*. En los grandes diarios y las revistas populares había que tener mucho más cuidado: había que engañar, al mismo tiempo, a los censores militares y al propio jefe de redacción, introduciendo de pronto dos o tres líneas críticas en artículos enteros de cháchara intrascendente.

En el ámbito del periodismo cultural y literario —para ir ya a un terreno más específico—, la consecuencia inmediata del régimen militar fue un deslizamiento general hacia orientaciones apolíticas y anodinas, cuyo correlato obvio era el acallamiento de la izquierda marxista y no marxista, y en general la sofocación de toda corriente impugnadora. Ya se verá más adelante cómo estos recortes influyeron en el campo ideológico y en la literatura misma. Baste decir que los suplementos culturales de los órganos de prensa tradicionales se volvieron más neutrales y atemporales que nunca, que los nombres de los escritores e intelectuales desaparecidos o exiliados dejaron de ser mencionados, y que nuevas revistas y diarios celebraron el arte por el arte y los esplendores de la forma.

Otra vez vale la pena apelar al testimonio personal. Entre agosto de 1975 y julio de 1979 dirigí el suplemento cultural del diario *La Opinión*, período que comprende los últimos ocho meses del gobierno de Isabel Perón y los primeros cuarenta meses del régimen militar. A la vez, de estos últimos hubo doce —de marzo de 1976 a abril de 1977— en que el diario estuvo dirigido por su fundador, Jacobo Timerman, en tanto que el resto, tras un breve interregno —abril a mayo de 1977—, transcurrió bajo la intervención militar, decretada después de la detención de su director. Aunque intervenido, *La Opinión* no se convirtió —al menos no en todas sus secciones— en un diario oficialista. El deseo de que lo fuera, que sin duda existía en algunas esferas, se vio interferido por ciertos escrúpulos legales que en el fondo reflejaban las vacilaciones y los encontronazos en el seno del propio régimen, además de recoger la competencia inter-armas que era habitual en esa época. Nadie fue despedido, y el equipo de periodistas que hacía el diario resolvió defender su fuente de trabajo y continuar editándolo. Por cierto que cada sección tuvo sus problemas y sus respuestas peculiares. Era evidente que la influencia de la intervención era notoria, por ejemplo, en lo que concernía a la política nacional, aunque sin una toma de partido ostensible. Por mi parte debo decir que fui tratado con absoluta corrección por los tres interventores militares que tuvo sucesivamente el diario (el general Goyret, el coronel Basaldúa y el coronel Fehrmann), más allá de las diferencias ideológicas y políticas que pudiéramos tener. Seguí teniendo la total responsabilidad por el sumario y la edición del suplemento cultural y, a excepción de dos o tres colaboradores ocasionales que trajo la intervención, pude conservar la orientación progresista y plural de sus colaboradores y contenidos. Era toda una ironía que el suplemento de un diario intervenido fuera el único en incluir ciertos nombres y en referirse a determinados temas. ¿Los militares quisieron ofrecer una fachada o ilusión de libertad? No importa, se trataba de aprovecharlas de todas maneras, y creo que los lectores de aquellos días —los que vivían en el país, bajo el terror y la desinformación— supieron agradecerlo. Baste revisar la lista de quienes, en aquellos años, colaboraron frecuente u ocasionalmente o aportaron su testimonio sobre la realidad nacional: Jaime Rest, Jorge Lafforgue, Luis Alberto Romero, Jorge Miguel Couselo, Eduardo Pavlovsky, Hugo Vezzetti, Josefina Delgado, Jorge B. Rivera, Alberto Giúdici, Leopoldo Moreau, Marcos Aguinis, Santiago Kovadloff, Juan José Sebreli, Nicolás Rosa, Pablo Capanna, Nora Dottori, Noemí Ulla, Eliahu Toker, Arturo Carrera, Oscar Barney Finn, Carlos Dámaso Martínez, Ricardo Piglia, Tamara Kamenszain, Leandro Gutiérrez, Ubaldo Nicchi, Simón Feldman, Gerardo Fernández, Miguel Briante, Néstor Tirri, Daniel Freidemberg, Albertò Tabbia, Alberto M. Perrone, Juan Antonio Vasco, Juan Sasturain, Oscar Terán, etc. Fueron entrevistados en el suplemento, entre otros: Juan Goytisolo, Elías Castelnuovo, Ricardo Monti, Jaime Kogan, el conjunto "Anacrusa", María Elena Walsh, Arturo Cerretani, Lucas Demare, Roberto Cossa, Francisco Madariaga, Eduardo Falú, Néstor Taboada Terán, Agustín Alezzo, Alejandra Boero, Juan José Jusid, Carlos Gorostiza, Alberto Fischerman, Gregorio Weinberg, Olga Orozco, Juan L. Ortiz, Leopoldo Torre Nilsson, Hugo Pratt, Tulio Halperín Donghi, Manuel J. Castilla, Gustavo "Cuchi" Leguizamón, Suma Paz, Félix Grande, Germán L. García, Enrique Molina, Elsa Isabel Bornemann, etc.

A partir de 1979, quizá de 1980, el periodismo escrito comenzó gradualmente a descomprimirse y ya pudo empezar a detectarse, aquí y allá, voces opositoras que no apelaban a metáforas o rodeos para criticar al gobierno. Los temas tabúes —desaparecidos y características de la represión, sobre todo— siguieron existiendo, sin embargo, y un uso generalizado de la libertad de expresión sólo pudo empezar a advertirse tras la derrota argentina en las Malvinas, a mediados de 1982, cuando la suerte del régimen castrense-financiero ya estaba sellada.

Narrativa

En el ámbito de la literatura, ya lo sabemos, los reduccionismos y las simplificaciones no son buenos; por tanto, decir que la narrativa argentina —que constituye un sistema relacionado con su medio social pero que a la vez posee una historia y formas de evolución propias— resultó drásticamente modificada por ocho años de dictadura militar, sería tan poco operativo como afirmar que ocurrió lo contrario: es decir, que no hubo cambio alguno.

Por empezar, debe apuntarse que es en el género narrativo donde se registró con mayor agudeza la desaparición y la emigración forzada de creadores representativos. Haroldo Conti y Rodolfo Walsh figuran entre los millares de secuestrados-desaparecidos de los años recientes, y nada autoriza a pensar que sigan con vida. Entre los que se exiliaron, por diferentes motivos, hay que mencionar, entre otros, a Humberto Costantini, David Viñas, Daniel Moyano, Héctor Tizón, Manuel Puig, Juan Carlos Martini, Vicente Battista, Antonio Di Benedetto, Mempo Giardinelli, Federico Moreyra, Osvaldo Soriano (y escritores que ocasionalmente ejercieron la narración, como Noé Jitrik y Tomás Eloy Martínez). La mayor parte de estos nombres fueron tácitamente censurados en los medios de difusión; sus libros no pudieron venderse, o se vendieron con dificultades. No podría decirse que los narradores desaparecidos o exiliados cultivaran la misma tendencia literaria: hay entre ellos practicantes de un fuerte realismo social, pero también seguidores del tono coloquial y poético, del "pastiche" y de la parodia, de la épica regionalista y de la crónica documental y de denuncia. Ni siquiera los unió el mismo compromiso político, aunque en su mayoría se situaran en la izquierda del espectro, y en el polo de resistencia civil al régimen militar. En realidad, de todos ellos sólo se da un franco y explícito caso de adhesión a una de las formaciones guerrilleras: es el de Rodolfo Walsh, que jamás ocultó su pertenencia al aparato de prensa y difusión de los Montoneros. Buena parte de los escritores que se habían exiliado ya han vuelto al país y, por su parte, se van reintegrando progresivamente a su vida cultural y productiva; otros, los menos, aún permanecen en el exterior, aunque casi ninguno ha dejado de pasar por la patria para reencontrarse con ella y reflexionar acerca del futuro.

Podrían citarse, es claro, una cantidad mucho mayor de narradores que se quedaron en el país, pero ello no daría una idea de la gravedad de la situación, y quizá tuviera el efecto no buscado de reducir, a los ojos del lector, la intensidad de la diáspora. Mencionemos por eso, para satisfacer las exigencias del puro inventario, sólo los nombres principales de los que se quedaron (y dejando de lado a los mayores en edad, como Jorge Luis Borges, Manuel Mujica Láinez, Adolfo Bioy Casares, Arturo Cerretani, Ernesto Sábato, Bernardo Kordon, Roger Plá, José Bianco, Juan Filloy o Juan José Manauta, que tampoco dejaron el país). Una lista mínima incluiría a Syria Poletti, Marco Denevi, Julio Ardiles Gray, Beatriz Guido, Elvira Orphée, Dalmiro Sáenz, Jorge Riestra, Andrés Rivera, Marta Lynch, María Ester de Miguel, Juan José Hernández, Isidoro Blaisten, Abelardo Castillo, Eduardo Gudiño Kieffer, Miguel Briante, Ricardo Piglia, Enrique Medina, Liliana Heker, Héctor Lastra, Jorge Asís, Marcos Aguinis y Hebe Uhart.

No vale la pena observar siquiera que las líneas dominantes, a veces enfrentadas, a veces reunidas en un solo escritor, de nuestra narrativa —y que coinciden en realidad con orientaciones más o menos estables de la narrativa actual en general—, han seguido activas, tanto en las obras de escritores residentes en el país, como en las de los exiliados. El realismo y sus variadas metamorfosis, desde la vertiente crítica hasta la pulcritud objetivista, no parece dispuesto a abandonar el campo, y apenas se limita a moderar sus trucos retóricos, que antaño lo convertían en el único canal expresivo "legítimo" de la "realidad" social. Por supuesto, ha crecido la presencia de la corriente antirrealista, que cuestiona incluso la posibilidad mimética de la literatura, y que convierte a ésta en una celebradora de sí misma, fundada por una infinita remisión intertextual. Se cometería un gravísimo error si se confundiera el artificial y minoritario conflicto entre "los que se fueron" y "los que se quedaron", con una batalla entre, por ejemplo, realistas y antirrealistas. Como ya dijimos con anterioridad, el único conflicto real que pudo existir —y que puede seguir existiendo— se dio y puede seguir dándose por razones competitivas entre individuos o grupos (estos últimos, formados más bien por amigos personales que por socios estéticos o ideológicos). Así, no es extraño que, en los últimos tiempos, realistas exiliados se hayan solidarizado con antirrealistas residentes en el país, y que al mismo tiempo hayan criticado ásperamente a otros escritores que, por su tendencia, están en realidad muy cerca de sus propias posiciones. La condena moral y política, teñida de una enorme carga de subjetividad, se ha entremezclado con el estricto juicio literario y estético, y a menudo ha desplazado a éste. Es típico el caso de Jorge Asís, cuya novela *Flores robadas en los jardines de Quilmes* fue el mayor éxito de venta de la nueva narrativa argentina durante los años del Proceso militar. Aunque Asís es un hombre de neta procedencia izquierdista, aunque jamás tuvo relación alguna de colaboración con el régimen militar (y, por el contrario, apoyó todas las manifestaciones que tuvieron lugar en el país a favor de los derechos humanos y por el esclarecimiento de la situación de los secuestrados-desaparecidos), aunque sus novelas se inscriben en el realismo social-colonial, sus libros y su figura fueron duramente cuestionados por algunos exiliados y también por escritores residentes. En general, no hubo en estos cuestionamientos ni un solo análisis serio de textos; los críticos prefirieron deducir de la narrativa de Asís los prejuicios que ya guardaban respecto de su autor, y que se vieron reforzados por un éxito de venta que, ilógicamente, se convirtió en "síntoma de complicidad" (!) con los militares. Resultaba muy pintoresco leer comentarios devastadores sobre los libros de

Asís escritos por especialistas en formalismo ruso y crítica estructural, que, sin embargo, "leían" directa e ingenuamente contenidos ideológicos en las conductas de los personajes, transformados en emblemas del Machismo, la Indiferencia Política y la Condena del Exilio y de la Resistencia Popular. La misma intención empobrecedora estuvo, en mi opinión, en la estéril oposición que enfrentó a las novelas de Asís con una novela de Ricardo Piglia, *Respiración artificial,* un interesante texto más ensayístico que narrativo, que en realidad complementa y no enfrenta a libros como *Flores robadas* en la multiforme producción literaria nacional. Los dos mayores narradores de la generación "intermedia", Manuel Puig y Juan José Saer, reúnen en sus libros, en simbiosis muy personales, la confianza realista, el valor de la representación, con la experimentación verbal y estructural. De tal modo —vale la pena insistir— las líneas típicas (y obvias) de nuestra narrativa han permanecido activas y se han sobrepuesto a la cuarentena política y a las presiones que pudieran provenir del poder (del Poder) y de las oposiciones forzadas.

No puede negarse, de todos modos, que se produjo cierta forma de descompensación en la integración del aparato cultural, debido a ausencias obligadas y a correlativas presencias que, en otra situación política, hubieran sido impensables. El papel hegemónico que, por ejemplo, habían desempeñado en la década del '60 y a comienzos de la década del '70 las corrientes de izquierda (revolucionaria o democrática) se borró y fue reemplazado por una tierra de nadie que tampoco alcanzaron a cubrir los partidarios del autoritarismo derechista. En el terreno de la narrativa los vacíos dejados inevitablemente por los escritores exiliados fueron ocupados, en su mayoría, no precisamente por el realismo de Asís, sino por las corrientes experimentales y antirrealistas, vinculados por su estética y su poética a las teorías de crítica del lenguaje y al psicoanálisis de cuña lacaniano. La consecuencia no puede calificarse de negativa sino de todo lo contrario: fue la manera eficaz de que se difundieran obras no conformistas, a veces peleadas con los propios lectores, que tuvieron por efecto refrescar un ambiente literario adormecido (si bien a veces con exageraciones retóricas y convencionales como las que se proponían combatir). Deben mencionarse nombres como los de Alberto Laiseca, Liliana Heer, César Aira, Rodolfo Fogwill, Nicolás Peyceré y —consolidando una trayectoria anterior— Luis Gusman.

Ideología

Si bien tampoco en el terreno ideológico los trágicos años del Proceso militar consiguieron modificar profundamente las tendencias vigentes en el seno de la historia y de la sociedad argentinas, no sería inteligente negar que ejercieron alguna influencia, no siempre directa y ostensible, tanto en el campo de la ideología de la literatura como en el ámbito ideológico general.

Ya hemos visto los lentos desplazamientos de la ideología de la literatura que tiende a hacerse dominante. No se trata ya aquí de un simple reflejo del régimen autoritario sino de una tendencia que se generaliza en el mundo occidental, y que a lo sumo pudo haberse visto favorecida por la censura impuesta a sus principales adversarios. El retroceso es, como queda dicho, para el realismo narrativo, entendido como instrumento apto para entender o explicar mejor la historia y la realidad social de una comunidad. Con mayor precisión, el realismo implica cierta relación (mimética) del signo literario con el referente (la realidad material, política, etc.). En el curso de la historia de la literatura, se registra una oscilación que va, podría decirse, del signo al referente y del referente al signo. A partir de la gran narrativa realista del siglo XIX, el protagonismo se sitúa en el referente, y los teóricos de esta narrativa, como el húngaro György Lukács, la conciben como una suerte de apogeo del género, imposible de superar en su esplendor.

Desde la segunda mitad del siglo XX se abre paso una ideología violentamente opuesta, ya anticipada por filósofos y poetas: el mito de la época pasa a ser el lenguaje por el lenguaje mismo, el lenguaje como realidad autónoma y autosuficiente. A modo de derivado, la sociedad es pensada como una red de signos que instauran la realidad material en lugar de ser determinados por ella. Esta revisión no deja de tener profundas consecuencias filosóficas: todo el conocimiento humano termina por ser cuestionado porque ha pasado por el filtro de las palabras. Si el elemento sustancial, la última *ratio* de la vida humana es el lenguaje, la más sólida concepción materialista será la que se apoye en la indagación de los mecanismos de apropiación de la realidad que posee ese lenguaje, y no en la realidad misma.

En la Argentina, la narrativa determinada por el mito del lenguaje no necesita apelar a modelos exteriores; tampoco requiere indispensablemente los espacios de difusión que le pueda otorgar un régimen político aquiescente; posee un maestro vivo y actuante que se ha adelantado en muchos años a las concepciones que luego lo tomaron como modelo: Jorge Luis Borges. En sus cuentos y ensayos, Borges propone una virtual teoría de la literatura en que la realidad social y el compromiso político carecen de gravitación, y donde los textos tienen vida autónoma, se remiten unos a otros y poseen un carácter convencional e indeterminado que excluye el imperativo de convencer al lector o de aleccionarlo moralmente. Claro que, paradójicamente, esa filosofía es expresada a través de perfectas fábulas y exactos argumentos que fascinan al lector y lo hacen olvidarse del escepticismo radical que el autor profesa sobre la realidad. Los herederos de Borges, los que asumen su ideología de la literatura con mayor arrogancia que él mismo, no siempre consiguen esta complicidad con el lector, y sus trabajos a veces no pasan de ser ingeniosas piruetas autocomplacientes.

Junto a la ideología de la literatura que se sitúa más allá de la literatura misma, en los años recientes también reforzó sus posiciones lo que podría llamarse una concepción conservadora y tradicional. La reexaltación,por parte de variados medios de prensa, de un escritor como Manuel Mujica Láinez (precisamente cuando éste transitaba una franca decadencia, incluso en relación con su propia obra), es un módico ejemplo de esta tendencia, que nunca dejó de manifestarse en los diarios tradicionales y en el aparato cultural adicto, pero que recientemente tuvo un espacio de difusión aún mayor e indisputado. Por cierto que, a diferencia de la vanguardia "lingüística", la línea tradicionalista apenas si ha podido ejercer alguna influencia entre los escritores jóvenes.

En el último medio siglo, los regímenes autoritarios argentinos casi siempre han implicado, en lo ideológico, una alianza tácita (aunque a veces se haya disfrazado de violenta oposición retórica) entre el nacionalismo reaccionario y ultramontano y el liberalismo conservador. Ello recoge, desde luego, las distintas vertientes de la derecha argentina, y margina el nacionalismo popular y las orientaciones socialistas y socialdemócratas, que en conjunto, y bajo etiquetas partidarias diferentes, han constituido invariablemente una amplia mayoría del cuerpo electoral del país. El Proceso militar instaurado en 1976, y desaparecido sin pena ni gloria en 1983, no fue una excepción a la regla, y así pudo verse una desordenada reaparición de voces fascistas, irracionalistas y antiprogresistas en el escenario público, dirigiendo revistas universitarias, supervisando la enseñanza y censurando libros de ciencias sociales nacionales y extranjeros. Dentro del pensamiento católico perdieron fuerza y posibilidades de difusión las corrientes más avanzadas, con inclusión de las nuevas propuestas teológicas y de las renovadas discusiones doctrinarias; en cambio, recuperaron una cómoda vigencia los neotomistas, los partidarios de una intransigente moral sexual y familiar (que a menudo defendían también el autoritarismo político) y los portaestandartes del anticomunismo y del antisocialismo, unidos en una misma cruzada contra los demonios.

El Proceso militar apostó a la vez a dos fuentes ideológicas que, finalmente, debían complementarse y confluir en un solo proyecto político-social. La primera, de escaso arraigo nacional, era la doctrina de la seguridad nacional, promovida por el Pentágono norteamericano, con la finalidad de contar con peones fiables en su enfrentamiento a escala universal con la Unión Soviética. Según tal doctrina, incluso las instituciones democráticas y las libertades individuales debían quedar subordinadas, en las naciones latinoamericanas, a una estrategia global de lucha contra el comunismo, que implicaba, entre otras cosas, la conveniencia del advenimiento de regímenes castrenses que combatieran con mayor eficacia a los "enemigos internos" (ya que los externos no se avizoraban). La persistencia de esta primera fuente ideológica resulta, a esta altura, despreciable: hasta las propias Fuerzas Armadas procuran deshacerse de tan incómodo bagaje.

La segunda fuente es mucho más peligrosa, su influjo ha sido más hondo y exige, sin duda, un mejor análisis. Se trata del ideario económico neoliberal, que deposita en el libreempresismo y en las bondades "naturales'' del mercado una confianza ilimitada. Esta ideología, sustentada en los presupuestos de la escuela austríaca de economistas (Von Mises y Von Hayek) y actualizada en cierto modo por los discípulos de Milton Friedman en Chicago, han calado hondo en sectores empresarios de todo el mundo occidental, sublevados contra el ''Estado providencial'', que ha procurado redistribuir la riqueza en base a una dura política fiscal que permitía mejorar prestaciones de salud, educación y bienestar social al conjunto de la comunidad. Lo que ha conseguido el neoliberalismo en la Argentina, al margen de la derrota política de sus amigos en las Fuerzas Armadas, es cuestionar severamente el papel del Estado y convertirlo casi en mala palabra, al menos en sectores amplios de las finanzas, los negocios y la industria (y en la *intelligentsia* conexa). Los neoliberales subrayan deliberadamente los aspectos negativos de la presencia del Estado en la vida del país (excesiva burocracia, ocasional ineficiencia, omnipresencia innecesaria) y omiten su función liberadora y cohesionadora en un proyecto que implique a la vez el crecimiento económico y la independencia nacional. De los legados del Proceso militar éste es, sin duda, el más inquietante, y en torno de él probablemente giren muchas de las discusiones ideológicas del futuro inmediato.

Hemos hablado de literatura y también de ideología, política y economía. Queda sobreentendido que desconfiamos de la crítica de los compartimientos estancos y de las explicaciones inminentes. Para la literatura, como para otras prácticas humanas, el sistema democrático es un excelente marco de realización, quizás el mejor que existe por ahora. Pero no debe creerse que la democracia de por sí producirá mejores novelas, poemas u obras de teatro. Es al revés: quizás en los primeros tiempos esas obras resulten menos convincentes que las que se producían para escapar a la censura o al autoritarismo, o para enfrentar a éstos. Están dadas, sí, las condiciones para iniciar un debate fructífero sobre nuestra sociedad, que debe abandonar sus resabios arcaicos y su estéril triunfalismo, e ingresar en la edad de la madurez y del esfuerzo. Ese debate abarcará tanto la literatura como la ideología, tanto las obras como lo que se escriba y reflexione acerca de ellas, tanto lo que se piense como lo que se viva.

APENDICE

LA LITERATURA DIVIDIDA

Lo que sigue es el texto del artículo de Luis Gregorich publicado en el diario Clarín, *de Buenos Aires, el jueves 29 de enero de 1981, bajo el título de "La literatura dividida".*

Una tácita alternativa parece rondar nuestra literatura en estos últimos años. Los terribles tiempos de violencia que vivió la sociedad argentina devastaron, no sólo cuerpos e ilusiones materiales, sino también la capacidad de juzgar matizadamente. Quien se instala en una de las opciones excluye a la contraria: inmoral por definición, el enemigo no merece siquiera ser tomado en cuenta, carece de estatuto humano.

Por un lado se sostiene que la literatura argentina que se produce en el país está muerta, y que únicamente los escritores exiliados mantienen viva la llama de la tradición creadora. Se han organizado diversos festivales del libro argentino en el destierro, con apreciable cantidad de obras editadas —sobre todo— en España y México, y se ha querido contrastar esta nada desdeñable proliferación con el estrechamiento del mercado nacional, acosado por el vaciamiento cultural, el auge del "bestsellerismo" y la avasallante presencia extranjera.

Los escritores que se quedaron en el país no son tan pesimistas respecto de sí mismos. Su punto de vista es que los exiliados —políticos y no políticos— no son muchos ni tampoco muy representativos y que la literatura que se ha seguido produciendo y consumiendo entre nosotros tiene, pese a las dificultades, calidad y cantidad aceptables. Después de todo, ¿cuáles son los escritores importantes exiliados? Julio Cortázar, pero su exilio no data de 1976, sino de más de un cuarto de siglo atrás.

Debe admitirse que, desde una perspectiva numérica, el último razonamiento es el más cercano a la realidad. En efecto, una amplia mayoría de los escritores argentinos continúa viviendo en la Argentina. No han estado directamente envueltos en los enfrentamientos de los últimos años, y por añadidura experimentan desde hace tiempo una fatiga y una frustración políticas que sólo pueden compararse con la ambigüedad de su papel social y las penurias de su realización económica; es injusto exigirles, por tanto, que abandonen el aire mismo en que florece su vocación: el contacto inmediato con su lengua y su gente. Por otra parte, lo que decide es una situación de hecho: familia, trabajo, edad, raíces que no pueden arrancarse. Y si es cierto que, en conjunto, la reciente producción literaria local apenas sobrevuela una discreta medianía, tampoco las obras publicadas en el destierro, por lo que hemos llegado a leer, se aproximan a un nivel magistral. La obsesión documental y las identificaciones maniqueas sirven para una explicable catarsis personal; sin embargo, su condición artística es limitada y aun su valor de denuncia se diluye al estar sustraído de sus destinatarios naturales, es decir, los lectores argentinos.

Ahora bien, este triunfo a lo Pirro, esta supremacía aritmética de los escritores residentes sobre los escritores argentinos exiliados, no excluye el surgimiento, aquí y allá, de una crisis ideológica y estética, ni permite silenciar el hecho de que, por lo menos en algunos sectores de nuestra vida literaria, los años de violencia transcurridos han impreso un sello de cuarentena y despoblamiento.

La situación es particularmente sensible —para ceñirnos a un sólo género— en el grupo "medio" de la narrativa, constituido por aquellos escritores cuyas edades oscilan, más o menos, entre los 45 y los 55 años, y que , además de los méritos intrínsecos de sus obras, importan como "nexos" entre los jóvenes y los viejos: entre lo que brota y lo que ya está cristalizado. Por una simple comodidad clasificatoria, podría agruparse a estos escritores en la "generación de 1955", dado que la mayoría de ellos —aunque no todos— comenzaron a publicar sus libros hacia esa fecha, y puesto que la caída del peronismo fue, seguramente, el hecho histórico que avivó su conciencia política y el problemático trance que los obligó a repensar el país.

Una simple enumeración resulta significativa. Haroldo Conti, el autor de *Sudeste, Alrededor de la jaula, En vida* y *La balada del álamo carolina,* y Rodolfo Walsh, el autor de *Operación Masacre, ¿Quién mató a Rosendo?, Los oficios terrestres* y *Un kilo de oro,* figuran entre los miles de desaparecidos de los años recientes, y nada autoriza a pensar que estén con vida. La lista de exiliados —voluntarios o no— es más larga. Incluye a David Viñas, una suerte de "líder generacional", espoleado a la vez por la omnipotencia intelectual de Sartre y el deliberado vitalismo de Hemingway, y que también ha hecho una decisiva contribución al campo de la crítica. A Antonio Di Benedetto —durante mucho tiempo preso en Mendoza y La Plata—, el sagaz novelista histórico de *Zama* y el imaginativo cuentista de *El juicio de Dios* y *Absurdos.* A Pedro Orgambide, que asimismo sobresalió por una extensa tarea de periodista y ensayista. A Humberto Costantini, el cuentista urbano y patético de *Un señor alto, rubio, de bigotes* y *Hábleme de Funes.* A Daniel Moyano —detenido en forma fugaz en La Rioja—, sutil creador de un espacio narrativo mítico y entrañable en *Artistas de variedades, Una luz muy lejana, El fuego interrumpido, El oscuro, El estuche del cocodrilo.* A Héctor Tizón, el transformador del regionalismo, el narrador "de la frontera" con *Fuego en Casabindo, El cantar del profeta y el bandido, El jactancioso y la bella* y *Sota de bastos, caballo de espadas.* Y a Manuel Puig, el auténtico renovador de la novela argentina con *La traición de Rita Hayworth, Boquitas pintadas, El beso de la mujer araña* y *Pubis angelical.*

Por supuesto que otros exponentes de esta generación, tempranos o tardíos, han continuado viviendo y escribiendo en la Argentina. Bastaría mencionar a algunas de nuestras mejores escritoras, como Beatriz Guido, Syria Poletti, Marta Lynch y Elvira Orphée (aunque esta última, por ejemplo, haya tenido que publicar en el exterior su último —y muy notable— libro de cuentos), y, entre otros, a Juan José Manauta, Marco Denevi, Federico Peltzer y Jorge Riestra. Pero incluso estas presencias aluden a las ausencias; ambas son las que forman, irreemplazablemente, el cuadro total.

¿Por qué —la pregunta es inevitable— las bajas han sido tan marcadas en este grupo y no en otros? Sería demasiado fácil atribuirlas a una obvia militancia política. Sólo unos pocos, de todos los escritores muertos o exiliados, la reivindicaron expresa y claramente. Y aunque todos la hubiesen compartido, ¿por qué fueron, precisamente, ellos? Quizás haya que atribuir un papel, en tal interrogante, a la actual y aún no resuelta discusión sobre la índole del texto narrativo, a la vez comprometido y pasatista, testimonial y estético, redencionista y gratuito. Más decisiva todavía fue, como queda dicho, la dolorosa y frustradora experiencia de participación política y social que esta generación de escritores desanduvo en los últimos veinticinco años. Eran otros, no ellos, los que tenían el poder y la fuerza.

¿Qué será ahora, qué está siendo ya de los que se fueron? Separados de las fuentes de su arte, cada vez menos protegidos por ideologías omnicomprensivas, enfrentados a un mundo que ofrece pocas esperanzas heroicas, ¿qué harán, cómo escribirán los que no escuchan las voces de su pueblo ni respiran sus penas y alivios? Puede pronosticarse que pasarán de la indignación a la melancolía, de la desesperación a la nostalgia, y que sus libros sufrirán inexorablemente, una vez agotado el tesoro de la memoria, por un alejamiento cada vez menos tolerable. Sus textos, desprovistos de lectores y de sentido, recorrerán un arco que empezará elevándose en el orgullo y la certeza y que terminará abatido en la insignificancia y la duda.

Pero, al mismo tiempo, ¿qué será de los que se quedan, de los que nos quedamos? El escenario, en apariencia, no ha cambiado: los escritores escriben y publican, las librerías están abiertas y los lectores, aunque más tímidamente que en el pasado, leen a quienes les hablan en su propio idioma. Sin embargo, todo ha cambiado. Como en 1880, como en 1916, como en 1930, como en 1945, el país ha sufrido un sacudimiento que sólo muy lentamente podrá ser asimilado y traído hasta la conciencia. Y así como los escritores desterrados, unilateralmente, convierten a sus obras en la escena donde combaten dioses y demonios, así los que se han quedado no pueden evitar que predomine un espacio de creación y lectura en el que no hay ni combate, ni cielo, ni infierno.

Nada es ilícito en literatura, nada debe ser reglado o prefijado. Pero si hay un punto de confluencia en que puedan reunirse los que están afuera y los que están aquí, si hay un legado que los escritores desterrados puedan dejar a los escritores que se quedaron, seguramente será —al margen de sus fracasos literarios y de sus abusos ideológicos— su maniática preocupación por el país y su resistencia a aceptarlo tal cual es, o parece ser. La realidad no es inocente, nos dicen los hombres del '55, y es un interesado velo el que produce semejante ilusión mistificadora. Y en los años que vienen será muy necesario recuperar esa tradición tan argentina de cuestionamiento de la legitimidad, ese espíritu crítico que va de Sarmiento y José Hernández a Martínez Estrada, Scalabrini Ortiz, Jauretche y Sebreli (la mezcla es deliberada), y que últimamente parece haberle dejado el campo libre al miedo, al conformismo y a la indiferencia.

ESPECIFICIDAD, ALUSIONES Y SABER DE UNA ESCRITURA

JUAN CARLOS MARTINI

"Ustedes estarán de acuerdo en que el problema de la realidad no se enfrenta con suspiros."
Julio Cortázar. (Rayuela)

I. Escritura y realidad

Creo que no podré responder a la pregunta que se nos formula —*¿Qué relación tuvo la literatura producida dentro y fuera del país con la realidad argentina en el periodo 1973-1983?*— sino mediante una serie de reflexiones y formulando, a mi vez, otros interrogantes: ideas y dudas acerca de las cuales los escritores no solemos ser demasiado sinceros, pero no porque nos propongamos deliberadamente no serlo. Ocurre —o me ocurre— con inopinada frecuencia, sobre todo cuando nos sentimos obligados a realizar ciertas declaraciones, que olvidamos que la verdad es inaprehensible, que la verdad es, en verdad, una pretensión ética, o un sueño demasiado humano, y que siempre existe, sin embargo, el error. O para decirlo con otras palabras, toda supuesta verdad no es más que una verdad a medias: sólo puede ser cierta en parte, porque sus afirmaciones se refieren a convenciones, y la exactitud de las convenciones —su íntimo carácter— no es más que relativa. De modo que espero lograr aproximarme a una respuesta mediante un discurso que parte de la pregunta establecida con demasiadas incertidumbres.

La primera de ellas —y sin duda les resultará obvia— es: ¿qué queremos decir cuando decimos —y escribimos— *la realidad*? No pretendo abrir aquí un debate sobre el mundo de las cosas reales, pero sí sospecho que aceptamos algunas premisas con excesiva rapidez, como si todos supiésemos exactamente a qué nos estamos refiriendo. Puede afirmarse, desde luego, que en la República Argentina han sucedido hechos concretos (militares, políticos, represivos, económicos, sociales y culturales) que son los que, en este encuentro, denominamos *realidad*. Es necesario aceptar este acotamiento de la realidad para poder circunscribir nuestras ideas a un marco —a una convención— común. Sólo quiero permitirme señalar —o recordar— que esto es una parte de la realidad, no toda la realidad. Entonces, para mí, la pregunta inicial se vuelve, tal vez, más precisa: *¿Qué relación tuvo la literatura escrita por escritores argentinos, dentro y fuera del país, con esa realidad?* Voy a anticipar una respuesta que no es tal sino, mejor, una hipótesis: *la literatura argentina tuvo con la realidad política de los años que fueron de 1973 a 1983 la relación que cada escritor quiso, se propuso o pudo mantener con ella.*

La literatura no es la realidad, aun cuando aluda o remita a ella. La literatura, para colmo, es *otra* realidad: esa que la escritura funda —incluso a su pesar— y cuya especificidad es, pienso, irreductible. Ha habido escritores que en todos esos años han aludido a la realidad política argentina más directamente que otros. No estoy seguro, sin embargo, de que esto constituya una cualidad en sí misma. Es, sí, una opción. Pero no es la única, y tampoco es —ni mucho menos— obligatoria. También ha habido escritores que ni siquiera han mencionado en sus novelas esa *realidad inmediata,* o eso que se ha dado en llamar la *historia reciente* de la República Argentina. Yo estoy absolutamente convencido de que esos libros aluden también a la realidad: a otras zonas, u otros fragmentos, de la realidad. O, también, que metaforizan una misma realidad desde otra perspectiva. Y creo que su escritura —el hecho de que se hayan producido— es, sin dudas, inmensamente valioso para la literatura argentina. Mencionaré sólo dos ejemplos extremos y sin ánimo de comparar la calidad literaria de las obras: la publicación de la novela *Cuarteles de invierno,* de Osvaldo Soriano (Barcelona, 1982), me parece —hoy— tan significativa como la aparición, en nuestro país, de la novela *El náufrago de las estrellas,* de Eduardo Belgrano Rawson (Buenos Aires, 1979).

Julio Cortázar escribió: "El solo hecho de que cualquier libro esté escrito en un idioma determinado, lo coloca automáticamente en un contexto preciso a la vez que lo separa de otras zonas culturales, y tanto la temática como las ideas y los sentimientos del autor contribuyen a localizar todavía más este contacto inevitable entre la obra escrita y su realidad circundante".

También Jorge Luis Borges se ha detenido en las relaciones de la escritura con la realidad: "Un idioma es una tradición, un modo de sentir la realidad, no un arbitrario repertorio de símbolos".

Sigmund Freud, con su original *escucha* psicoanalítica, anotó en 1921: "El lenguaje usual permanece siempre fiel a una realidad cualquiera, incluso en sus caprichos".

Es, por tanto, una condena. O, menos dramáticamente, un destino tan inevitable como involuntario. Ninguna escritura queda a la deriva en medio de un mar irreal.

Como textos especulares, complementarios y, desde luego, imperfectos —en tanto eso que llamamos realidad es infinito—, las novelas mencionadas aluden a la realidad y a la historia de la República Argentina. Cada una de ellas lo hace optando por un segmento, o eligiendo un punto de vista determinado. Las aventuras marítimas descritas por Belgrano Rawson se inscriben en el contexto de la literatura argentina tan precisamente como las penurias padecidas por los héroes de *Cuarteles de invierno.* Insisto, sin embargo, en que la especificidad de la escritura, inevitablemente, altera en sus alusiones la realidad, crea otra realidad —la del texto—, y termina por callar, por dejar fuera —y a pesar del autor—, una parte de la verdad.

Fue un poeta norteamericano, Wallace Stevens, quien aprehendió en un maravilloso poema esta certeza, esta intuición o esta otra verdad también a medias:

"La poesía es el tema del poema.
De esto nace el poema y a esto

vuelve. Entre los dos,
entre nacimiento y retorno,

hay una ausencia de realidad,
las cosas como son. O como nosotros decimos."

("Poetry is the subject of the poem,/from this the poem issues and/to this returns. Between the two,/between issue and return, there is/an absence in reality,/things as they are. Or so we say.")

II. Escritura y compromiso

Desde la posibilidad enunciada, el realismo puede ser tan hermético, tan impermeable, como el más abstracto de los poemas. No es la transparencia, la facilidad de comprensión de una escritura, lo que permite escribir con ella una obra de arte. En el siglo XX, por el contrario —y supongo que podemos convenir que, medido en centurias, es el tiempo que nos ha tocado—, las novelas ya consagradas como fundamentales no se caracterizan precisamente por su simplicidad, sino más bien por todo lo contrario. Es casi innecesario recordar en este momento las obras de Proust, de Kafka, de Joyce, de Lowry, de Faulkner o de Borges.

Sucede, sin embargo, que durante demasiados años se creyó inevitable involucrar a la escritura directamente con las ideas políticas de los autores. No es éste el momento para recordar los términos de una vasta polémica sobre el tema ni lo mucho que desde 1950 en adelante se ha escrito y dicho acerca del *para qué* y de la *utilidad* de la literatura. Pero lo cierto, pienso, es que las obras concretas y su entidad han demostrado el fracaso de las escrituras cautivas en el marco de una causa política, o de las escrituras puestas al servicio del Estado en nombre del bien común.

Es indudable que los textos menos complejos encuentran una mayor cantidad de lectores dispuestos no sólo a abordarlos sino también a terminarlos. Es indudable, también, que cuando esos textos se identifican con una concreta tendencia política cosechan, además —y principalmente—, adherentes políticos. Pero en este caso creo que se presenta con claridad una confusión muy difundida, y que se basa en la ingenuidad, en la mala fe y en la demagogia, tanto por parte de los autores como de aquellos que exigen a los autores este *compromiso* para luego enarbolar como ejemplo los resultados.

Es oportuno tal vez señalar que no promuevo una escritura compleja como condición literaria indispensable de nuestro tiempo. Son notables los ejemplos de brillantes obras elaboradas con sencillas escrituras. Muy pocas, sin embargo, responden a eso que llamamos, desde los años '60, literatura comprometida.

La escritura es, fundamentalmente, un acto de libertad. Y ese acto debe ejercerse por encima de todo imperativo. No hay *realidades* que le puedan ser impuestas a un escritor: ni la política represiva de la reciente realidad argentina ni la política estatizante del pasado realismo socialista. Sólo el ejercicio de esta libertad compromete verdaderamente al escritor con la historia. Sólo una escritura capaz de resistir mandatos extraliterarios dará cuenta cabal del mundo en que fue escrita. Y sólo ese acto garantizará que ni los dictadores ni el terror, ni el vandalismo puedan aniquilar nunca la literatura de un pueblo.

En este sentido, estoy convencido de que hay que *descomprometer* al escritor, *desresponsabilizarlo* de producir obras con un significado político inequívoco. Y los escritores debemos asumir, también, el *compromiso* de desresponsabilizarnos a nosotros mismos de esta demanda. Nuestros gestos políticos son, deben ser, los de todo ciudadano situado en una concreta realidad. Corresponde a la ética, a las convicciones, al deseo y a las posibilidades de cada uno practicarlos o no. Pero no pongamos en la escritura aquello que no sabemos poner en otro lado. Salvo cuando el incondicionado deseo de esa escritura aspire a inscribirse libremente en un deliberado contexto político.

III. Escritura y exilio

Una revista literaria de modesta circulación publicó recientemente, en la ciudad de Buenos Aires, una encuesta sobre "Literatura y exilio"[1] para la cual habíamos sido interrogados Humberto Costantini, Saúl Ibargoyen, Luis Gregorich y yo. La cuarta pregunta de dicha encuesta planteaba, en otros términos, el tema que nos ha reunido hoy aquí. Reproduzco, a continuación, mi respuesta:

"La hipótesis de una escisión de la literatura argentina en una literatura «interna» y otra «externa» la leí, por primera vez, en un artículo de Luis Gregorich publicado en el diario *Clarín,* hace ya varios años. Pero es cierto, también, que fuera del país muchos escritores caímos en la tentación de pensar que *una* literatura argentina se estaba escribiendo en el exilio. Hoy pienso que la literatura argentina tiene un solo cuerpo, caótico, polémico, escindido, enfermo y admirable. La literatura de los argentinos no es ajena al teorema de la Biblia y el calefón que, para dicha o para desgracia, nos reúne. Sostener la hipótesis de una escisión, ahora, me

[1] Revista *Amaru* [Lanús, Buenos Aires), octubre de 1984.

parece vano y disolvente. Yo tengo la impresión de que el acto más fecundo, en todo sentido, de un escritor es escribir."

El artículo de Luis Gregorich se publicó en el año 1981 y, desde entonces, ha sido ampliamente difundido y discutido. Su título era: "La literatura dividida", y se refería en él a los escritores argentinos que se hallaban en ese momento dentro y fuera del país. En la encuesta a la que he hecho referencia, Gregorich fijó su respuesta a las acusaciones y opiniones que desencadenó su trabajo. No tengo intención de reabrir ese debate. De aquel texto, hoy, sólo me interesa recordar dos afirmaciones. La primera, porque creo que reformulaba en *forma cualitativa* el tema de los autores exiliados. La segunda, porque pronosticaba que quienes escribían fuera del país perderían el sustento de sus escrituras.

1º) Se preguntaba y se respondía Gregorich: ¿Cuáles son los escritores importantes exiliados? Julio Cortázar."[2] ¿Qué significaban, qué querían decir estas palabras? En primer lugar, evidentemente, intentaban medir la importancia del exilio por la importancia de las obras literarias de los escritores exiliados. En segundo lugar, tal vez involuntariamente, replanteaban una paradoja literaria argentina. Si invertimos —caprichosamente, claro— la pregunta de Gregorich nos encontraremos con una respuesta tan lineal como la que él obtuvo: ¿Quiénes eran los escritores importantes que continuaban viviendo en la Argentina? Jorge Luis Borges.

La posición política de Julio Cortázar —durante los últimos diez años de su vida, por lo menos— es ampliamente conocida. Podría decirse, si se quiere, lo mismo de Borges, con el atenuante necesario de que los vaivenes de Borges —tan inescrutables para los argentinos como el exilio de Cortázar— lo impulsaron, en el año 1980, cuatro después de haber recibido con plácemes el golpe de Estado encabezado por el general Jorge Rafael Videla, a declarar a otro matutino argentino que no podía "permanecer silencioso ante tantas muertes y desapariciones. No apruebo esta forma de lucha para lo cual el fin justifica los medios".

Durante mucho tiempo, y aun hoy, Cortázar ha sido más famoso en la Argentina por su exilio en París, por haber aceptado la nacionalidad francesa que le concedió el presidente François Mitterrand y por sus declaraciones en favor de las revoluciones cubana y nicaragüense, que por sus cuentos y novelas. A Borges le ha sucedido otro tanto: su inclaudicable antiperonismo, su adhesión a los gobiernos militares desde 1955 y su pasión por las culturas inglesa, sajona y nórdica, le han dado más notoriedad que sus relatos y poemas. En los dos casos, paradójica y paradigmáticamente, serán —son— las obras literarias de Cortázar y

[2] El ensayista Ernesto Sábato también se refirió a la represión de los escritores atendiendo, antes que nada, a su importancia y al escaso número de autores conocidos en esa situación. Fue en el año 1982 y sus declaraciones aparecieron en un semanario español: "Rodolfo Walsh, Haroldo Conti y Antonio Di Benedetto son los escritores importantes y conocidos que sufrieron esta clase de persecución".

Borges —también especulares, complementarias en el seno de la cultura argentina— las que harán inolvidables sus nombres, por encima, o más allá —como se gusta decir—, de toda ideología o imperativo político.

2º) Se preguntaba y se respondía Gregorich: "¿Qué será ahora, qué está siendo ya de los que se fueron? Separados de las fuentes de su arte, cada vez menos protegidos por ideologías omnicomprensivas, enfrentados a un mundo que ofrece pocas esperanzas heroicas, ¿qué harán, cómo escribirán los que no escuchan las voces de su pueblo ni respiran sus penas y alivios? Puede pronosticarse que pasarán de la indignación a la melancolía, de la desesperación a la nostalgia, y que sus libros sufrirán inexorablemente, una vez agotado el tesoro de la memoria, por un alejamiento cada vez menos tolerable. Sus textos, desprovistos de lectores y de sentido, recorrerán un arco que empezará elevándose en el orgullo y la certeza y que terminará abatido en la insignificancia y la duda".

Debo admitir que en un primer momento pensé, en 1981 —año de la publicación de mi novela *La vida entera,* en España—, que este pronóstico nos estaba dedicado: a mí y a los numerosos escritores argentinos radicados fuera de la República Argentina. Me pregunté entonces, por ejemplo —el pronóstico sugiere de inmediato varias otras preguntas—, ¿qué ideología omnicomprensiva me había protegido y cuándo? Ante la falta de respuesta comprendí que no debía personalizar la profecía. Pero, ¿olvidaba un crítico tan sagaz como Luis Gregorich— después de aislarnos *cualitativa,* y también *cuantitativamente*— que un texto fundacional de la novela argentina, *Facundo,* de Domingo Faustino Sarmiento, había sido escrito en el exilio? ¿Olvidaba que Joyce escribió *Ulises* en Trieste, Zurich y París a lo largo de siete años? ¿Olvidaba que el escritor Samuel Beckett, irlandés residente en París, escribía ya sus libros en francés? *Todos ellos lejos de las voces, las penas y los alivios de sus pueblos.* ¿O nos profetizaba un dudoso destino literario, en el que no habría lugar para obras importantes? ¿O nos auguraba, en definitiva, un exilio mucho más prolongado de lo que fue, augurándole entonces a la Argentina un largo futuro de postración?

No conozco la respuesta para estos interrogantes y no me siento capaz de esbozar ninguna hipótesis acerca del verdadero sentido del artículo "La literatura dividida". Pero sí recuerdo las reflexiones del escritor chileno Jorge Edwards acerca del exilio y la escritura que se produce fuera del país natal: "El escritor que vive en cualquier lugar de Europa se ve obligado a escuchar, con curiosa y a veces agresiva insistencia, la pregunta sobre las razones que han determinado su alejamiento geográfico. Son los países donde resulta más difícil vivir, en el sentido más amplio del término, los que menos toleran que alguien tome distancia con respecto a ellos. (. . .) La pregunta interesante, sin embargo, no es la que se formula a cada rato, sino esta otra: *¿en qué medida la expatriación favorece o perturba la creación literaria?* (. . .) La pregunta tiene tantas respuestas como casos individuales existen. (. . .) El verdadero novelista mantiene su nacionalidad en su lenguaje y en el pozo de su memoria, cuyo poder creador desconocen los que pretenden asignarle residencia".

Por mi parte, intenté responder en la encuesta ya citada a esa pregunta que, con otras palabras, reformula Edwards. Entonces dije:

"Escribir afuera del país natal equivale, quizás, a escribir descentrado. Es decir, reescribir una historia personal para reinscribirla en un contexto extraño, que no es otra cosa que el propio pero *mirado* desde otra posición. Esta mirada cambia la perspectiva y actúa sobre la lengua como una pregunta. Puede ser fértil, para un escritor, perder de vista aquello que cree que le pertenece —una geografía, una historia, o un idioma— porque su escritura pierde también lazos espontáneos y debe entonces trazar y anudar otros: en este acto, en esta crisis, existe la posibilidad de que se originen escrituras imprevistas, pero más ciertas."

IV. Escritura y saber

El escritor italiano Cesare Pavese observó en su diario *El oficio de vivir:* "Lo que nos sostiene en la inquietud y en el esfuerzo de escribir es la certeza de que en la página queda algo que no ha sido dicho". En una variación sobre el mismo tema también puede formularse que siempre queda *fuera* de la página algo que *no ha podido ser escrito.* Es allí, pienso, donde se genera la energía precisa para escribir un nuevo libro.

En esa verdadera obra autobiográfica que es *Las palabras,* el escritor francés Jean-Paul Sartre —cuando ya había producido buena parte de una escritura que lo había señalado como uno de los pensadores más ilustres del siglo— confesó: "Me he desinvestido pero no me he exclaustrado: sigo escribiendo. ¿Qué otra cosa se puede hacer?"

Sartre no sólo volvía, así, sobre sus propias aseveraciones —como aquella donde afirmó que *La náusea* no servía para nada si había niños que continuaban muriéndose de hambre— slogan desde entonces ampliamente utilizado por quienes exigían el reflejo directo en la escritura del compromiso político del escritor. Formulaba también, en 1964 —año en el que rechazaría el Premio Nobel de literatura—, que la escritura puede llegar a exhibir ante sus lectores la figura del escritor, pero no consigue liberarlo del claustro en el cual, a solas ante sí mismo, ante la nada, o ante un saber innominado, permanece cautivo al final de cada párrafo, de cada texto, de cada libro.

¿Es aquí, me pregunto, donde se halla el carácter irreductible de un saber que la escritura encierra? ¿Es esta lucha siempre perdida entre la palabra y la realidad aludida el soporte más cierto de la especificidad de la escritura?

Si así fuese —si así es—, la interpretación de un texto y su relación con la realidad que lo circunda debe escapar, necesariamente, en un punto o en otro, a las intenciones —a la intencionalidad— del autor. Pues en esa *otra realidad* que ha creado —la realidad específica del discurso literario— la alusión o la remisión al contexto histórico o social no puede hacerse más que mediante una tergiversación, es decir, forzando al lenguaje hacia sus extremos. La escritura entonces es transgresión y —como tal, y al decir del Roland Barthes— su esencia no puede ser otra que la de la perversión y el fetichismo.

El poeta francés Paul Valéry escribió a propósito de la interpretación que de ''El cementerio marino'' hizo Gustave Cohen: ''En cuanto a la interpretación de la letra, ya me he definido anteriormente sobre ese punto, pero toda insistencia es poca: no existe el verdadero sentido de un texto. Ni autoridad del autor. Sea lo que fuere que haya querido decir, ha escrito lo que ha escrito. Una vez publicado, el texto es como un aparato que cada cual puede utilizar a su guisa y según sus medios, no puede asegurarse que el constructor lo use mejor que otro. Por lo demás, si sabe bien lo que quiso hacer, ese conocimiento le enturbiará siempre la percepción de lo que ha hecho''.

Quizá lo único que un escritor sabe de verdad es que es un escritor. Si es así —o si, provisionalmente, aceptamos esta afirmación, esta duda—, poco puede esperarse de lo que un autor diga sobre su propia obra.

Más allá de las certezas de la vanidad, de las ambigüedades de la humildad, e incluso del más laborioso intento de objetividad, una obra literaria se resistirá siempre, en una u otra medida, a las afirmaciones con que su autor, desde el exterior también él, pretenda explicarla, situarla en un concreto espacio estético, informar sobre sus intenciones. Nada es enteramente verdad, aunque lo parezca, y no son los escritores quienes mejor o peor suelen hablar de sus propios libros.

La crítica, a veces, obtiene mejores resultados en estos cometidos. Dejemos, pues, en sus manos una tarea tan conjetural como específica.

Y si tampoco la crítica acierta, si tampoco ella logra aproximarse con mayor éxito a la verdad, a la realidad, confiemos entonces en la historia —en su saber y en su benevolencia—, ya que será ella, en definitiva, la que pondrá nuestras obras en su lugar, para su memoria o su olvido.
[Buenos Aires, noviembre de 1984.]

MIRADAS DESDE EL BORDE: EL EXILIO Y LA LITERATURA ARGENTINA

NOÉ JITRIK

1. Al concluir el 30 de octubre de 1983 la negra noche de la dictadura, algunos escritores argentinos que estaban en el exilio imaginaron que sus hermanos de profesión y de escala imaginaria, o simplemente de tendencia, los llamarían, no sólo para manifestarles un previsible reconocimiento por lo que ellos habían podido hacer contra la dictadura desde sus fecundos e internacionales puestos, sino también y fundamentalmente para restituir un diálogo interrumpido, para que la gran familia de los escritores recuperase sus nutrientes. En verdad, tal llamado no se produjo y habría que preguntarse por qué, salvo que se piense que el exilio fue una ilusión, aunque de entrada, podría decirse que ni el exilio intelectual de los últimos diez años implicó algo así como la Generación del '37 ni la elección de octubre un urquicismo anhelante de una experiencia tendiente a recuperar el tiempo muerto de la dictadura.

2. Lo que, por el contrario, se observa es que si por un lado no parece que haya muchas ganas de recuperar por la positiva lo que puede haber significado la experiencia del exilio, como posible riqueza que pudiera volcarse sobre una tarea común, por el otro tampoco se registra una enorme voluntad de saber qué ocurrió adentro con la literatura, en el territorio mismo, con los que se quedaron. En cuanto al primer aspecto, es por lo menos incierto que tal experiencia del exilio no podría aportar nada al desarrollo de un lenguaje literario para hacerlo más alto del que poseemos o hemos poseído antes de que se produjera la gran dispersión; quedaría la duda, podría abrirse un espacio de curiosidad en el cual, con sinceridad, ese otro colectivo y plural que ve regresar a esos suspendidos de la historia que son los exiliados preguntara mirando hondamente a los ojos: "qué hiciste en ese desierto de nostalgia, lejos de nosotros, qué aprendiste, cómo amaste, de qué modo se modificó tu imaginación". No creo que ese mirar a los ojos se haya producido. Por lo que respecta al segundo aspecto, si bien ciertas voces se elevan para recordar historias, para evocar lo que ahora, con lenguaje criollo, podríamos designar como "agachadas" o, con espíritur nietzscheano, "traiciones", pareciera existir una suerte de pacto cuyo objetivo es la intocabilidad, si no me meto con vos no te meterás conmigo y, darwinianamente, nos seguiremos dan-

do la oportunidad de estudiar el modo, como se dice en México, de "chingarnos quedito". Uno de los considerandos de ese pacto señala que la historia es pesada y que, en definitiva, nadie se salva, de modo que, obviamente, más vale no andar exaltando tal conducta porque, de rebote, se pondrían en evidencia conductas que todos conocen y que aún no han recibido grandes sanciones por parte de la democracia felizmente recuperada, que debe creer, sin duda, que tarde o temprano todo se terminará por saber, los probos y los réprobos.

3. El pacto adentro es tan poderoso que obliga a los exiliados, ya sea a patalear sin mayor porvenir, ya a adaptarse en silencio tratando de hacer olvidar que estuvieron algunos años fuera. Se reproduce la situación inicial, cuando debieron emigrar: los exiliados dejámos de ser publicados, de recibir cartas y, de alguna manera, en la medida en que no se nos mencionaba se nos "desaparecía", como a tantos otros que la dictadura, con expresiones de alivio de algunos sectores de la sociedad, retiraba de la circulación. Y la situación se reproduce porque al tener que callar el exilio se callan también las razones que lo provocaron. En cuanto a los partidarios del pacto que no se exiliaron, sus salidas o recursos para ponerlo en acción son otros; la más natural es el silencio, no mencionar el pasado ni hablar del futuro, nada de recuerdos ni de proyectos, la idea es fingir que "aquí no ha pasado nada" y que lo esencial es, con realismo implacable, velar por uno mismo, cuidar su pellejo con la misma devoción con que se cuidó en la época precedente; otra salida para dar cumplimiento al pacto es esa artificiosa, irritante división entre el adentro y el exilio, incluido ese generoso manto que se llama "exilio interior" y que cubre por igual a quienes efectivamente lo vivieron y a quienes, exultantes con la dictadura, o embriagados con el lopezreguismo, sobrevolaron toda esta desgracia nacional con la esperanza de una mezquina posibilidad de poder. Volveré sobre estas líneas.

4. Quiero contar una anécdota. Mi amigo Ernesto Mejía Sánchez fue designado embajador de Nicaragua en Buenos Aires; apenas llegó llamó a su amigo, hoy desgraciadamente muerto, Ulises Petit de Murat, que había vivido mucho tiempo en México; el buen Ulises nunca pudo encontrarse con él para evocar los buenos viejos tiempos; en cambio, a raíz de un encuentro casual en una librería de la calle Talcahuano, Ernesto se vio cada sábado, alegremente, para platicar o comer, con Enrique Pezzoni, Alberto Girri y José Bianco. Consecuencia: cierta gente, que forma parte de la literatura argentina, puede haber atenuado o perdido, es una hipótesis algo extremosa, el sentido de la amistad, tan tradicional en la Argentina; otra gente, en cambio, lo debe haber conservado intacto.

5. No quiero ni pensar en que alguna gente pudo haber extraviado su sentido de la amistad; se me atropellarían las invectivas y me sentiría un

poco ridículo, moralista, puritano, andar juzgando a la gente; hablar de eso me humillaría porque quisiera, en mi deseo, situarme en lo alto, como un águila vislumbrar el pasado de un lado y el futuro de la nación del otro y no andar haciendo el inventario de infamias, grandes o pequeñas, aunque también sé que mi ideal es casi inalcanzable y que, como arrastrado por un vicio secreto, recaeré en la invectiva. Sea como fuere, quisiera ahora hablar de quienes conservaron su adulto sentido de la amistad.

6. Otra hipótesis, de otra índole; se me ocurre pensar que cuando el discurso es usurpado más allá de los límites tolerables —que una sociedad sabe más o menos fijar y regular— se produce indefectiblemente una infección semántica que atraviesa todas las prácticas habituales: eso ocurre con las dictaduras. Sólo, como en la parábola de Vercors *El silencio del mar,* escrita durante la ocupación de Francia, quedan indemnes quienes callan, quienes no hablan con los que engendran la infección, o bien, por el otro lado, quienes no vacilan en hacer una escritura de su cuerpo y, en consecuencia, lo exponen de frente y lo arriesgan. Hablemos de o a los otros, a aquellos que ni pensaron en la hipótesis del silencio habiendo desechado también la del riesgo corporal: si se trata de hacer durar un poco más el cuerpo, pero desde luego sin perder el alma, el silencio es la única salida, porque hablar en medio del discurso de la dictadura no es sólo liviandad o cháchara sino finalmente hacerse cargo indirectamente de la racionalidad que la dictadura ha puesto en marcha y aun directamente de los objetivos que la dictadura persigue. La dignidad, ciertamente, está, estuvo, del lado de los que callaron aunque callar no quiere decir estar mudo; significa no hacer el juego, significa reconcentrarse para proseguir, significa producir una escritura constituida por un silencio rebelde, significa negarle a la dictadura el carácter de interlocutor y dejarla sola con su semántica enferma. Reivindico, así, frente al chillido mussoliniano el silencio de la poesía hermética; reivindico, frente a esa especie de autocrítica de Jorge Asís —habrá otros—, el juego de claroscuros de Ricardo Piglia o la obstinada obra de Boris Spivacow, continuidades penetradas de silencio, aunque claro, en el otro extremo, como el exceso del riesgo corporal, reivindica la carta de Rodolfo Walsh a la Junta Militar.

7. Confieso, también, que cuando mucha gente hablaba mal de Sábato y de Castellani (extrañamente peor de aquél que de éste, como si ser cura y peronista lo eximiera del rigor de la crítica) porque no le habían dicho nada a Videla sobre la suerte, la muerte, de Haroldo Conti, sentí que lo que me perturbaba era que no hubieran podido dejar de ir a conversar con ese general, que no oponían el furor y la virtud del silencio a la equívoca manera de entendimiento que implicaba escuchar civilizadamente los problemas y argumentos de dicho señor; sentí que esa decisión de hablar nos dejaba mal a todos, solos, a pesar de que en otras circunstancias jamás pensaría que Sábato o Castellani podrían representarme; y nos quedábamos solos porque de manera simbólica empezábamos a de-

pender no sólo de lo que Sábato podía sentir al estar con Videla, sino también de lo que Sábato o Castellani podían interpretar de lo que decía Videla, ambos en situación desventajosa frente al lenguaje del poder, por más que con toda buena fe quisieran aprovechar la circunstancia para expresar algo de lo que otros pensaban y padecían. Reconozco, igualmente, que ese juego entre no saber y saber, que se suele producir invariablemente después que se ha estado cerca del lenguaje del poder, con el que García Márquez nos quiso deslumbrar a propósito de la vida o la muerte de Haroldo Conti, también nos dejó solos, sin saber por quién estábamos de duelo: para García Márquez la hipótesis del silencio no tenía sentido y, por lo tanto, debía haber hablado en su momento; calló cuando no era necesario y, en consecuencia, nos confundió, nos obligó a no pensar más en lo que se podía pelear a propósito de Conti sino en la exquisita red de sus relaciones políticas. Desde luego, como los hechos lo probaron posteriormente, no hay derecho a hacerle recriminaciones a Sábato ni a dudar de su sinceridad, siempre desgarrante; la ha vuelto a demostrar con su Informe, que no es para ciegos sino para quienes quieran ver bien y de frente —o quizá sea para todos esos a quienes una repentina ceguera durante la dictadura les permitió seguir viviendo y en algunos casos prosperando—, pero se trata de otra cosa, relativa a la posición de los escritores en el conflicto político; se trata, por una parte, de saber qué quiere ser y decir esa desmesurada y corriente exigencia que se formula a los escritores y de la que se exime a médicos, deportistas y administradores que, en definitiva, cuentan mucho más para la vida de la sociedad; o bien, se trata de saber qué se quiere decir cuando se sostiene que los escritores son lo confiable por excelencia, el sector social no sometido a la exigencia ni a la responsabilidad; o bien, por fin, se trata de esa idea, peor todavía, según la cual los escritores no son nada en la lucha de un pueblo contra la dictadura y, por lo tanto, sólo se espera de ellos la veleidad; su frivolidad es una fuente de encanto; su liviandad sonriente, un valor añadido a sus refrescantes libros futuros.

8. De esta última especie quiero decir algo que me escuece: no necesariamente sus devotos se sitúan fuera de la política; esa cualidad les permite vivir el drama de la sociedad para encontrar un buen tema por lo cual, si es preciso, llegarán incluso a ser montoneros o comunistas o peronistas, pudieron dejar de serlo sin que nadie los juzgue, y menos que nadie ellos mismos; si las papas queman, adiós a la montonera, dentro o fuera del país, adiós al peronismo o al frondizismo, adiós a los radicales y a los comunistas. Es claro, no todos somos así, existe verdaderamente una crítica que supone un alejamiento; yo me refiero a los que vuelan en diversos aviones y que, ya puestos en el ómnibus de la dictadura, no vacilaron en sostener que la acción internacional del exilio era antiargentina; poco les faltó para decir que era apátrida. ¿No serán ahora, tal vez, los más fervientes partidarios de la reconciliación de la gran familia? ¿No estarán redescubriendo, ahora, cuánto reverenciaban a Antonio Di Benedetto?

9. Todo me pareció poco serio cuando arreciaban las críticas contra Borges porque sostenía que el pequeño Pinochet era un gran hombre y, simultáneamente, entretenía sus ocios recordando a ese mitológico coronel que se había casado con su abuelita, la de Borges, no la de Pinochet; tanto lo de Borges me pareció poco serio como la escandalizada, virginal reacción de sus detractores; personalmente, preferí esperar porque, después de todo, era bastante previsible, en la medida en que había manifestado diferencias de criterio con la "portée dramatique" de la obra literaria de López Rega y no creía que Isabelita pudiera equipararse a la Reina Victoria, que sintiera cierta admiración por la labor crítica de los militares que sacaron de circulación el culto de Zoroastro, al que debe haber adherido un grupo de espiritualistas que dio el tono a la Facultad de Filosofía y Letras en la época en la que el autor de la Marcha del Trabajo convirtió su melancólico refugio en playa de estacionamiento. Volviendo de esta digresión, es cierto que Borges modificó sus loas a los soldados y las convirtió en sarcasmos, pero, un poco antes, sentí la aparición de cierta verdad cuando, en relación con los asesinatos de la Triple A, señaló su manera horrible y cobarde de matar, diciendo que matar de ese modo no era argentino; según él, experto en cuchillería, el argentino de verdad mata de frente. El argumento me gustó; al menos no se les había presentado como problema a escritores argentinos que en esa época establecían interesantes paralelismos entre Mao Tse Tung y Juan Domingo Perón transfiriendo las consecuencias a su viuda y a sus ideólogos; si a Borges lo dirigía la pasión por la mitología, a ellos la pasión por el análisis les hacía ver significaciones donde seguramente se depositaba lo que más detestaban. Esta ambivalencia no es extraña: condenó a la desesperación a innumerables cultores del estalinismo.

10. A causa de este tipo de oscilaciones entre "saber" y "justificar", de una prosapia tan maquiavélica, nos enredamos a veces en oscuras discusiones, amargamos duros días de exilio así como se amargaban más todavía los días de la espera en la Argentina: ¿ero o no era fascismo lo que estaba ocurriendo en nuestro país? Los teóricos rigurosos, examinando el caso, sostenían que, decididamente, no se trataba de fascismo ni de nazismo a pesar de que ya se sabía que algunos torturadores ostentaban en sus oficinas retratos del prematuramente desaparecido Hitler; y no lo era porque los militares carecían de consenso, el pueblo terminaría por derrotarlos, y fascismo sin pueblo atrás no es fascismo. Esa manera de razonar nunca me gustó; hace un buen rato que, para mí, esa dictadura que nos tocó en suerte no era una simple y llana e higiénica dictadura latinoamericana con ambiciones grotescas y mucho ruido a lata y cuentas bancarias engrosadas a costa del pueblo; para mí se trataba de un nuevo proyecto que exigía, según sus ideólogos, una depuración de la sociedad que sí se hizo, aunque muchos sobrevivientes pensaran o desearan que todos los muertos y desaparecidos eran meros y desubicados guerrilleros, fracasados hijos de una fracasada clase media; no quiero

volver a mencionar cantidades porque eso me llevaría a hablar de los exiliados que el mismo proceso produjo, cosa que seguramente ya se ha dicho en estos días y que podría, por la reiteración no por otra cosa, molestar a muchos que lean esto y que suelen creer que el exilio es una manía quejosa de los exiliados y para nada una enfermedad del país o un designio de los arquitectos del proyecto político de la dictadura militar.

11. Hace poco, mi hijo me comentó que ciertas frases, tonos y expresiones leídas en el número de 1977 de la revista *Redacción* le habían causado cierta sorpresa: con qué aire de normalidad hablan, con qué elegancia destruyen las acusaciones que la conspiración internacional lanza sobre el gobierno militar; el lenguaje que manejan es sereno, objetivo, como si la estructura sobre la que forjan su lenguaje periodístico fuera el diálogo en el cual, cuando lo reproducen, sólo hay un emisor, la dictadura y sus corifeos, lo que no parece llamar la atención a esos avisados y modernos periodistas, más brillantes que el tono empleado por los meros diarios de todos los días, rudimentarios en el arte de explicar, justificar y hacer creer que se vive en un mundo sin mayores objeciones. Sería provechoso hacer aunque más no sea un inventario de las expresiones forjadas entonces, de esos cuños verbales tales como "cúpula", "tiempos", "disenso", "enérgicas réplicas", aplicados todos al examen de lo que los más sutiles indicios dejaban interpretar del movimiento de la dictadura. Hoy por hoy, esas expresiones indican una situación de discurso de alto grado de repulsividad porque su aspecto edulcorante se compensa, acaso para mostrar que sus sostenedores son capaces de no ser olímpicos, con el lenguaje sainetero y soez con el que trataron poco después a la Comisión Interamericana de Derechos Humanos o, en todo tiempo, a las Madres de Plaza de Mayo a quienes creyeron poder destruir difundiendo el denigrativo "locas".

12. Todo este desvío sobre el periodismo, de cuyo ejercicio comprendemos las limitaciones y también lo que las asume y forja con ellas un estilo, para reforzar una idea, muy poco original, inspirada en la sociolingüística más elemental, acerca de que la acción de la dictadura debió incidir en el lenguaje literario en los dos únicos sentidos posibles: por la negativa, modelando y plegando a sus designios; por la positiva, engendrando una resistencia, como cuando se dice que el despotismo de los reyes de España produce a Góngora. Todavía no hay pruebas de este segundo aspecto, sí abundantes testimonios del primero; quiero referirme a uno, quizá no muy importante: poco antes de morir, Manuel Mujica Láinez, que después de todo es el autor de *Misteriosa Buenos Aires* y *La Casa,* señaló que no había escritores en el exilio desde el momento en que él, Borges, Martha Lynch y Sábato estaban ahí; que, a lo sumo, se hallaba en el exterior alguna gente que se había ido por razones políticas y que por ahí escribía de vez en cuando; cuando leí eso recordé, con compasión, unos textos de ese autor acompañando fotografías de nuestra co-

mún amada Buenos Aires que él conocía sin duda mejor que yo; el libro era del '77, creo, y pocas veces fueron recogidas en un texto tantas inepcias, tantos chatos lugares comunes: creo que la frase más brillante era algo así como "Buenos Aires es una ciudad de grandes contrastes; por un lado la Avenida 9 de Julio, por el otro el Pasaje Seaver". La imaginación se había enfermado pero quizá no lo sabía, y había empezado esa enfermedad por reducir el lenguaje: era en esa preciosa zona en donde yo vi o sentí que la dictadura incide y deforma. La dictadura, me empeño en decirlo, cambia la vida, y si los que quisieron seguir hablando, como si a ellos el lenguaje de la dictadura no pudiera traspasarlos, no advierten hasta qué punto ese lenguaje los traspasaba, preveo años de conflictos y de desinteligencias, así sea porque ya no es quizá más el tiempo de exiliar o de desaparecer a quienes no podrán dejar de seguir señalando los cambios que la dictadura introdujo en la imaginación y el lenguaje de nuestro país.

13. Quiero referir otra anécdota: un grupo de jóvenes porteños me hizo llegar, a México, algunas revistas de poesía que, con sacrificio, se estaban publicando en Buenos Aires; el papel sería malo, los poemas voluntariosos, acaso olvidables, pero la intención muy apoyable. La poesía, les dije, es el gran instrumento para tomar distancia respecto del lenguaje del poder. Pero uno de los números traía prosa: un fragmento comenzaba con un razonamiento sobre la reconstrucción de la cultura a partir de la derrota, probada, de la subversión. ¿Cómo esta palabra?, me sorprendí. Y bueno, respondieron, si no se dice eso no se puede establecer conexión con los lectores y no se pueden analizar los problemas nacionales. Pero ésta es una palabra propia de la dictadura, implica una interpretación. ¿Y MacLuhan? ¿Y el universo semántico construido por la dictadura? Mis observaciones no gustaron: impedían "analizar" los problemas nacionales, pero la culpa se la atribuyo a la palabra "semántica", que indica para mucha gente algo sin importancia o de tan poca que sólo puede ser tenida en cuenta por gente muy elitista. "Eso es semántica", dicen para anular un argumento. Pero, en fin, a lo que voy es que el lenguaje de la dictadura se filtró en los más diversos espacios, aun en el de la espontaneidad, y produjo dos efectos: bloqueó la crítica en la medida en que determinó el lenguaje e incidió de tal modo sobre el horizonte semántico de una cultura que la elasticidad semiótica se endureció, como si la imaginación argentina suspendiera, por desesperación, a veces no confesada, sus virtualidades. Salvo, claro, la imaginación resistente.

14. ¿No se debe, un poco por lo menos, a eso, que Borges se haya convertido en la suma de todas las cualidades de la literatura argentina borrando de alguna manera a todo el resto? No seré yo quien le niegue ni retacee tales cualidades, pero también es objetivamente cierto que después de 1945 Borges no ha escrito mucho de nuevo: es un poco sobre la reiteración y la reafirmación que se asienta el insólito reconocimiento de

que goza. En realidad, pienso, ha funcionado como contracarencia, su plenitud las ha ocultado; al llenársenos la boca con su nombre, su ingenio y sus cualidades, incluso las morales, además de tener algo interesante que mostrar, tan empobrecidos, dejábamos de ver por momentos todo el daño que la dictadura había hecho, estaba haciendo y sigue haciendo. Una de sus secuelas es el arribismo y el oportunismo: para muchos es como si la literatura, ya hecha por Borges, sólo sirviera par conseguir algo, no para darle una forma ni para comprender una cultura.

15. Hay algo de antiguo en la provincia argentina de las letras; el primer rasgo es creer que lo que ocurre en el país es esencial para el resto del mundo y que quienes no participan de esta sutil materia que sería lo argentino son un poco tontos o minusválidos. Creer en esas cosas es, justamente, lo provinciano, así como buscar temas astutos para escribir o creer que la literatura "es" la novela porque proporciona, como en el Renacimiento, la "fama". Y como nada de eso ocurre porque el resto del mundo rara vez se asombra cuando ve a un argentino y menos todavía frente a la literatura rutinaria, salvo desde luego cuando hay valor real o trabajo consistente, junto con la minúscula arrogancia, y como un precio que pagamos por ella, nos acecha y acompaña el fantasma de la ineficiencia. ¿Será por eso que considerables sectores de la clase intelectual simpatizan con tanta rapidez con las críticas a la ineficiencia de los raros gobiernos que no persiguen a la gente? ¿Será por eso que, al principio, los golpes militares no resultan tan antipáticos, nos agarran cansados de tanto desorden, y que brillantes plumas, los eternos Grondonas, entran a describir con esperanzados toques la promesa de cosmos que los militares prometen en contra de la efectividad del caos que las democracias otorgan? Por un poco de orden, abogados, médicos, almaceneros, profesores de filosofía y letras, taxistas, carniceros, periodistas y escritores lo darían todo, hasta podrían soportar que se silencie para siempre el zumbido de los grillos de izquierda, permanentemente peleándose en su olla, siempre dividiéndose, siempre desuniéndose. Porque, si se mira bien, cada vez que hay un golpe militar se acrecienta, con la isócrona monotonía de lo que no progresa, la capacidad crítica de tales sectores: aparecen como evidentes las deficiencias de la izquierda y las contradicciones del liberalismo y, haciendo contraste, llenos de pausado encanto las grises historias de los coroneles. Pero cuando la fatiga intoxica los envejecidos cuerpos de los generales, se advierte, también, un paulatino retorno al populismo intelectual, cosa que no crea muchos problemas, y, si las cosas no van del todo en esa dirección, se empieza a reconocer solemnemente que hay que distinguir y que Borges es un gran escritor, indiscutiblemente. Ya es difícil, gracias a la rapidez en la adaptación, decir quiénes de los que son en nuestra familia padecieron el síndrome de la eficiencia militar y en qué momento se curaron de esa enfermedad. ¿Antes de las Malvinas? ¿Después de las Malvinas?

16. Tal como lo anticipé, no puedo dejár de andar lanzando invectivas o de andar haciendo apasionadas defensas y pierdo el rumbo, seguramente equivoco el camino, se me empiezan a confundir las cosas porque lo esencial, y eso sí está claro, no reside en ponerse en acusador sino en tratar de sacar afuera, como en una primera instancia de análisis, lo que está perturbando; hay que abrir el ropero y tirar a la basura el cadáver que está ahí apestando, como en la pieza de Ionesco. Pero para ver después más lejos, cuáles son las perspectivas, cómo se ha de arreglar todo este entuerto.

17. Porque lo que ocurre en la Argentina, creo, a partir del 30 de octubre de 1983, se parece un poco, guardando las proporciones y en relación con el reducido campo sobre el que ahora nos toca discurrir, a lo que se dio en una escala mayor, y agigantada por el tiempo y la originalidad de la situación, después de mayo de 1810: no me autoriza a hacer la comparación ni la independencia, como si hubiera sido un hecho después de una declaración, ni la democracia, como si fuera una realidad después de una votación, ni siquiera el surgimiento de sectores sociales nuevos, llenos de energía reivindicativa, sino, tan sólo, la salida a la superficie de fuerzas reprimidas, en un caso por la somnolienta estructura colonial, en el otro por la dictadura. No se me escapa que la semejanza es simplificadora y tampoco tengo dudas acerca de que alguien, que nunca falta, me ha de explicar que no es lo mismo el virrey Cisneros que el general Bignone, pero se trata de una imagen que a mí, al menos, me sirve para comprender las dificultades que existen después de que la dictadura se retiró o finge haberse retirado luego de haber dejado un tendal de problemas. Si durante la dictadura muchos, que no habíamos concluido de aclarar nuestras diferencias, tendíamos a tolerarnos en virtud de la existencia de un enemigo, ahora vemos resurgir en nosotros el violento vértigo de la separación, se rompen alianzas, pululan las desconfianzas, predominan las reticencias. Yo no le tengo miedo a esta perspectiva de relativa anarquía o, al menos, de vida desagradable; esta desagregación es acaso fecunda: se volverá a viejos amigos y ex aliados quedarán en el camino; tal vez sea ésta la condición de un nuevo lenguaje que es, estrictamente, lo que se necesita y cuya elaboración la dictadura hizo suspender dejándonos amarrados al momento anterior, en la idea de que padecíamos de nostalgia y padeciendo, efectivamente, de fijación, de repetición.

18. En cuanto al exilio, esta palabra era rechazada en 1974, cuando los primeros llegamos a México, para designar la situación en la que nos hallábamos. Lo siguió siendo hasta muy avanzado el '78: fue necesario que la Comisión Interamericana de Derechos Humanos hiciera su sonada visita a Buenos Aires para que se comprendiera el valor meramente político de la expresión, ya que en lo que respecta al valor humano universal me parece que nunca se lo comprendió del todo. A mediados del '77, por ejemplo, representantes de la socialdemocracia alemana, que tenía

programas relacionados con exiliados chilenos, nicaragüenses y otros, no entendían la necesidad de promover estudios concretos sobre circunstancias y modalidades del exilio argentino, ya bastante numeroso. Los diferentes sectores argentinos compartían esa opinión; unos, los peronistas más o menos clásicos, y quizá porque la palabra los remitía a dos imágenes desvalorizadas de Montevideo, el antirrosista de 1839 y el antiperonista de 1950, sostenían que "la cosa está allá", razón por la cual lo que se podía hacer aquí era intrascendente; los montoneros, antes de escindirse y perder varios segmentos, que entendían, como se decía en la jerga de esos años, ser el "eje" de la resistencia, porque concebían el extranjero como campo para establecer "centros operativos" desde donde se habría de organizar la exitosa "contraofensiva"; cierta vaga izquierda porque los que habíamos llegado, casi en desbandada, sin estrategias partidarias, no éramos pueblo, éramos un despreciable resto de intelectuales pequeño-burgueses a los que sería difícil "movilizar"; otros rechazaban la palabra exilio por machos, ya que esta palabra, teniendo en cuenta el antecedente de los españoles, tiene una connotación algo llorona y además es la manifestación de una derrota, cosa imposible de pensar en nuestro caso; para otros, en cambio, la palabra exilio se oponía a la inefable sensación de estar aprehendiendo la fugaz esencia latinoamericana que, como se sabe, está bloqueada por la Avenida General Paz, razón por la cual el estar en México podía ser visto como una oportunidad hegeliana. Tal vez por esto, tal vez por razones individuales, fue difícil organizar algo realmente eficaz e importante: todas las ventajas que podía implicar organizarse tenían una multitud de contrafundamentaciones que, unidas a una muy frecuente ambigüedad en la participación, quitaban fuerza, diluían. Cuando, por fin, se admitió sin declararse que la instancia del exilio podía ser una realidad básica desde donde algo para el país se podía hacer, proliferaron los grupos, hasta de tipo profesional, cuyos objetivos por lo general concluían en la demostración de su presencia; fue muy difícil combinar diversidad con democracia y acción. Cuando eso se pudo más o menos articular, a costa de sucesivas disputas con los que hasta ayer eran aliados, la Junta Militar inició su deterioro y los renacientes partidos políticos en la Argentina volvieron a ser el objeto del deseo, de modo que, de manera no muy consciente, lo que se pudiera elaborar desde el exilio podía sentirse más como una traba o una impertinencia que como un aporte al esclarecimiento de un drama que nos había afectado a todos por igual.

19. En medio de todas estas dificultades por poseer una identidad determinada por las circunstancias, los escritores estábamos en una situación aun más complicada y aguda, siempre, desde luego, que no hubiéramos resuelto desaparecer en ese horizonte profesional desde el que, los que llegan y aun los que no llegan, condescienden a veces a alguna firma, a alguna efímera presencia de la que parece que habría que vanagloriarse. Una de las dificultades no menores fue la idea más o menos

corriente que del trabajo del escritor tenía el medio del exilio que encarnaba, aproximadamente, la media de la opinión más o menos corriente en ese público de vocación política, muy característico de los primeros años de la década del '70 en la Argentina: por un lado, la firme convicción de que literatura es mensaje, por el otro, de que el lenguaje literario es un obstáculo, no es real, siendo lo real el lenguaje de la declaración política o, para los más evolucionados, la incidencia de la sociología o la economía estructuralizante en el lenguaje político; de este modo, la pretensión de tensar, desde la experiencia de la literatura, el lenguaje político, podía constituir un interesante desafío así fuera tan sólo porque topaba con generalizadas sospechas; a menos que se fuera Walsh, Urondo o Conti, cuyo sacrificio político parecía dar claridad a su dimensión literaria. O, en sustitución, se podía lograr aquiescencia o tolerancia si los escritores se presentaban no como practicantes dispuestos a buscar y encontrar un camino para su trabajo sino a la manera de los neoclásicos, pulsando el estro encendido, a la eficaz manera de chilenos y uruguayos; reclamar, por el contrario, atención desde una dimensión crítica podía dar lugar a malos entendidos prolongados, de los cuales sacaban beneficio astutos demagogos de la "literatura al servicio del pueblo". En fin, no creo que se pueda decir que la literatura, como actividad seria y autónoma, como experiencia de la realidad, haya gozado de una cómoda situación en el mundo del exilio, el cual no era, sin embargo, del todo indiferente al éxito de algunos, como Cortázar, o a las estocadas de otros, como Soriano, molesto o gustable más porque se atrevió con el peronismo que porque su prosa constituye una intensa experiencia de concentración; los poemas de Gola o las figuraciones de Dorra, que no tienen esos ingredientes, no fueron advertidos, así como tampoco las preocupaciones teóricas de Usabiaga, de cuya figura de luchador político se extrapoló la sin igual vibración literaria. Para la media del exilio, más interesantes fueron los sociólogos y psicólogos y, hasta cierto punto, fueron ellos los que dieron el tono a la particular sociabilidad que se fue construyendo; el prestigio de los primeros tuvo su fundamento tanto en los sistemas explicativos que construyeron y que fueron bien acogidos por las instituciones mexicanas como en la forma misma de su trabajo, vinculado con fondos y subsidios: conseguirlos autorizó discursos menos técnicos que los que los justificaban; en todo caso, en una prolongación de la imagen que se había creado antes de 1974, los sociólogos tendían a ser oraculares y a dar peso racional a ciertas creencias políticas, razón por la cual no será del todo inútil estudiar en el futuro el tipo de incidencia que pudieron haber tenido en la paulatina socialdemocratización que se registra en diversos sectores políticos argentinos. Los psicólogos, por su lado, se dividieron entre quienes estudiaban y quienes justificaban; como mucha gente necesitaba ser justificada, los psicólogos constituyeron un sector importante, que avalaba o censuraba y que, además, había logrado reestructurar un tipo de vida bastante parecida a la que habían debido abandonar, lo cual siempre es tranquilizante; salvo Laura Bonaparte, que no se hizo conocer por psicóloga sino por valiente, obstinada y lúcida ''madre de desaparecidos''.

20. Además de sus aportes, que reanimaron la sociología mexicana, los sociólogos argentinos crearon la expresión ''a nivel de'', que tuvo extraordinaria fortuna.

21. Cuando empezó el proceso de desgajamiento de los montoneros, el clima de discusión cambió; quiero decir: se amplió; esos separados, críticos de una organización que habían ayudado a perfilar, respiraron, empezaron a mostrar curiosidad, recuperaron la noción del ''otro''; lo mismo ocurrió, aunque en menor escala, con emigrados del ERP y de otros grupos armados menores. Para algunos, la respiración fue sólo un suspiro, pues pronto reingresaron al viejo tronco peronista que no los recibió como el patriarca al hijo pródigo sino con toda la desconfianza del caso. En fin, estas tormentosas relaciones no son mi asunto pero sí tales desgajamientos, porque abrieron sensibilidades y, en general, una mayor afectividad e inteligencia empezó a manifestarse. En lo político, específicamente, expresiones tales como ''partidocracia'' o ''democratismo'' estaban dando lugar, poco a poco, a las más respetuosas de ''partidos políticos argentinos'' y ''democracia''; el único radical que estaba entre nosotros, el lamentado Miguel Angel Piccatto, que solitariamente había hecho una revista llamada ''La República'', empezaba a ser considerado; gracias a él también había radicalismo en el exilio. Algunos, que sin mayor vocinglería, se habían metido en talleres literarios, empezaron a mostrar sus producciones: ciertos premios hicieron pensar que algo debía haber en eso que se llama literatura, pero ni aun en ese instante hubo nada parecido, ni remotamente, a lo que había pasado con el exilio español, para el cual los escritores y poetas eran objeto de interés general y, además, pudieron proseguir y refinar aun más sus respectivas líneas. Queda por valorar, ciertamente, cada obra producida en el exilio para ver de qué manera el exilio ha podido entrar en ellas o ha sido rechazado, para determinar los índices de reiteración o modificación y, sobre esos parámetros, integrar toda esa producción al proceso general de la literatura argentina, al margen de territorialidades un poco tontas, investidas de sórdida axiología.

22. No se puede dejar de lado la experiencia radical del exilio que no es, como lo leo en la revista *Sitio,* la oportunidad que se les brinda a algunos de tergiversar el orden de un discurso, sino problema de un país que mató, hizo desaparecer y expulsó a muchos de sus hijos, más de lo que nunca nadie hubiera imaginado. Lo que no quiere decir que el territorio que el exilio construyó estuvo al margen de las homólogas miserias que recorrían y afligían al país: también el exilio tuvo sus viajes a Miami, pero no creo que haya tenido sus diarios *La Opinión*.

23. Aunque desde 1977 se habían iniciado planes culturales y de solidaridad, tendientes éstos a crear las condiciones de una convivencia entre nosotros y aquéllos tanto a hacer conocer la situación argentina como a vincularnos con el medio mexicano, fue después del Mundial de Fútbol del '78 que la palabra exilio comenzó a ser más asumida y casi todos los argentinos a reconocerse en ella: la cosa iba para largo. Comenzó una discusión política, en varios planos, desde el académico hasta el de la formación de grupos: aunque sea por la voluntad de hablar se dibujó una nueva forma de entendimiento entre nosotros que, sin embargo, se negaba a producir un corpus de pensamiento; en cambio, produjo avatares complicados, con nuevas rupturas, con nuevas desinteligencias, con nuevas decepciones: fue a raíz de la aparición de testimonios de sobrevivientes de campos de detención clandestina y de exterminio que las cosas se agriaron, acaso porque el horror que revelaban destruía ciertas finuras de análisis: para algunos fue casi fácil bloquear su efecto atribuyéndolos a maniobras de inteligencia de la dictadura; otros dijeron, inclusive, para ser equidistantes, que había madres de desaparecidos de ambas partes. Además de lo que ciertos articulistas podían argumentar, llamaba la atención en *Controversia* el tono desapasionado, de periodismo semanal, que tenían sus editoriales. Era complicado entenderse y aceptarse y, de hecho, cuando eso ocurría era con gran dificultad, como si todos estuviéramos sometidos no sólo a nuestros antiguos compromisos y fantasmas sino a otros nuevos que se dibujaban imprecisamente y que nos hacían balbucear en vez de articular un discurso fuerte y coherente. Sin embargo, se hablaba libre y apasionadamente, hasta se votaba. Hubo reuniones que me parecen históricas: una, o una serie, cuando se trataba de saber si defenderíamos o no a un grupo de argentinos acusado por la policía mexicana; la otra, cuando se precipitó lo de las Malvinas; en el primer caso, pese a que algunos argentinos se declararon a favor de la policía, defendimos a esos compatriotas; en el segundo, pese a inevitables brotes de patrioterismo, que iban desde desfilar con banderas frente a la Embajada Británica, hasta lanzar ingeniosos argumentos acerca de la riqueza de alimentos en el Atlántico Sur, pasando por la mística de la sagrada unión nacional frente a la cual la represión y entrega pasaban a tercer término, logramos formular una posición global del exilio que considero más clara, limpia y adecuada que todo lo que en ese mismo momento se podía formular en la Argentina. Razón de más para considerar que la voz del exilio interpretaba voces que en la Argentina no podían sino esperar pero que ya habían tomado forma y, como se vio poco después, con mucha mayor potencia. Más aún, que ésa era su obligación.

24. Para dar a México una idea de lo que podía ser la acción escrita del exilio hicimos una exposición de libros y artículos de revistas publicados en México esencialmente y también en Venezuela y algo de España. Expusimos más de ciento cincuenta títulos, a fines de 1979, aunque no sólo de literatura. Tengo la impresión de que los autores allí expuestos no

han hecho mención de ello en las entrevistas que a su retorno a la Argentina se les han realizado. Por la misma razón tengo la idea de que no se ha hecho un inventario de lo que se produjo en el exilio, de modo que quienes no han salido del país no tienen una idea clara y se imaginan muy en general, aunque, por cierto, en muchos casos no quieren saber. Pero también los exiliados lo quieren olvidar: de lo contrario se habrían hecho tales recuentos. Sin la exhaustividad que habría sido necesaria, para evitar un excesivo confesionalismo, hicimos un informe dirigido al presidente Alfonsín en el que marcábamos las grandes líneas de lo que fue el exilio: el presidente aún no respondió al envío y los periódicos no aprovecharon del informe para analizar un punto preciso de la historia argentina reciente. Yo creo sin embargo que en algún momento deberá hacerse esa historia y ya he registrado síntomas de interés: un profesor francés, de la Universidad de Grenoble, me ha escrito en ese sentido, se está apasionando por esa investigación.

25. Alguna vez pensé que hacer la narración del exilio como tal habría requerido de un Thomas Mann, tal era la diversidad y complejidad de tramas y situaciones, desde los reencuentros patéticos, de náufragos, hasta los desencuentros generacionales, desde los primeros muertos hasta los primeros niños nacidos para hacer perdurar la especie argentina, desde nuestros más humildes pedidos hasta nuestras ambiciones e intrigas, desde nuestro formal colectivismo hasta nuestro efectivo individualismo, desde nuestros primeros logros hasta nuestros desencantos, desde nuestras clausuras hasta nuestras fiestas, desde nuestras grandezas solidarias hasta nuestras miserias ideológicas, desde la irrupción de nuestro pasado hasta nuestro aprendizaje de nuevas costumbres y la admisión de nuevos gustos, desde nuestra angustia por lo que del país natal se nos escapaba hasta nuestro deslumbramiento por otras culturas y otros lenguajes. No tuvimos a un Thomas Mann y, en consecuencia, no tenemos el gran fresco de las intrincaciones que, puestas en la situación representada, nos podrían revelar la clave de lo que ocurrió en nuestro país, final de las ilusiones populistas para unos, final de las esperanzas humanistas para otros, final de la racionalidad de la izquierda para otros, final de un sueño de identidad cultural y política y comienzo de una perspectiva autoritaria, exigida por el creciente autoritarismo que rige el mundo para otros. Lo cual, pensando en la literatura, no quiere decir que ni el exilio ni lo que ocurrió en estos diez o doce años en el país no hayan penetrado en nuestra novela, plano que sería el más inmediato, ni en nuestros lenguajes literarios; diría aun más, en nuestro imaginario, entendido como el lugar en el que tienen lugar los procesos de transformación de la instancia social en entidades singulares, en formaciones verbales y simbólicas diferenciadas. Lo cual, tampoco, quiere decir esos textos que introdujeron demasiado rápidamente el mero tema del exilio, o los lamentos subsecuentes con la quizás aviesa intención de bloquear su introducción en la escritura misma, del mismo modo que no falta quien

haya desarrollado ya el tema de los desaparecidos o de la represión con la aviesa intención de bloquear la crisis que implicaría dejar entrar en el imaginario esa experiencia de lo real histórico. Yo creo que se debería tratar de ver en los textos de este período la manera en que operó la experiencia de lo real histórico para producir modificaciones esenciales, ya sea alterando lenguajes y estructuras, ya llevando a concentrar y a apremiar el fondo libidinal del lenguaje, ya introduciendo nuevas pátinas a la coloración de las frases, ya suspendiendo continuidades y arriesgando vacíos de sentido. Yo creo que ya hay algo de eso, pero no será fácil aquilatarlo en la medida en que no hay al respecto programas ni manifiestos, como si se tratara de un nuevo movimiento, en torno de estas marcas, pero también porque estas marcas mismas constituyen una exigencia acaso arbitraria, que no se tendría derecho a generalizar para examinar su presencia o su ausencia. Pero si esto, a pesar de lo arbitrario de la formulación, ocurre, ha ocurrido y sigue ocurriendo en el silencio de las mutaciones que la literatura es capaz de hacer y que garantizan su salud y su futuro de modo tal que al hacerse cargo de la circunstancia histórica se habrán creado las condiciones para nuevas salidas, siempre que se crea, desde luego, que una literatura es más aquello que la pone en tensión que los logros; como siempre en nuestros países, sobre nuestras carencias y desgracias se construye, en lo imaginario por lo menos —que al fin y al cabo es lo único que podemos exhibir sin vergüenza—, una gran riqueza, la de los dos tramos de nuestra literatura, aquel en el que nos reconocemos y deseamos continuar, aquel que se abre frente a nosotros como el desafío, justamente, de la continuidad.

LA NARRATIVA ARGENTINA
(Estos diez años: 1975-1984)*

JORGE LAFFORGUE

Al declinar la presión de la dictadura franquista sobre el conjunto de la sociedad española, y ante un destape que se avecinaba sin medias tintas, las expectativas culturales alimentaron un optimismo que, no pocas veces, rozó el delirio. Pero los augures equivocaron los signos. Al menos en el campo literario. Porque si bien el tráfico artístico se intensificó, y surgieron líneas inéditas o afloraron otras subterráneas, y se dieron a conocer nuevos nombres, y retornaron venerables patriarcas exiliados, no se produjo una renovación profunda. Ningún Joyce, ningún Kafka, ni siquiera un Vargas Llosa o un García Márquez nos habría de deparar la literatura española posfranquista[1].

Este fenómeno, tan cercano a nosotros, los argentinos, por muchos motivos, hubiese tenido que servirnos de advertencia: un antídoto contra euforias innecesarias.

Repitamos lo que ya nadie ignora: a partir del accionar de la Triple A y sus aledaños, con mayor dureza desde que el 24 de marzo de 1976 las Fuerzas Armadas se apoderaron del aparato del Estado, la sociedad ar-

* Este breve trabajo tiene su antecedente más lejano en un cursillo que dicté en la Librería Clásica y Moderna de Buenos Aires a mediados de 1982, y el más cercano y directo en una nota publicada en el semanario *Prensa Económica* (Buenos Aires, setiembre de 1984; año X, Nº 112, p. 27). Salvo ajustes menores, conservé el tono nada intrincado del artículo periodístico, pues me pareció adecuado al encuentro de Maryland (en otros términos, me pareció adecuado plantear allí algunas puntas de reflexión que contribuyeran al debate y al diálogo, casi un esquema para la discusión). Pero ahora (VIII/1985), cuando Saúl Sosnowski me solicita autorización para incluir el texto en un volumen donde ha de reunir la totalidad de las ponencias, advierto su excesiva levedad, especialmente para su lectura —fetichismo del libro mediante— en un contexto impreso. Sin embargo, modificarlo supondría traicionar una situación que en absoluto merece enmiendas ni deslealtades mayores. He optado, entonces, por aclarar ciertos puntos de desarrollo muy ceñido o que suponían sobrentendidos o, simplemente, que podían confundir al lector. Las notas, agregadas a mi exposición del 3 de diciembre próximo pasado, pretenden cumplir esa función aclaratoria y/o complementaria. Dada la extensión de las mismas, han sido agrupadas al final del artículo, conformando un peculiar *Anexo*.

De todos modos, insisto en el espíritu que dio origen al texto: ser un punto de partida; también, desdogmatizar, lo que supone trabajar en pro de una visión, o mejor, de una práctica plural, abierta y dinámica de nuestro quehacer cultural.

gentina se vio afectada por males sin precedentes: un virus oscuro, desquiciante, que se extendió por todos y cada uno de los miembros y funciones del cuerpo social.

Consecuentemente, en el campo literario también hubo desaparecidos[2] y exiliados, prohibiciones y censura, sostenida represión y miedo[3]. Sin embargo, el aparato visible de la cultura consagrada prosiguió su marcha con escasos inconvenientes: ni Borges, ni Mujica Laínez, ni Sabato, ni Bioy Casares fueron molestados; academias e institutos no detuvieron su funcionamiento (o sus respectivas rutinas)[4]; aunque mermó la producción literaria local, no pocos escritores publicaron sus libros en Buenos Aires y, puntualmente, los suplementos culturales de los grandes diarios dieron cuenta de ellos.

Actitud: examen frente al espejo

Bajo esta pátina de formalidad resguardada, a la vez que frente a las mordazas, la diáspora y la sangre derramada, era posible advertir un complejo reacondicionamiento de proyectos, estrategias e intereses[5].

En forzado repliegue, la literatura —no la hecha sino la que pujaba por hacerse, haciéndose— se autoexaminó con rigor, reflexionó sobre sí misma y afinó su instrumental técnico tanto como su bagaje conceptual. A tales efectos, el psicoanálisis —en particular el lacaniano—, los formalistas rusos y, como siempre a orillas del Plata, algunos estudiosos franceses —Barthes en primer lugar— fueron frecuentados (a veces simplemente "oídos") por muchos de los escritores argentinos del '70.

Beatriz Sarlo ha observado que "huellas del trabajo con las teorías literarias, citas evidentes y ocultas, señalan el camino que (durante los años del Proceso) ha de seguir la escritura: escribir lecturas, parodias, ficciones que tienen a otras ficciones en su origen. La literatura mira a la literatura y es su espejo; más aún, la narración mira al ensayo y le pide su forma, mira a la traducción y le pide el ritmo de su sintaxis"[6].

Si bien estas observaciones pueden tener —tienen— carácter general, se aplican más específicamente a determinados escritores y textos; menos a un grupo constituido que a un espectro heterogéneo de relatos heterodoxos, cuyos inicios podrían datarse hacia 1973, año en que se publican *El frasquito* de Luis Gusmán y *Sebregondi retrocede* de Osvaldo Lamborghini. Luego, ya en el umbral de los '80, *La Vía Regia* de Germán García, *Copyright* de Martini Real y *Respiración artificial* de Ricardo Piglia suponen ampliaciones laboriosas de ese espectro, que en años recientes habría de cobijar textos de Alberto Laiseca y César Aira, de Noemí Ulla y Liliana Heker, entre otros[7].

Casos: aventura, fantasía e intriga

Hay zonas —sectores amplios dentro del campo literario nacional— que históricamente se han mostrado fecundas: con notoriedad la narrativa policial y la fantástica (el insoslayable Borges disipa cualquier duda al respecto).

En el género policial, el pasaje de la tendencia clásica o de la novela-problema, también llamada inglesa, a la dura, de origen norteamericano, se inicia hacia 1960 pero se acentúa hasta el total desplazamiento a mediados de la década del '70. Varios textos de Juan Carlos Martini, José Pablo Feinmann, Sergio Sinay, Pablo Urbanyi, Leonardo Moledo, Rubén Tizziani, Ricardo Piglia o Mempo Giardinelli, por ejemplo, se inscriben en esta tendencia; tendencia que entre nosotros supone tanto una reflexión sobre la violencia como una parodia del género (nada se desdeña: guiños al lector, homenajes explícitos, cruces de caminos, etcétera)[8].

En cuanto a la literatura fantástica (englobando en ella el desarrollo específico de la ciencia ficción, aunque quizá sea más correcto establecer distinciones), el trabajo tesonero en innumerables direcciones —como editores, teóricos, traductores, antólogos, etcétera— de algunos verdaderos adictos —Francisco Porrúa, Pablo Capanna y Marcial Souto son nombres ineludibles— ha contribuido a dar frutos excelentes. Angélica Gorodischer, con su saga de *Kalpa imperial*, Elvio E. Gandolfo, con algunos de sus cuentos, y Carlos Gardini, con cuatro libros publicados en el curso de estos dos últimos años, marcan a fuego ese nivel de excelencia[9].

En cuanto a las delimitaciones sectoriales, resulta oportuno transcribir las siguientes precisiones de Capanna: "En general, (estos nuevos escritores nacionales: a los tres mencionados cabría agregar, entre otros, los nombres de Rogelio Ramos Signes, Eduardo Abel Giménez y Sergio Gaut vel Hartman) cultivan una literatura fantástica no tradicional, que linda con la ciencia ficción, la atraviesa y sale libremente de su ámbito, con escasa presencia del elemento científico-tecnológico. Aun la obra de Angélica Gorodischer, quien manifiesta su afiliación al género, difícilmente podría encasillarse en sus normas más ortodoxas; en cuanto a los cuentos de Gardini, sólo una parte de ellos pertenece a la ciencia ficción. Quizá el rasgo más común sea que nuestros autores no hacen ciencia ficción a partir de la ciencia, como ocurre en países industriales donde la ciencia impregna la vida diaria; son escritores que se han formado leyendo ciencia ficción y en cuyo mundo espiritual importan las convenciones y los mitos del género. Decir que aquí se hace cf a partir de la cf no es decir que se hace literatura de segunda mano; por el contrario, puede significar cortar camino hacia las corrientes más avanzadas del ámbito mundial. Argentina, desindustrializada y estancada por la soberbia, la deshonestidad y la intolerancia de varias décadas, paradójicamente puede llegar a encontrar una forma de expresión válida en esta literatura"[10].

Tales pasajes, heterodoxias y ensimismamientos ratifican, a través de estos "casos" particulares, aquella actitud general cuestionante y autocuestionadora que señalé como marca de época. Otro rasgo llamativo, que casi conformaría una constante en la historia literaria argentina, es la producción cruzada —alternativa o simultánea— de relatos tanto fantásticos como policiales: si en los inicios estuvieron Eduardo Holmberg, Eduardo Gutiérrez y Horacio Quiroga, y en la etapa clásica Borges, Bioy Casares y Enrique Anderson Imbert; hacia el presente confirman esa singular tradición Eduardo Goligorsky, Elvio Gandolfo y Leonardo Moledo, por ejemplo.

Pero las cruces suelen darse también con la novela de aventuras. Sin necesidad de remontarnos a la rica producción folletinesca nacional, recordemos ya en los años '50 a Oesterheld (Sargento Kirk, Bull Rockett, El Eternauta) y prestemos luego, y ahora, atención a la historieta y el humor gráfico; sin olvidar la mención de un texto notable publicado en 1979: *El náufrago de las estrellas*, de Eduardo Belgrano Rawson[11].

Inclusiones: presencia de otros códigos

Conrad o Hammett o Bradbury no carecen de prestigio, aunque sus respectivas escrituras se inscriban en zonas poco ortodoxas, incluso menospreciadas o desvalorizadas, del campo literario. Algo muy similar ocurre con Feinmann o Gardini o Belgrano Rawson. Pero el trabajo sobre las claves del *hard-boiled* o de la cf se realiza dentro del campo literario, aunque sea en sus márgenes; mientras que poner la pluma —o la máquina de escribir— al servicio de los medios de comunicación masivos: escribir guiones cinematográficos, radioteatros, teleteatros, notas periodísticas parece escapar al campo, romper sus márgenes, extrovirtiendo la relación intrínseca de la literatura hacia otros códigos.

En el terreno acotado de la narrativa nacional, el cine ha tenido una fértil influencia, muy acentuada en los últimos años. Casi ninguno de los jóvenes escritores que he mencionado en el apartado anterior ha dejado de sentirla y de, con frecuencia, proclamarla enfáticamente. Pero es también posible establecer un grado mayor de compromiso entre relato literario y cinematográfico: cuando no sólo se trata de una incidencia referencial, sino que la trama misma de la escritura aparece articulada o respondiendo a un código cinematográfico, como en los casos diversos de Manuel Puig y de Osvaldo Soriano[12].

El periodismo —profesión de sustento para gran parte de nuestros escritores— deja también sus huellas en ciertas propuestas narrativas. Desde luego, a distintos niveles: mientras algunos narradores parecieran esforzarse en la diferenciación, otros no establecen límites y hasta se muestran diestros en los desplazamientos, combinaciones y cruces. No hay que olvidar tampoco una fuerte tradición nacional, donde se inscriben nombres de primera línea, como los de Fray Mocho, Payró y Arlt.

La historia del periodismo argentino en los últimos diez años abunda en desapariciones, exilios, silencios rigurosos y acciones vigiladas; seguramente en esos años se ha labrado el acta de defunción del periodismo brillante, antisolemne y presuntuoso consolidado en los años '60 a través de órganos como el semanario *Primera Plana*. Uno de los artífices principales de ese "nuevo periodismo" acaba de reinstalarse en su —nuestro— país mediante la publicación de *Lugar común la muerte*, un volumen de artículos-relatos protagonizados por Martínez Estrada, Ramos Sucre y Macedonio Fernández, entre otros, y con *La novela de Perón*, que se está editando por entregas semanales. También narradores como Eduardo Gudiño Kieffer, Jorge Manzur y Osvaldo Soriano han incursionado en formas diversas del texto periodístico-ficcional. Pero quizá el caso más relevante surgido en los últimos años en tal sentido sea el de Jorge Asís-Oberdán Rocamora[13].

Sociedad: de rupturas y regresos

La obra de Asís no sólo importa en un nivel de análisis y trazado literarios sino que ha configurado un hecho de marcadas aristas sociológicas, dignas de un examen pormenorizado. Mil novecientos ochenta (1980) es un año clave en nuestra literatura: el año de *Respiración artificial*, de Piglia, pero también el de *Flores robadas en los jardines de Quilmes*, comienzo de la saga *Canguros*, cuatro volúmenes cuya expresión literaria más lograda es el insert *La calle de los caballos muertos*. En 1980 *Flores robadas en los jardines de Quilmes*, junto con *Juanamanuela mucha mujer* de Martha Mercader, quebró una constante cultural instalada al calor de la política económica promovida por Martínez de Hoz. Si exceptuamos alguna novela de Silvina Bullrich, el predio de los best-sellers pertenecía exclusivamente a connotados escritores extranjeros, por lo general fabricantes de productos ad hoc. Pues bien, con esa novela, que hacía referencia nada encubierta a los años de la represión más dura, Asís clausuró el período del debate subterráneo, sacando a luz el latente interés de un público vasto por los temas nacionales, abriendo una brecha que habría de encontrar su pleno reconocimiento tres años después[14].

Como nadie ignora, durante ese lapso se fue deteriorando la política implementada por el gobierno militar, cuyo golpe de gracia se produjo al promediar 1982 (cuando las Fuerzas Armadas argentinas fueron derrotadas por tropas británicas en el Atlántico Sur). Desde entonces, de una manera gradual y contradictoria al comienzo, luego acelerando su onda expansiva hasta el ímpetu de estos últimos tiempos, tuvieron lugar el auge del ensayo político junto con el resurgimiento de los trabajos en ciencias sociales, el levantamiento de la censura y la práctica de una discusión abierta, el regreso de los exiliados y el reintegro de muchos de ellos al quehacer efectivo del país, para sólo mencionar algunos de los hechos más salientes en el campo cultural.

Así, por ejemplo, en estos dos últimos años, o sea en el transcurso de 1983 y 1984, Héctor Tizón y Antonio Di Benedetto, Pedro Orgambide y David Viñas, Humberto Costantini y Mempo Giardinelli, Juan Carlos Martini, Vicente Battista, Osvaldo Soriano, Adolfo Colombres y Federico Moreyra, entre los narradores, los poetas Ariel Ferraro, Jorge Boccanera, Vicente Zito Lema y Horacio Salas, los cientistas sociales José Aricó, Juan Carlos Portantiero, Emilio de Ipola, Alcira Argumedo y Oscar Terán regresaron para quedarse; y es claro que no fueron los únicos en tomar esta determinación. Muchos otros lo hicieron temporariamente. Desde entonces todos pudieron volver a publicar sus obras en el país, como hoy siguen haciéndolo.

Por otra parte, aunque los ámbitos educativos y culturales no se han renovado a fondo y subsisten enquistados en ellos personeros del régimen anterior, se produjeron beneficiosas remociones y reformas, e incluso algunas instituciones oficiales (como el Centro Cultural General San Martín, dirigido por el novelista Javier Torre, o la Dirección General de Bibliotecas porteñas, a cuyo frente está Eduardo Belgrano Rawson, que dependen de la Secretaría de Cultura de la Municipalidad de Buenos Aires, enérgicamente comandada por otro escritor, Mario ''Pacho'' O'Donnell; o también el Centro Cultural Bernardino Rivadavia, de la ciudad de Rosario, que dirige el narrador Jorge Riestra) [15] despliegan una actividad fervorosa e incesante, tras varios años de letargo burocrático y de sopor ideológico.

Pero conviene detenerse en medio de este ajetreo colorido, bullanguero, medio presuntuoso y medio atolondrado, para otear el panorama —en rigor, para examinarlo con el cuidado que se merece— y comprobar si, más allá de tanto ruido, quedan algunas (pocas) nueces.

Sólo apuntaré un par de datos para iniciar el necesario desbroce en lo que hace a los textos significativos de la producción reciente, tanto como a las nuevas propuestas en el campo narrativo, con un breve agregado sobre la inserción social del escritor.

En cuanto a este último punto se trata menos de descubrir la pólvora que de recordar algunos conocimientos de cajón que, equivocadamente, no trascienden el nivel de la sociología casera. Los autores de *Canguros* y *Cuarteles de invierno* son los dos novelistas jóvenes (precisando, cuarenta años de edad promedio) que han logrado captar a un público amplio (en tal sentido cabría consignar también el nombre de Enrique Medina y, en menor escala, tal vez el de Mempo Giardinelli, que en 1984 ha comenzado a difundirse en nuestro país). Dicho de manera más explícita: Asís, Soriano y Medina son escritores que han roto el circuito de los ''interesados'', de los hombres de letras y sus adláteres, o sea que han accedido a ''otros'' lectores: sus obras más difundidas sobrepasaron holgadamente la barrera de los diez mil ejemplares mientras que ellos (escritores convertidos en personajes) fueron ''nota'' en revistas de gran circulación (así es; antes que los propios textos, ellos: los entretelones de sus vidas, sus fantasías, el horizonte de sus módicas glorias)[16].

En cuanto a textos narrativos no desdeñables editados en estos dos últimos años, sin duda puede mencionarse más de un buen ejemplo: *Pretérito perfecto*, del tucumano Hugo Foguet; *El entenado*, de Juan José Saer, un santafesino que desde su residencia francesa (se afincó en París en el '68) ha confirmado los excepcionales valores de su escritura; *La casa y el viento*, del jujeño Héctor Tizón; también *Composición de lugar*, de Juan Carlos Martini; *Fuego a discreción*, de Antonio Dal Masetto; *El libro de todos los engaños*, de Vicente Battista; *Recordando en el viento*, del entrerriano afincado en El Bolsón Diego Angelino; *El pintadedos* de Carlos Catania, escritor y hombre de teatro santafesino de larga permanencia en Costa Rica. Estos títulos se suman a los pocos citados (*Kalpa imperial*, de Gorodischer, p.ej.) o aludidos (*La reina de las nieves*, de Gandolfo, p.ej.) a lo largo de esta nota, sin ánimo de completar una lista prolija, pero sí con el de plantear omisiones e inclusiones en un acotado debate. Durante el bienio —poco antes, seguramente poco después—, junto a estos nombres ya conocidos, surgieron otros nuevos, con propuestas narrativas a tener en buena cuenta: el mencionado Carlos Gardini, Alan Pauls, Martín Caparrós, Héctor Maldonado, Ana Basualdo, el veterano —no es una *boutade*— Rodolfo Fogwill, son algunos de ellos[17].

De todas maneras (¿de qué maneras?), puede afirmarse que el camino abierto por Arlt / Borges / Marechal / Cortázar sigue siendo el transitado por la mejor narrativa argentina contemporánea[18].

Doble final

Y así —retornando al comienzo—, tanta euforia, tanta prueba y alerta, no han conformado aún el Gran Cambio: no han surgido textos fundacionales. ¿Como en la España posfranquista? Tal vez sea prematuro afirmarlo[19].

Y para matizar el final de efecto, agrego otro —con su cuota autocrítica— que me cede un poeta chileno:

> "No confundir las moscas con las estrellas:
> oh la vieja victrola de los sofistas.
> Maten, maten poetas para estudiarlos.
> Coman, sigan comiendo bibliografía"[20].

ANEXO

Las notas que siguen, más que brindar precisiones bibliográficas o aportar datos suplementarios (aunque algunos agregué en la correción de pruebas), buscan extender el texto central, ampliando su horizonte de discusión sin exceder no obstante el marco de la ponencia de diciembre de 1984. Por tal razón y también por su extensión he preferido incluirlas al final del artículo, como (uno o varios) texto complementario.

1. Con respecto a este introito retórico se me preguntó en Maryland si no me parecía que cargaba demasiado las tintas. La retórica no siempre se opone a la verdad, incluso puede ser un camino hacia ella. Mi juicio sobre el reciente proceso literario español no sólo me parece de fácil prueba, sino que no dudaría en extenderlo a otras áreas del campo cultural. Para poner un ejemplo filoso: el cine. Con frecuencia y entusiasmo, desde hace aproximadamente dos décadas, se habla del "nuevo cine español". Pero reconocer sus logros no significa desconocer sus límites: si bien es cierto que obras como *El espíritu de la colmena* y *El sur* rezuman excelencias y que, además de Víctor Erice, han dirigido filmes notables Manuel Gutiérrez Aragón, Jaime Chávarri, Pilar Miró, José Luis Garci y Jaime de Armiñán, entre otros; también es cierto que ellos se suman a los veteranos Caminos, Picazo, Camus, Olea y, sobre todo, al deslumbrante Saura de los '60, y aun hacia atrás al desafío de Juan Antonio Bardem y de Luis García Berlanga, para no incurrir en la mención de Buñuel. Y entonces resulta sencillo preguntarse: ¿en la muy variada y rica producción cinematográfica española de hoy, existen acaso muchos filmes parangonables a *Viridiana*, a *Bienvenido Mr. Marshall* o *El verdugo*, a *Calle Mayor*, a *La caza*? Por cierto, no muchos.

Obviamente, apoyar las líneas generales de un determinado desarrollo histórico no supone aplaudir todos y cada uno de sus pasos; la apertura y el florecimiento culturales que vive el pueblo español en los últimos años conforman un seguro beneficio social, pero de ninguna manera certifican la bondad estética de sus múltiples manifestaciones particulares. No sé si el artista es un buitre que se alimenta de carroña, según lo quiere Mario Vargas Llosa; pero menos me gusta la imagen de los alegres canarios cantores.

Volviendo al ámbito específico de las letras: acabo de leer un comentario de Ricardo Bada, seguido de una miniencuesta que responden Julián Ríos, Fernando Savater, Alfonso Sastre y Pere Gimferrer, entre otros. La nota de Bada se inicia así: "Por duro que pueda resultar decirlo, peor sería andarse por las ramas: la literatura española contemporánea carece de importancia y de peso específico en el panorama de aquella que Goethe denominó universal *(Weltliteratur)*." Y a poco agrega: "Entiendo, y no me siento a solas al decirlo, que la *Weltliteratur* escrita en español de nuestra guerra civil en adelante es aquella que se ha gestado en una América que nos obstinamos en llamar Latina". ("¿Es aburrida la literatura española?", en *Quimera*, Nº 43, Barcelona, Montesinos Editor, cfr. p. 12.)

Para una síntesis sobre el proceso de las letras castellanas en lo que va del siglo, remito a mi artículo "Vida literaria y desarrollo editorial", en el suplemento especial del diario *La Opinión* dedicado a España, Buenos Aires, 26 de noviembre de 1978, pp. V-VI.

2. Desaparecidos fueron, son (y seguirán siéndolo) Rodolfo Walsh y Haroldo Conti, dos de los más altos valores de la narrativa argentina contemporánea; Héctor G. Oesterheld, maestro mayor de nuestra historieta y precursor de la ciencia ficción en estas latitudes; Francisco Urondo, Miguel Angel Bustos y Roberto Santoro, poetas relevantes que pulsaron tres cuerdas distintas; Dardo S. Dorronzoro, viejo anarco residente en Luján y ponderado novelista; Diana Guerrero, autora de un ineludible ensayo crítico sobre Arlt; Carlos Pérez, editor y periodista; Alberto "Barbas" Burnichón, apasionado difusor de poesía. Menciones necesarias, para no olvidar (no para santificar a nadie).

En *Nunca más* (Buenos Aires, EUDEBA, 1984), volumen que contiene el Informe de la Comisión Nacional sobre la Desaparición de Personas (CONADEP), se hace constar que "8.960 personas continúan desaparecidas al día de la fecha", y en sus páginas 372-74 se transcribe una nómina de 84 periodistas que entran en esa "categoría tétrica y fantasmal".

3. Para quienes durante la dictadura militar, autodenominada "Proceso . . .", pudimos quedarnos en el país y sobrevivir con relativa entereza, el miedo fue un compañero de presencia persistente, ruin e insoslayable. Como observador o protagonista, cada uno de nosotros participó de no pocos episodios signados por ese aire a veces difuso, otras fuertemente sofocante, nunca ausente.

El miedo asumió múltiples máscaras. Una de las más conocidas fue la autocensura. De mi abultado anecdotario personal extraigo este episodio ilustrativo: en mi condición de asesor literario de la Editorial Losada había recomendado y, hecho no muy frecuente, logrado que se aprobara la publicación de dos novelas de autores argentinos noveles: *Cuatrocasas*, de Eduardo Mignogna, y *Toño tuerto, rey de ciegos*, de Mempo Giardinelli. Su distribución en librerías, prevista par mediados de 1976, nunca se produjo. ¿Por qué?

Cuando el golpe militar, ambos libros estaban ya impresos en los talleres gráficos Americalée; su propietario-gerente, el Sr. Héctor Landolfi (cuyo padre había editado en nuestro país la mejor literatura anarquista) juzgó conveniente —o necesario— leerlos, pues una flamante disposición de la Junta de Comandantes establecía la condena no sólo del autor sino de todos los que hubiesen colaborado en la producción de cualquier escrito "subversivo". Y he aquí que nuestro joven impresor se perturbó al leer aquellas dos novelas, las juzgó encuadradas en las normas de la Junta y, en consecuencia, se negó terminantemente a entregar los libros al editor. Sucedió entonces que: a) al enterarse los directivos de Losada de la negativa landolfiana se indignaron, amenazando no pagar el trabajo y hasta romper la antigua relación comercial y de amistad; b) hubo varias gestiones conciliatorias, de las cuales participé, que no arrojaron ningún resultado positivo (Landolfi, que seguía en sus trece, confesaba ver con buenos ojos las normas de responsabilidad compartida que le permitían erigirse en censor); c) con desgano, los directivos de Losada hojearon los libros cuestionados, pero sobre todo comenzaron a mostrarse dubitativos e inquietos ante la firmeza del acusador, ante su arrogante seguridad; d) finalmente, en Losada —moral en merma— el bando de "los valientes" quedó en notoria minoría y, tras ambiguos conciliábulos, editor e impresor acordaron compartir los gastos inútiles . . . Tuve entonces que explicar a los autores las "buenas" nuevas, eximiéndolos del compromiso contractual.

Pero hubo algo menos confesable, gestado a lo largo de esta penosa historia de entrecasa, una mezcla de indignación, perplejidad y alivio final, algo pringoso: *el miedo*, que en distintas medidas sentimos Giardinelli, Mignogna y yo. Yo me quedé en el país; para ellos, en cambio, el episodio se sumó a los argumentos "pesados" de sus respectivas partidas. Mignogna, que ese mismo año había logrado con el manuscrito de *Cuatrocasas* el Premio Casa de las Américas, se fue a Italia y luego pasó a España, se afianzó como cineasta (al regresar al país Mignogna ha ratificado en este terreno sus relevantes condiciones) y editó su cuestionada novela en Barcelona y en La Habana. Mempo Giardinelli partió a México, donde vivió ocho años de su profesión de periodista y cosechó señalados éxitos literarios: en ese país, en España y en los Estados Unidos publicó un libro de cuentos y cuatro novelas, entre ellas la censurada del '76, bajo el título *¿Por qué prohibieron el circo?*

De los muchos relevamientos periodísticos sobre el tema de la censura durante el Proceso, uno de los más completos fue publicado como informe especial por *Clarín revista*: "La censura en la Argentina", Buenos Aires, domingo 29 de mayo de 1983, edición Nº 13.390, pp. 3-14. (Allí conté brevemente lo que acabo de relatar en detalle.)

4. Por la negativa, aludo a otro problema: las formas de la supervivencia en el infierno.

Fenómeno duro de roer, más de padecer, que pone a prueba constantemente la percepción de nuestros límites. Se plantea entonces ¿cómo vivir bajo el látigo autoritario?, ¿es posible una vida "normal" cuando impera un régimen "anormal"?; pero profundizando la pregunta: ¿cuál es la divisoria de tales aguas?

No hay duda de que en la Argentina, frente al accionar de los personeros del Proceso, infinidad de sutilezas conceptuales quedaron abolidas. El militante sabía sus caminos: el exilio, la prisión, la clandestinidad, la muerte. Pero muchas otras personas se movían con pasos inseguros, recomponiendo —intentando recomponer— una opción por la vida cada vez más esquiva. No había que afinar el oído para escuchar las sirenas, ni ser mudo para callar, ni delincuente para temer las operaciones rastrillo. Pero, a su lado, uno también podía ver la euforia de muchos que practicaban la bicicleta financiera, que viajaban a Miami y Sudáfrica, que aplaudían sin reservas una justa futbolística, que, en fin, optaban por las pantallas, por las máscaras, por el ocultamiento. Seamos honestos, Angel Battistesa presidía la Academia de Letras sin mayores excitaciones, Kive Staiff dirigía el Teatro San Martín, aunque Brecht o Tito Cossa resultaran impotables; Borges dictaba sus poemas y se (le) permitían algunos agudos e insensatos desplantes. Aunque había múltiples "recortes": libros prohibidos, nombres que debían callarse, comentarios sólo posibles en voz muy baja, la docencia, el periodismo y las editoriales seguían siendo fuentes de trabajo para intelectuales cabizbajos. No es una crónica fácil la de esos años cercanos. Y resumo: si había una guerra sucia, había también una guerra en sordina, menos sucia pero tal vez más miserable, seguramente más corrosiva.

5. Por ejemplo, el extraordinario auge de la enseñanza alternativa. Frente a la rutina, los "recortes" conceptuales y el veto ejercido por las altas casas de estudio, muchos intelectuales —sin excluir a los propios escritores— implementan cursos privados que han de favorecer la incorporación de nuevas metodologías de enseñanza y de trabajo sobre los textos. No en vano, también por estos años los talleres literarios (como las empanadas y el dulce de leche, una invención argentina) adquirieron un desarrollo hasta entonces desconocido en nuestro medio. Paralelamente, en ciencias sociales prosperaron los centros de investigación ligados a fundaciones y organismos internacionales en desmedro de los canales oficiales.

Si el recuerdo no me traiciona —y mi recuerdo va de León Rozitchner y Oscar Masotta a Josefina Ludmer y Santiago Kovadloff— los trabajos de Lacan, Foucault, Greimas, Bajtín, Derrida, Williams, Jauss y muchos otros, se conocieron antes, más y mejor en estos ámbitos privados o restringidos que en las universidades, donde su recepción fue tardía.

6. La cita pertenece a un trabajo de Beatriz Sarlo que ha permanecido inédito, al menos en la forma que yo lo leí, pero que ella luego ha utilizado parcialmente, reelaborando su material sobre todo a través de sus notas en la revista *Punto de Vista*.

Además de los textos de Sarlo, el lector puede consultar, hacia atrás, los fascículos finales de la nueva edición de *Capítulo*, la historia de la literatura argentina publicada por el Centro Editor de América Latina, bajo la dirección de Susana Zanetti, entre 1979 y 1983; algunos de los trabajos de Luis Gregorich reunidos en 1981 en su libro *Tierra de nadie*; los prólogos de Eduardo Romano a los dos volúmenes de *Narradores argentinos de hoy* publicados por Kapelusz, cuyos análisis fueron ampliados en los seminarios del Grupo de Estudio Scalabrini Ortiz coordinado por él (cfr. revista *Crear*); mis propias y dispersas notas sobre literatura argentina, incluyendo los "balances" en el diario *Clarín* y las "columnas" en la revista *Redacción* (1981-83). En su conjunto y sin ser los únicos, estos textos conforman un breve y heterogéneo corpus para introducirnos en el desarrollo de la narrativa argentina de los últimos años.

Dije, hacia atrás; digo, hacia adelante; recientemente he leído algunas tesis de licenciatura y un par de informes presentados por jóvenes becarios del CONICET que suponen un avance en la investigación con respecto a nuestros trabajos.

7. ¿Qué espectro? Esta es una historia de múltiples cruces. Y variada raíz. Por ejemplo, el comienzo Masotta. Un intelectual brillante: por los años '50 escribía cuentos faulknerianos, era un devoto sartreano y colaboraba en *Centro* y *Contorno*; luego, en el Di Tella fue el promotor más conspicuo del happening y otras manifestaciones de la plástica contemporánea; luego, reivindicó la historieta y trazó el primer panorama completo de ese género en nuestra lengua; luego, introdujo a Lacan y por años se convirtió en su difusor más consecuente; luego, se fue del país murió aún joven en Barcelona. Oscar Masotta irradió y bien. Uno de los primeros que acusó el golpe fue el entonces narrador y hoy psicoanalista Germán Leopoldo García: *Nanina* y *Cancha rayada* fueron publicadas por Jorge Alvarez a fines de los años '60. Antes señalé el año 1973; en noviembre aparece el primer número de *Literal*, cuyo comité de redacción integran García, Luis Gusmán, Osvaldo Lamborghini y Lorenzo Quinteros, y que se inicia declarando enfáticamente: "La literatura es posible porque la realidad es imposible" (pág. 5). Eran años de efervescencias excesivas. Y con sus excesos el Proceso se encargó de demostrarlo.

Desde comienzos de los años '70, cuando Masotta prologa *Cuerpo sin armazón* de Oscar Steimberg, hasta 1975, año en que César Aire publica *Moreira* y Germán García *La Vía Regia*, se cumple una primera etapa. Con menos euforia y mayor autocrítica, estos escritores siguen trabajando bajo el Proceso (algunos se van a España).

Narradores que advienen psicoanalistas, psicoanalistas que derivan a la literatura: este cruce es fuerte, aunque no agote —ni mucho menos— las propuestas. Estudiarlas y ver qué engloban y cómo se contextualizan es tarea que permanece abierta, que la "distracción" crítica no puede seguir eludiendo.

8. Sobre el desarollo de la literatura policial en nuestro país existe una considerable bibliografía. Al respecto cfr. *Asesinos de papel. Una introducción: historia, testimonio y antología de la narrativa policial en la Argentina* (Buenos Aires, Calicanto, 1977), volumen que preparé en

colaboración con Jorge B. Rivera; también nuestro fascículo (N° 104 de *Capítulo*) y su correspondiente antología, publicados por el Centro Editor de América Latina (Buenos Aires, CEAL, 1981). Hasta existe una buena "propuesta de lectura productiva para la escuela secundaria": *El cuento policial argentino*, de Elena Braceras, Cristina Leytour y Susana Pitella (Buenos Aires, Plus Ultra, 1986).

Pero el mejor y más reciente trabajo sobre la materia pertenece a Jorge B. Rivera: *El relato policial en la Argentina* (Buenos Aires, EUDEBA, 1986). Remito a su excelente texto introductorio, del que tomo, para ampliar mis planteos, unos fragmentos:

Los nuevos narradores del género, o sea aquellos surgidos a partir de 1960 y sobre todo durante los años '70 "rebasarán el marco de los puros modelos policíacos, integrando otras flexiones e influencias literarias o culturales menos notoriamente emparentadas con el desarrollo del género. Si el principal tributo, desde luego, se verifica en la dirección de la manera *hard-boiled* norteamericana, también se perciben en algunas de sus obras, según los casos, los rastros de la literatura existencialista, del objetivismo francés, del realismo mágico latinoamericano; de la textualidad, del absurdo, del humor cortazariano, de las poéticas de vanguardia, del lenguaje cinematográfico, etcétera, y en tal sentido no resulta ciertamente casual que algunos autores se muestren reticentes frente a la calificación de 'policiales' que se otorga a sus novelas, a las que consideran como novelas 'a secas', armadas en todo caso sobre una trama que apela *circunstancialmente* (o quizá por previsibles estrategias de mercado) a elementos 'policiales' aislados o meramente adventicios.

"Puede decirse que confieren más importancia a ciertos núcleos de sentido intencionales (el tema del poder, la identidad, la mala fe, la libertad, el otro, la posibilidad del conocimiento, la autenticidad, el carácter 'impostor' del hecho literario, etc.), o que las ven como puros 'ejercicios de escritura', indispensables para romper con ciertos estereotipos del sistema literario, o para realizar un auténtico 'aprendizaje' a nivel técnico y estructural. (...)

"Los nuevos autores adoptan una posición en cierto modo 'distanciada', que opera con los hilos del humor, la parodia y la re-escritura (que no son, precisamente, las reglas explícitas del mercado *clásico*), como remarcando el carácter absolutamente 'irreal' y ficticio de esas 'máquinas imaginarias' que son las obras literarias, y en este caso particular los relatos policiales.

"La vuelta de tuerca de este nuevo tratamiento consistirá en la *conversión* de esas 'máquinas' en 'utopías', casi a la manera de la novela filosófica del siglo XVIII: 'utopías' de la violencia, de la justicia, del poder, del dinero, del establecimiento de un sentido de la realidad, de la dignidad humana, de la compasión, etc.; y al mismo tiempo, 'artificios' del lenguaje, de las convenciones genéricas, de los paradigmas del consumo, etc. (...)

''La *constante paródica* constituirá uno de los ejes de referencia permanentes de la narrativa policial argentina, asediada por la voluntad de concretar una identidad y al mismo tiempo por las dificultades de trascender un epigonismo que es fruto de modelos muy fuertes, como si en esa angosta faja de lo genérico, que se extiende asimismo hacia el terreno de la ciencia ficción y de la literatura fantástica, se condensasen los problemas de identidad y autarquía de la literatura argentina en su conjunto.''

En las páginas 19 y 20 de su ''Introducción'' Rivera menciona explícitamente a los autores de referencia (recordemos que él trabaja sobre el período 1955/85). Sus señalamientos, que acabo de transcribir parcialmente, son apropiados en líneas generales para todos ellos. Pues si no hay duda frente a *El cerco*, de Juan Carlos Martini, ni a *Últimos días de la víctima*, de José Pablo Feinmann, que para mí se cuentan entre las mejores novelas argentinas contemporáneas; tampoco se excluyen de esa problemática textos ''ingenuos'' o que empecinadamente se plantean dentro de los marcos del género, como *Sombras de Broadway* de Sergio Sinay o *Manual de perdedores* de Juan Sasturain.

Al comienzo de este trabajo hablé de repliegue, de autoexamen, de mirada ante el espejo, como actitud general de los escritores durante el Proceso. Espero que no se haya entendido que hablaba de monjes en sosegado retiro. Frente a ciertos textos del momento algunos pudieron invocar la tan mentada ''huida de la realidad''. Pero, aparte de que esa huida se me escapa, creo haber señalado una dirección que entraña lo contrario de esa sospecha; y si las reflexiones de Rivera ayudan a marcarla, me parece útil ahora ilustrarla con dos de las obras que acabo de citar.

Tienen poco más de treinta años de edad cuando, en Rosario y en Buenos Aires, Martini y Feinmann escriben *El cerco* (1977) y *Últimos días de la víctima* (1979). Dos novelas policiales: ¿denuncias soterradas o meros ejercicios de estilo? Ni lo uno ni lo otro; o, lo uno y lo otro; pero no sólo: también dos tensas meditaciones sobre los límites de la identidad, sobre la falacia individualista; dos textos que hacen de la violencia no un fenómeno recortado, sino una presencia social elusiva, amenazante, ineludible, total. Ni reflejo ni reflexión autosuficiente, ni escritura plana ni indirecta oblicua. Un golpe al espejo, al espejo aquel en que *se* miran. El mismo que se rompe cuando Mendizábal descubre sus fotos diseminadas en el (su) cuarto y oye la voz... o cuando, contemplando el paisaje como en un sueño, el Señor Stein espera que los espejos de la (su) seguridad salten hechos añico... *El cerco* y *Últimos días de la víctima:* metáforas de la Argentina de esos años.

9. Los libros de Carlos Gardini a que me refiero son: *Mi cerebro animal* (1983), *Primera línea* (1983), *Sinfonía Cero* (1984) y *Juegos malabares* (1984). Los cuentos de Gandolfo pueden leerse en su dos libros: *La reina de las nieves* (1982) y *Caminando alrededor* (1986).

Por otra parte, el trabajo más preciso sobre *La ciencia ficción en la Argentina* es la "Introducción" de Marcial Souto a la antología crítica así titulada (Buenos Aires, EUDEBA, 1985).

10. Pablo Capanna: "La ciencia ficción y los argentinos", en el Nº 10 de *Minotauro,* Buenos Aires, abril de 1985.

11. Si la narrativa policial y la ciencia ficción han tenido un desarrollo autónomo, aunque con cruces, meandros y consecuentes disparos, la novela de aventuras no ha definido un perfil propio. O quizá sólo se trate de una haraganería intelectual. Con respecto a esta cuestión, tanto a nivel general como en el caso concreto de la literatura nacional, la labor teórica y crítica se ha mostrado poco productiva. Porque en el país, desde la literatura de frontera (no sólo los textos clásicos de Mansilla y el Comandante Prado) hasta algunas ficciones contemporáneas (no sólo Belgrano Rawson, sino también Roberto Fontanarrosa o el primer Martelli, por ejemplo), hay un vasto campo inexplorado. Al menos en cuanto a realizar una lectura global desde una perspectiva cuyos elementos tampoco han sido conjugados: el relato de aventuras.

12. La relación entre el cine y la literatura ha mostrado, desde sus orígenes, la conflictividad de todo vínculo vivo. Nuestros escritores no han escapado a esa regla de oro. La particular atención que al cine prestaron un Quiroga, un Borges o un Manzi nos remite a una historia sostenida; pero en ella, a mi juicio, se ha introducido en los últimos años un elemento nuevo, menos acotado y más hondo. No ya el escritor atento al cine, como guionista o como crítico o como intelectual despierto, o cuya obra recoge algún mecanismo o incitación del arte que llaman séptimo; sino que la escritura misma de ciertos textos literarios contemporáneos se realiza *desde* el lenguaje cinematográfico, o sea que el texto (literario) se constituye a partir de la imagen, y el diálogo suele oficiar de nexo articulante.

13. La superstición y el psicoanálisis confluyen sobre esta nota: un número y un olvido. El periodista es Tomás Eloy Martínez.

En el texto de Maryland ejemplifiqué una situación general a través de cinco escritores: T.E.M., Soriano (cfr. *Artistas, locos y criminales,* libro editado en el '83, que recoge algunas de sus notas aparecidas en *La Opinión,* entre 1972 y 1974), Manzur, Gudiño Kieffer (colaborador conspicuo de *La Nación*) y Asís (cfr. *El Buenos Aires de Oberdán Rocamora,* 1981, que reúne varias de sus notas aparecidas bajo ese seudónimo poco tiempo antes en el diario *Clarín*). Cada uno de ellos representa un "caso" particular. Hay otros. Por ejemplo, Roberto Mero, de quien acabo de leer *Pinochet, penúltimo round,* extenso volumen que cruza crónica, testimonio y relato en un relevamiento notable del Chile de hoy.

En cuanto al problema general, se ha publicado recientemente un libro que puede resultar generador en más de un sentido: *Claves del periodismo,* de Jorge Rivera, Eduardo Romano y colaboradores, Buenos Aires, Ediciones Tarso, s.d.

14. Viejo tema/viejo dilema: la interrelación de los niveles económico, político y cultural de una determinada sociedad: la Argentina del Proceso, en este caso. Colaboremos en el debate remarcando algunas obviedades. La política económica del régimen militar favoreció enormemente el juego de las multinacionales y en general de las grandes empresas oligopólicas mientras los sectores populares eran duramente castigados (véase un notable análisis de esta política regresiva en el libro de Daniel Azpiazu, Eduardo M. Basualdo y Miguel Khavisse, *El nuevo poder económico en la Argentina de los años '80,* Buenos Aires, Legasa, 1986).

Con respecto a la industria del libro, los desplazamientos que produjo esa política pueden verificarse en más de un punto. Así, la "plata dulce" hizo posible, en condiciones harto fluidas, el acceso a la mesa de negociaciones de los best-sellers internacionales, a la vez que la presión interna cercenaba o recortaba amplias zonas: había que lavar cualquier discurso y ante ciertos temas era preferible "meter violín en bolsa". Se robustecieron entonces líneas editoriales como las de Emecé y Javier Vergara, mientras que fueron golpeadas —incluyendo la quema de libros— empresas como Siglo XXI, Centro Editor de América Latina o De la Flor.

Pero como nada es eterno, a comienzos del '81, el general Viola sustituye al general Videla en la presidencia de la Nación. Y queda al descubierto la imposibilidad de emparchar crecientes grietas. Volviendo al libro, me pregunto: ¿es casual que Piglia, Mercader y Asís hayan publicado en el año 80 tres exámenes muy diversos —en cuanto registros e impactos— de nuestra realidad histórica? No. Tanto que a mi juicio, en el período indicado por el subtítulo: 1975-1984, habría que establecer un corte o una inflexión hacia 1980.

15. Vistas hoy, mis afirmaciones con respecto a este punto me parecen fruto de una apuesta esperanzada antes que de un cambio en ciernes. O quizá no. Porque ya entonces había quienes denunciaban las contradicciones del partido gobernante en este plano de una manera frontal (cfr., por ejemplo, Ernesto Goldar: "Los funcionarios 'bisagra'", en *Caras y Caretas,* año 87, N° 2209, abril de 1984); pero mi posición no era —ni es— tan drástica. Hubo cambios positivos, algunas aperturas, ciertos avances; no hubo, en absoluto, una política global a nivel nacional que significara un cambio firme y profundo. Gorostiza, Aguinis y Bastianes desfilando por la Secretaría de Cultura de la Nación ilustran, con sus vacilaciones y su retórica bienintencionada pero escasamente productiva, la incierta propuesta del gobierno en el área. ¿Otra oportunidad perdida?

16. Enrique Medina publicó a mediados de 1972 *Las tumbas*, que cuatro años después dejó de editarse durante un lapso de casi seis años. Seguramente se trata del libro más vendido en el país de un escritor de su generación: sobrepasa los 250 mil ejemplares en 1986. *Flores robadas en los jardines de Quilmes*, que se edita en el '80, ha dejado atrás los 100 mil ejemplares. Otros textos de esos mismos autores —Medina y Asís— y los libros de Osvaldo Soriano han logrado tirajes de muchos miles de ejemplares. También *La novela de Perón*, de Tomás Eloy Martínez, agotó dos ediciones de 10 mil ejemplares en poco más de un año, entre 1985 y 1986. Se aclara que un tiraje medio de un volumen de narrativa argentina fluctúa entre 2 y 3 mil ejemplares, y pocos llegan a su segunda edición.

Los libros mencionados son entonces los de mayor venta (dejando de lado los de algún viejo pope). ¿Auténticos best-sellers acaso? Ciertos elementos, que nos permitirían situar esas obras dentro del sistema literario, le negarían tal condición. Menos clara aún es la respuesta desde otro ángulo. Para César Aira la realización o no de las intenciones del escritor "ha diferenciado siempre a la verdadera literatura de la falsa. En la verdadera las intenciones nunca se realizan. Al traducir best-seller (y Aira tiene un vasto curriculum al respecto), ese mecanismo se ve clarísimo: todo best-seller es una intención realizada. En la verdadera literatura las intenciones siempre quedan torcidas, permanecen en la ambigüedad, incluso en el malentendido" (en declaraciones a Matilde Sánchez). Y cabría multiplicar las variables: desde los infinitos tirajes de La Biblia hasta las nociones de sinceridad y deshonestidad en literatura. Por todo esto, dejamos la discusión abierta.

17. Hoy podría agregar otros nombres: Pablo De Santis, Eugenio Mandrini, Daniel Guebel, Juan Forn, Carlos Catuogno... que suman, aunque no dividen. (Si bien tendenciosa en su selección, puede consultarse el número 8 de *Vuelta*, en su edición local, marzo de 1987: "Literatura argentina actual; un panorama".)

Tampoco quisiera pasar por alto otra cuestión que aparece indirectamente aludida en el mismo párrafo: un centro en doble juego hacia adentro y hacia afuera, la ciudad de Buenos Aires en su relación con el Interior y el Exterior. Aquí confluyen dos lugares comunes: la Capital Federal aplastando todo brote que pretenda abrirse en provincias, y la fuga de materia gris hacia los centros desarrollados. Todo lugar común se edifica sobre un conflicto convencionalizado, socialmente incorporado. Habría que estudiar ambos problemas, que nutren (¿o erosionan?) nuestra literatura aunque la exceden, para precisar sus alcances, sus interferencias, sus mutuos condicionamientos.

Durante el Proceso, el Interior fue desnutrido sistemáticamente mientras se alimentaba el exilio, hacia España y México principalmente. Pero aun hoy, con los regresos señalados, ¿cómo leer el mapa de nuestra literatura con Puig en Río, Aparicio en Salta, Saer y Gelman en París, Cohen y Szpunberg en Barcelona, Moyano y Matamoro en Madrid, Tizón en Yala, Amalia Jamilis en Bahía Blanca, Valenzuela en Nueva York?

18 Juan Carlos Martini realizó, a comienzos del año '87, una amplia encuesta entre escritores argentinos para determinar cuáles son, a juicio de ellos mismos, "las diez novelas más importantes de la literatura argentina". Hubo cincuenta respuestas (cfr. revista *Humor*, N° 196 a N° 205, Buenos Aires, mayo a setiembre de 1987). En la primera de las dos evaluaciones críticas finales, yo consideré significativo el hecho de que los propios protagonistas hubiesen establecido "la articulación de la narrativa argentina sobre un eje que va de *Los siete locos* (1929) a *Rayuela* (1963), en cuyo movimiento leemos Arlt, Macedonio, Borges-Bioy, Marechal, Di Benedetto, Cortázar" (N° 204, pág. 113). Pero luego me pareció atinada la observación de Beatriz Sarlo respecto del comportamiento cuasi profesoral, cuasi académico de los encuestados, que "se parecen más de lo que presumen a los constructores de panteones literarios clásicos"; aunque ella también no deja de advertir que "podría concluirse que los escritores tienen dificultad en leer a sus contemporáneos, en dibujar el gesto de reconocimiento de ficciones producidas al lado de la propia, en conflicto o competencia con ella" (N° 205, pág. 95).

Pienso si a veces los críticos no solemos comportarnos como los narradores interrogados por Martini, si la sombra de la Historia no menoscaba o interfiere nuestros juicios sobre el presente.

19. Cuando en los años '60 se produjo ese fenómeno conocido como el "boom de la narrativa latinoamericana" —al calor de una buena estrategia comercial, montada sobre favorables coyunturas nacionales y una relativa prosperidad internacional— muchos descubrieron lo obvio: nuestro continente había gestado una gran literatura. Pero los indudables Cortázar, García Márquez, Fuentes, Cabrera Infante, Donoso y tantos otros no habían nacido por generación espontánea. Desde el modernismo por los menos, se había venido construyendo ese camino, donde entonces se colocaba un importante mojón.

El caso vale como ejemplo para volver al tema de la nota anterior: el vínculo entre pasado y presente se reconstruye permanentemente. Y en ese sentido es muy probable que estemos pidiéndole peras al olmo sin advertir las ricas manzanas que hoy se nos ofrecen.

Quiero decir: está bien la línea tendida entre Arlt y Cortázar, pero ya es historia; en el presente, Puig, Saer, Piglia, Martini y otros colocan, vienen colocando, mojones cuya importancia tal vez se nos escape por excesiva cercanía (aunque *La traición de Rita Hayworth* es de 1968 y *Cicatrices* del '69). Puede que no percibamos claramente el cambio por estar inmersos en él; quizá contribuyendo a hacerlo efectivo.

20. Versos de "Victrola vieja" (Gonzalo Rojas: *Contra la muerte*, La Habana, Casa de las Américas, 1967, página 63).

EXILIO, GUERRA Y DEMOCRACIA: UNA SECUENCIA EJEMPLAR

LEÓN ROZITCHNER

La pregunta que querríamos plantear sería ésta: ¿cómo abrir un campo de democracia política viniendo desde el terror y de la guerra?

En mi exposición me apoyaré, para comenzar, por el término al cual llegó mi anterior expositor, Feinmann, quien validó las categorías políticas que Perón habría tomado de Clausewitz y aplicado en consecuencia pasando de la guerra a la conducción política. Mi análisis, que sería al mismo tiempo una respuesta, tiende a analizar de otro modo ese espacio de tolerancia donde desaparece la guerra y aparece la política, y con ella tal vez la democracia. Pero a diferencia de las formulaciones vertidas por Feinmann, mi punto de partida consistiría en no olvidar, en mantener presentes las categorías de la guerra como *fundamento* desde el cual pensar y quizá comprender el problema de la política. Y sobre todo, de su eficacia.

La preeminencia de las categorías de la guerra en la política de Perón

La concepción de Clausewitz sobre la cual se apoya explícitamente Feinmann es aquella misma que, como concepción de la guerra y la política, sostuvo el general Perón. En un libro que fue bastante utilizado por los grupos de izquierda peronista y por los Montoneros, reeditado y publicados algunos de sus capítulos en revistas políticas peronistas, fruto de las conferencias dictadas en 1932 en el Consejo Superior de Guerra, Perón expone allí la teoría de la guerra siguiendo la interpretación de Clausewitz hecha por los militares colonialistas franceses y alemanes, desde Dudeldorf hasta el mariscal Foch. Hace suyas, pues, las categorías de los militares europeos más fervorosamente reaccionarios, que piensan la guerra como un proceso de dominación interior sobre el propio pueblo y la conquista, hacia el exterior, de territorios ajenos para expandir el dominio de la propia nación. Guerra de aniquilamiento, de imposición de la mera fuerza, de la guerra ofensiva y de la preeminencia del jefe de guerra —el militar hecho político— como fundamental aun en las condiciones de paz política. La categoría central que regula este proyecto es el concepto global de "nación en armas". Y fueron estas mismas categorías de la guerra, imposible de desarrollar en un país dependiente, las que aplicó luego Perón en el campo de la política: ésa fue su "originalidad". Es claro: con esa concepción de la guerra era imposible pensar una verdadera liberación nacional, puesto que eran las categorías del enemigo regulando férreamente la cabeza de nuestros militares. Desechado de esas teorías el imposible dominio exterior, el único dominio que les quedaba como residuo rescatable era el dominio en el propio interior de la nación: su consolidación sobre el propio pueblo. Es aquí donde se abren, creo, en el campo de la política, las categorías de la guerra desarrolladas por el general Perón, como un campo de enfrentamiento simulado, pura representación de un conflicto de fuerzas soslayado en su verdad. Política desarrollada como si se tratara efectivamente de una guerra en la política, que planteó un enfrentamiento radical, y que preparó primero y llevó después al fracaso del movimiento popular, que culminó en el terror y el asesinato para aquellos mismos que ignoraron este comienzo y se constituyeron en sus seguideros: "somos", decían de sí mismos, "la táctica de Perón", o "el brazo armado" del cuerpo peronista que el mismo Perón tronchó.

Comencemos entonces por plantear nuestro problema desde otro punto de vista, criticando las categorías de la guerra concebida por la derecha y por Perón, y retomadas de la obra de Clausewitz, para considerarlas de una manera diferente.

El doble concepto de guerra y de política

Un primer equívoco presente en la exposición de Feinmann: en Clausewitz no hay una sola y única teoría de la guerra: hay *dos* teorías, cosa que Perón tampoco podría captar. Una primera teoría de la guerra, puramente "objetiva", en la que se apoyó tanto Perón como la derecha, teoría "monista" que parte de una concepción individualista, que está centrada fundamentalmente en la aniquilación del adversario, el ascenso a los extremos y la preeminencia de la guerra sobre la política, y que Clausewitz mismo critica como una "fantasía lógica", un engendro de la imaginación. Y eso porque se partió de concebir la esencia de la guerra como un "duelo", centrada en las pulsiones de un cuerpo individual que ignoraba las poderosas energías del cuerpo colectivo del pueblo.

Y hay una segunda teoría de la guerra, que critica a la anterior, entendida como una "extraña trinidad", que tiene en cuenta la aparición de nuevas fuerzas populares y el avance del ejército napoleónico, con lo cual se transformó todo el horizonte militar luego de la Revolución Francesa, pero también la resistencia invencible de las guerrillas españolas contra esas fuerzas. Esta nueva experiencia es la que tuvo que integrar Clausewitz en su teoría de la guerra. Esa "extraña trinidad" que fundamenta toda guerra incluye: 1) el impulso "natural", llamado por él "ciego", del pueblo, considerado por Clausewitz como una mera fuerza natural; 2) la inteligencia, que reside en el gabinete político, que proporcionaría la racionalidad rectora de la política al proceso de la guerra, ya que el pueblo carece de ella; 3) el jefe de guerra, que articula las pulsiones ciegas del pueblo con las formas de la racionalidad elaboradas por el gabinete político, y les proporciona el alma y la voluntad que las integra y las impulsa. Esta segunda concepción de la guerra abre una diferencia radical respecto de la primera. Clausewitz comienza a formular su segunda teoría de la guerra desde la defensiva y no desde la ofensiva, es decir desde el interior de una nación que se defiende de un enemigo que pretende ocuparla o que ya la ocupó. Es decir: convierte las categorías del dominador, prepotente y colonizador, e invierte la perspectiva: ¿cómo hacerle frente desde el interior de la propia nación, y oponerse a su dominación? Esto lleva a Clausewitz a reconocer la preminencia de los objetivos llamados "negativos" frente a los objetivos "positivos". El colonizador y el conquistador, aquél que agrede y pretende ocupar un territorio ajeno, tiene un objetivo llamado, en términos guerreros, "positivo": la conquista. Planteado desde el ámbito de la defensa, y por lo tanto de la defensa del propio territorio nacional —que es la posición de todos los países dependientes—, los objetivos positivos adquieren un matiz diferente: se convierten simplemente en el intento de conservar aquello que nos quieren arrebatar los poderosos por la fuerza. "Negativo" es, desde la rapiña y la agresión, como se define la defensa contra el agresor. Y por eso Clausewitz, desde esta perspectiva, hace la crítica a esa primera teoría de la guerra, que es la que defenderá Perón.

La guerra como ilusión: la negación de la política como tregua

Clausewitz hace entonces una crítica dirigida al carácter ilusorio, puramente imaginario, producto de una ensoñación, de esa primera teoría de la guerra que culminaba en el aniquilamiento a través de una presunta lógica del ascenso a los extremos. Este campo ilusorio tiene que ver con la mentalidad prepotente del militar de los países dominantes, que no puede concebir la existencia de una fuerza a la defensiva, popular, que no sólo es física y tecnológica sino sobre todo una fuerza moral, que también es material, aunque de una materialidad ignorada por ellos. De allí la crítica a la guerra de aniquilamiento: el pueblo no puede ser aniquilado, y por eso no hay destrucción definitiva y final del enemigo mientras haya resistencia.

Y si no hay aniquilamiento toda guerra culmina entonces en una tregua: en la apertura de un ámbito político. La política, que estaba desde el comienzo, y parecía como si hubiera desaparecido en el fragor ensordecedor de la guerra, emerge mostrándose nuevamente al final. Cuando aparece el campo de la tregua esto implica que ambos, el que ataca y el que se defiende, han llegado a un equilibrio particular. Porque este equilibrio, pese a las apariencias, no fue decidido simplemente por el que atacó. Señala la aparición de una disimetría fundamental entre atacante y defensor, que es la que obliga a la tregua y por lo tanto a la definición de la paz. El hecho es el siguiente: el que ataca puede ser más fuerte en la ofensiva, pero el que se defiende puede ser más fuerte en la defensiva: son de *naturaleza diferente* y de *fuerza desigual*. Y es este hecho, el de estas dos fuerzas disímiles enfrentadas, lo que abre el espacio de un equilibrio llamado tregua y que es, en realidad, apertura de un campo político, donde la política se prolongará por otros medios. La política se abre como paz (tregua) entre dos guerras: aquella de la que proviene y aquella hacia la cual va.

Es evidente que Clausewitz se está refiriendo a la guerra entre naciones y no al enfrentamiento de fuerzas en el interior de una sola nación, como es el caso de las guerras revolucionarias. Creo que esta concepción es muy importante porque excluye la apariencia habitual que nos lleva a pensar la política separada de la guerra, como si se tratara de una oposición radical o esencial: estamos en las dos, aunque no quisiéramos estar. Porque cuando Clausewitz nos dice que "la guerra no es sino la continuación de la política del Estado por otros medios", nos está queriendo decir que ambas son política. Es verdad también que hay una diferencia fundamental entre el enfrentamiento armado y a muerte de la guerra y la tregua pacificada de la política. Pero en la esencia del fenómeno que define el conflicto se trata en realidad de una apariencia si no tenemos presente que en la política sigue y se prolonga la reorganización de las fuerzas, y este olvido puede ser fatal para quienes se instalan en el campo de la política como si se tratara en realidad —pura apariencia de paz y no de tregua— de un campo formal, pacto jurídico, y no de un efectivo campo material donde se sigue desarrollando la lucha, sólo que aquí también "por otros medios". Esto es lo que estamos viendo: viniendo desde el terror y el dominio impune de la fuerza militar sobre toda la nación, parecería que debemos pensar este nuevo espacio político así abierto desde un ángulo puramente jurídico, formal, opuesto radicalmente a toda referencia al desarrollo de nuestras fuerzas. Porque seguimos pensando con las mismas categorías de quien está a la ofensiva y no a la defensiva: con el mero concepto de la fuerza física ofensiva y no desde esa otra que es más fuerte en la defensiva.

Las categorías de la guerra de la derecha en la izquierda

Pienso que ésta ha sido la consecuencia del modo de pensar la política y la guerra con las categorías de la derecha y del colonizador, y que fue ese modo de pensar como modelo político y militar en la izquierda, el que precedió a la aparición del terror. Y creo también que fue una consecuencia del modo como el general Perón desarrolló entre nosotros el esquema aparente de un enfrentamiento radical, quien tomó bajo su mando y organizó como propias las fuerzas que en realidad quería contener y doblegar, la de los trabajadores, y que condujo al fracaso, a la destrucción y a la muerte a tantos de sus seguidores. Perón fue quien planteó el problema político con las categorías de la guerra; guerra simulada que, en tanto política, sustrajo al pueblo las bases materiales y morales sobre las cuales se apoya todo enfrentamiento de verdad. Porque la verdad es que en este enfrentamiento hizo todo lo necesario para despojar de un efectivo poder a las clases populares y dejarlas, desarmadas, con la apariencia de una fuerza de la que, ideológica, material y moralmente, habían sido despojadas.

Las fuerzas populares son poderosas en la defensiva

Por eso nos interesa retomar este problema desde la política que no se mueve en la apariencia, de la política que no excluye lo peculiar de cada fuerza. En la guerra se trata de lo siguiente: el que ataca, el que está a la ofensiva, paradójicamente no quiere la guerra: quien entra en el campo del enemigo querría apoderarse en paz de su territorio, hacerle ceder su voluntad de resistencia y dominarlo, alcanzar al menor costo su objetivo "positivo". La guerra sólo comienza cuando el que se defiende resiste la intromisión ajena y plantea en los hechos, desde la defensa, la resistencia. La guerra comienza con el enfrentamiento y termina con la tregua, porque ni aun la rendición del enemigo implica el término del conflicto: a partir de allí se abre el campo de otra resistencia, la política, donde se sigue elaborando, por otros medios, lo que la guerra no alcanzó a dirimir. Si no hay aniquilamiento —sólo la bomba atómica lo promete— quiere decir que el enemigo vencido subsiste con esa peculiar fuerza que resiste al aniquilamiento, y que en algún nivel, en ese punto donde la guerra se detuvo, el que atacó y quizá venció es más fuerte en la ofensiva, pero el que aún resiste es más fuerte en la defensiva. La tregua es ese punto en el cual la fuerza, por sí sola, ya no puede más, y por eso se abre ese nuevo ámbito de la política, ya sin la misma violencia, en el cual el conflicto suspendido se va a desarrollar. La concepción de la política y de la guerra en los grupos peronistas —y no peronistas— en nuestro país, guiados por una concepción de las fuerzas populares y de los enfrentamientos armados, se guió por la interpretación tanto de la guerra como de la política que impuso el general Perón. Y son estas categorías las que impiden la aparición, la constitución y el desarrollo de una nueva fuerza que pueda aparecer en el campo de la tregua actual, es decir en el de la democracia nueva que sucede al terror de la fuerza militar.

La nueva fuerza

Porque de eso se trata: plantear las condiciones de esa nueva fuerza que, ahora en el ámbito de la democracia, no caiga nuevamente en la falsa opción de la pura política o de la pura guerra. Quiero decir: en el planteo de una política puramente formal, sujeta exclusivamente al esquematismo jurídico, sin comprender la nueva materialidad y la nueva moral que hay que crear. Pienso que si en el campo de la política nos ocultamos el problema de la guerra desde la cual se abrió, estamos condenados nuevamente a la ilusión de una paz que oculta el lecho de violencia y de muerte sobre el cual se asienta, y por lo tanto otra vez a la sorpresa de la irrupción del terror, por no poder reconocer y mantener presente la profundidad del enemigo, su real fuerza, y por lo tanto nos condenamos a no ver la necesidad de aquella fuerza propia que pueda, en la democracia, es decir en la tregua, enfrentarlo y contenerlo. Y para esto no basta el formalismo sin fuerzas del Partido Radical.

En realidad, sostenemos, la política es un ámbito abierto desde una guerra anterior, lejana o no. Y aparece entonces como resultado de un enfrentamiento a muerte anterior. El enfrentamiento guerrero, hemos visto, abre un lugar de transacción y una conciliación formalizada en el campo jurídico, que establece las normas nuevas que van a regular este enfrentamiento de fuerzas que ninguno de los dos pudo definitivamente elucidar. Viniendo de la guerra los ejemplos abundan: las revoluciones nacionales latinoamericanas muestran claramente cómo se abre el nuevo espacio jurídico, el del liberalismo, por ejemplo, a partir de una guerra anterior que define las normas y las leyes que van a regular las relaciones económicas, sociales y políticas de los habitantes entre sí: un nuevo reparto del poder. Este campo jurídico está acotado en realidad por el poder del vencedor y es, en última instancia, insisto, donde nuevamente las fuerzas así reorganizadas van a tratar de elucidar, en paz aparentemente, el enfrentamiento crucial que la política, una vez más, no hace más que preparar. Nadie ha cedido nunca el poder en paz, y la política es ese extremo límite donde se elabora esa transformación de cantidad en calidad. Y al decir esto no hablamos en términos de fuerza física solamente, en términos "guerreros": hablamos de esa nueva fuerza *de naturaleza diferente* a la del enemigo, y que es la única que puede soslayar el enfrentamiento armado con el cual éste cuenta y al cual nos quiere en definitiva —porque es más fuerte en la ofensiva— llevar. Porque el límite que encuentra la democracia es nuevamente la irrupción de la fuerza militar, que forma sistema con el campo político que generó ahora y que tuvo necesidad de ampliar viniendo desde su perdida guerra anterior ante un enemigo exterior. Porque no llamo "guerra" a esa forma impune de violencia que llamaron "guerra sucia" y que sólo fue terror frente a un enemigo desarmado interior.

Lo peculiar de la fuerza de "naturaleza diferente" para enfrentar la fuerza armada militar

Se trata entonces de esa fuerza de naturaleza diferente a la mera fuerza armada del poder militar. Y esta fuerza no es tal cuando la consideramos sólo como una mera acumulación colectiva inscripta en la "representación" formal de la política: se trata de una fuerza real. No se trata, en lo que exponemos, de una posición "guerrerista": su fracaso, en los grupos guerrilleros armados, está a la vista. Decimos que esa forma de guerra "a la ofensiva" actuaba guiada por las mismas categorías del enemigo: de aparato a aparato, de fuerza militar a fuerza militar. Aquí en cambio queremos referirnos a esa otra fuerza, esa que tiene otra materialidad y otra moral, fuerza que es más eficaz en la defensiva que en la ofensiva y que por lo tanto sería la única capaz, en las condiciones de la democracia, de crear su peculiar poder, un poder real que aquí sólo puede aparecer como un enunciado, y que difiere de aquel otro militar que se apoya en la fuerza de las armas físicas, nada más. No se trata tampoco de que nosotros queramos la guerra. Y precisamente porque no la queremos, debemos volver a pensar las condiciones de la eficacia real que impida la tentación, a sus enemigos, de acudir a ella. Porque si en el planteo de la democracia no tenemos constantemente presentes los límites de su carácter formal en el cual puede una vez más agotarse, y el carácter de tregua con el cual se la alcanzó, como para crear dentro de este nuevo espacio la fuerza popular que asiente y conquiste su poder real en la materialidad que le es peculiar, creo que nos vamos a encontrar al cabo de pocos años ante otra decepción. He aquí que, abriendo el campo de la democracia, seremos incapaces de poder contrarrestar ese poder tenebroso que nos enfrenta y que ya, desde el comienzo mismo, está preparando nuestra defección.

Más allá de la ilusión

Por eso quisiera referirme a la responsabilidad que tenemos todos en superar las fantasías y las ilusiones que nos llevaron a la situación actual. No se trata sólo de un problema teórico o "intelectual": se trata de construir y ayudar a ver de otro modo la realidad. Y en el intento de aprender de nuestra experiencia pasada, corregir sus equívocos y sus errores, mostraremos dos ejemplos, dos tomas de posición política, cada una con su "antes" y su "después", donde creo que estos equívocos que estamos tratando de mostrar se manifestaron claramente. El primero, donde a manera de ejemplo consideraremos la posición de Puiggros, para mostrar el tránsito que lleva desde el peronismo en el poder (1973) hasta sus expresiones posteriores luego de la irrupción de la dictadura militar (1977). El segundo, la toma de posición frente a la guerra de las Malvinas por el Grupo de Discusión Socialista de México (1982) y la nueva afirmación política que, al menos dos de sus miembros, expresan en 1984. El primer tránsito muestra el fracaso de un proyecto político sin base real, material y moral, que culmina en el exilio; el segundo, el fracaso de una fantasía de una guerra ganada en la recuperación de las Malvinas y el salto posterior a la subsecuente aceptación de una democracia considerada en su aspecto puramente formal, campo político del cual se excluye ahora radicalmente la amenaza mortal de la guerra, para plantear a la política como un "pacto" social.

Tal vez en estos ejemplos se trate sólo de pensar el concepto de democracia que va regulando el proyecto político y, por lo tanto, preparando insospechadamente, en ambos casos, su término en el fracaso. Y ello por la concepción del poder popular que se trata de crear, y con el que se contó y no se cuenta ya más. Se trata de preguntarnos entonces cuál es el tipo de relación entre lo formal y lo material, entre lo individual y lo colectivo, entre lo subjetivo y lo objetivo, entre lo que ahora tenemos y podemos esperar. Y, por lo tanto, por el proyecto que vehiculiza la relación entre las fuerzas: el modo de comprender, en suma, la relación entre política y guerra, entre paz y violencia. De cómo se concibe entonces la fuerza y el poder.

Primer tránsito: del peronismo triunfalista al terror militar. Puiggros

En 1972 Rodolfo Puiggros escribe un libro, *Adónde vamos, argentinos,* en el cual expone el camino por el cual, siguiendo el liderazgo del general Perón, la Argentina alcanzará el socialismo nacional y, por lo tanto, la forma más acabada de la democracia social. 1972 fue el año del fervor de los jóvenes enrolados en el retorno de Perón; también fue el año en que el desarrollo de las guerrillas cobró un fervor incontenible y despertó en ellos una vocación de sacrificio y de riesgo siguiendo los derroteros de una realidad y de una política anterior cuyo origen no habían conocido y al que Puiggros, entre muchos otros, dio una base teórica e histórica para esa nueva izquierda. Puiggros había descubierto, al criticar el carácter abstracto y dependiente del internacionalismo comunista, la necesidad imperiosa de acentuar el contenido específicamente nacional, lo peculiar y lo criollo de nuestro propio acceso al socialismo. Pero esta crítica a la teoría y a la práctica del P.C. argentino no le impide, sin embargo, quedar atado a la misma modalidad, esta vez autóctona, del estalinismo. La dispersión del todo social, y por lo tanto la atomización de sus fuerzas, tanto de los individuos como de los intereses contrapuestos, así como los grupos y niveles de la realidad en que éstos se encuentran dispersos (ideología, historia, economía, política, sindicatos, fuerzas armadas) encuentran su unificación en el Líder, que los ha de contener y orientar hacia el socialismo nacional.

> "Esta dispersión paraliza toda tendencia al cambio y acusa la carencia de una concepción global y realista de las revoluciones sociales y científico-ténicas (...) así como se manifiesta en la furiosa oposición al liderazgo indispensable para impulsarlas" (p. 11).

Puiggros expone así las ideas clave, las dos condiciones para el advenimiento del socialismo:

1) La concepción global y realista de la revolución socialista que *inevitablemente* habría de desarrollarse en la Argentina;

2) la necesidad *inevitable* del liderazgo del general Perón para alcanzarla.

La excepcionalidad del momento, la oportunidad única, no se le escapa:

> "Vivimos los argentinos el momento decisivo de nuestra historia, el que marcará nuestro destino por los siglos venideros" (p. 9).

En la concepción de Puiggros, cuya categoría básica de la "dialéctica histórica" es el acentuamiento de lo particular nacional (que sería lo concreto), opuesto a lo universal (que sería lo abstracto), lo colectivo disperso en nuestra realidad, tan diferente a toda otra, encuentra su unidad específica y distintiva en la figura humana del Líder, Perón, donde se conjugarían, como punto de partida, las dos. En él converge el todo en su dispersión: de allí la necesidad de ceder lo más propio de cada uno y de someternos a su dirección superior. Sacrificio dichoso de lo subjetivo.

> "El liberalismo partidocracia es incompatible con la democracia de las clases trabajadoras" (p. 31).

Y esta peculiar democracia es concebida con

> "una conducción única, que centralice e impulse la actividad revolucionaria de millones de argentinos, (que) nos salvará de la gran catástrofe y nos colocará en el umbral de la humanidad de vanguardia del siglo XXI".
> "La unicidad de conducción significa no solamente que no admite copartícipes, sino también que sea esa suprema orientación de las interdependientes revoluciones sociales científico-técnicas, la unión de la teoría con la práctica, la síntesis dialéctica de la ideología, la política, la historia, la economía, el sindicalismo y las fuerzas armadas."

Y como lo que nos interesa es comprender esa nueva fuerza, el fundamento humano de su poder, su "naturaleza diferente", conviene poner el acento en la concepción que Puiggros se hace de ella. Leemos así su consecuencia: será la integración de los individuos en el Conductor lo que habrá de resolver la ecuación, y determinar el nuevo sentido de los Derechos Humanos dentro de esa sociedad democrática que superó los límites del individualismo burgués.

Puiggros toma entonces partido contra los Derechos del Hombre y del Ciudadano. Estos principios, que el liberalismo burgués proclama en el derecho al mismo tiempo que lo niega en su aplicación y en los hechos, son entonces también negados por Puiggros decididamente, como si lo que en ellos se enuncia fuese sólo una mistificación. No se trata de comprender que a nivel jurídico constituyen una conquista histórica que, desvirtuada en los hechos, debe constituir sin embargo el norte de su vigencia plena. Por el contrario, y olvidando la tensión, el conflicto social que existe entre los hechos y el derecho, y en vez de inscribir su vigencia plena como una necesidad específica para un proceso verdaderamente socialista, Puiggros se complace en afirmar lisa y llanamente que deben ser "superados" en el peronismo, implantando de hecho su negación en beneficio de un Estado centralizado bajo la conducción del general Perón.

La negación de los Derechos del Hombre

Y eso sucede con la "libertad individual", considerada como un enunciado abstracto y una mistificación. Con el imperio del Estado fuerte se terminaría con la idea mendaz de que "todos los hombres son libres por naturaleza" y "libres por imperio de la ley", como si esta idea de la libertad no fuera también la expresión de una lucha histórica y un momento, en la reafirmación jurídica, de una conquista todavía por realizar para pasar, en las actuales luchas históricas, de lo puramente formal a su vigencia material. Y acepta su "superación" —su negación— en el Estado peronista. La libertad individual, negada en su efectiva esencia por el liberalismo, pasa a ser innecesaria y desechable en la organización del Estado centralizado.

Lo mismo pasa con la "libertad de pensamiento"; "descartada, dice, como incompatible con la naturaleza social del hombre, la libertad de pensamiento como afirmación de la *absoluta* (sic) libertad individual del pensar". Y acepta entonces su supresión —su superación— en el Estado peronista. Y aquí, bajo la negación de lo absoluto de esta libertad, por ahistórica e ideal, se niega también el carácter positivo, aunque fuese relativo, del pensar individual dentro de lo que estaría completamente determinado por lo social. Si no es absoluto es relativo, y si es relativo queda invalidado por el objetivo general en el cual se disuelve la libertad de pensamiento: "Esa meta —nos dice— no es alcanzable ni para el genio ni para el loco ni para el delincuente", quedando "como único concepto verdadero de la libertad de pensamiento el objetivo final de la lucha de las mayorías trabajadoras por el desenajenamiento de la sociedad clasista y la génesis de la sociedad sin clases" (p. 22).

Lo mismo sucede con la "libertad de prensa", que el peronismo habría llevado ya más allá de la concepción liberal: "La libertad de prensa ha sido definida en el liberalismo como la libertad de publicar ideas, opiniones y noticias sin censura previa y sin acciones legales". Y acepta entonces su "superación" como habiendo sido realizada durante el gobierno del general Perón bajo la dirección de su secretario Apold en la Secretaría de Prensa y Difusión.

Y en lo que se refiere al pluralismo de los partidos políticos, éste quedaría también "superado" y suplantado en el partido único: "el peronismo (es) el mayor movimiento de masas que ha conocido la Argentina, dentro del cual se da todavía el antagonismo entre la partidocracia liberal y el nacionalismo popular revolucionario, el que cuenta con el aval de los obreros y estudiantes que han elegido el camino de la lucha por un socialismo que emerge de los gérmenes existentes del propio país''. El partido único, pues, liderado por Perón, contra la fragmentación partidista liberal.

''Nunca, en la historia nacional, las masas populares alcanzaron tan alto grado de politización y tanta claridad en sus objetivos'' (p. 31).

Esta política, que renunció a los Derechos del Hombre como burgueses, que disolvió la individualidad sometida de los hombres a los dictados y a la conducción del Líder, que mantuvo la apariencia de su poder sobre la base de una estructura militar y económica que le era antagónica, donde la corrupción de sus dirigentes gremiales consolidó un aparente poder de masas limitado estrictamente a una perspectiva estrictamente economicista, construyó un ''como si'': la fantasía de un poder real sin base material ni moral, simulado en su organización colectiva puesta al servicio de un conductor, como si fuera en el campo de la política una organización preparada para un enfrentamiento real, para la guerra, sin base y sin sustento material. Es por eso que se disuelve de golpe, sin resistencia, ante el golpe armado militar que comenzó y fue solicitado como acuerdo desde dentro mismo de las filas del propio peronismo. El peronismo culmina así en el terror contra sus propias fuerzas, alentado por el general Perón.

Pero se trataba para nosotros, dijimos desde el comienzo, de la creación de una verdadera fuerza que en el campo de la política pudiera no dejar a las clases populares desarmadas y vencidas frente a la ofensiva, política y militar, de sus enemigos. Se trata de un poder real, no fantaseado, sólo aparente, mera representación que queda impotente, en realidad, para resolver el conflicto de intereses en el campo político, como para impedir las soluciones idealistas de un enfrentamiento desigual.

Desenlace y verificación

Y es entonces cuando aparece, ahora en el exilio (1977), la confesión de Puiggros, negando lo que antes adoró, mostrando la base real de la fantasía y de la ilusión que hizo nacer en una juventud que creyó en la apariencia de un poder que los padres y los intelectuales ayudaron en sus hijos a exaltar y a proponer, como si se tratara de una verdadera revolución.

En una entrevista aparecida en el libro *El caso argentino,* publicado en México en el año 1977, el que antes pedía la conducción unívoca del Líder, se confiesa. No sólo nos cuenta y relata cómo Perón conquistó, desde el poder militar, a las organizaciones obreras desplazando a las dirigencias marxistas y de izquierda, concediendo por gracia del poder lo que antes era el resultado de una dura lucha social.

Perón ordena desde el poder la solución de algunos conflictos y huelgas, bajo la amenaza de intervención militar a favor de los obreros.

"De esta manera se gana la huelga, y el comunista Peter es reemplazado como líder por el coronel Perón. Esto ocurre en todos los sindicatos y esto explica que en poco tiempo, semanas o días, se transforme el movimiento obrero argentino. Los viejos dirigentes, con años de luchas como el mismo Peter, son reemplazados por nuevos dirigentes que no tienen idea de lo que es el socialismo o cualquier cambio social, pero que son muy conscientes de la necesidad de elevar las condiciones de vida de los obreros. Por eso el peronismo de Perón y Evita es un movimiento que nace sin una ideología propia, pragmatista" (p.29).
"Perón no tenía ni antecedentes ni preparación ni conocimientos de las luchas sociales. Era un hombre ambicioso pero no en sentido peyorativo".

Lo que antes era mostrado como fundamento del empuje revolucionario y socialista retorna a la confesión de las fuentes originarias del fracaso, que se habían ocultado en el *racconto* mítico de la historia peronista.

"El problema de las masas peronistas no era la transformación social (...) Era un movimiento heterogéneo. Había allí efectivamente nazis, nacionalistas de derecha, nacionalistas liberales —reformistas, socialistas y comunistas como nosotros—. Todo ello estaba mezclado. Y Perón tuvo conciencia siempre de que esa heterogeneidad de su movimiento era su mayor debilidad. Pero supo superarlo gracias al aumento de auge económico de la nación en ese período. Los mayores ingresos mejoraban la situación de los obreros así como las ganancias de los empresarios. Y Perón —agrega Puiggros— nunca permitió en la práctica que las masas fueran más que el ser factor de presión."

Lo que antes era para Puiggros el fundamento del empuje revolucionario orientado por el Líder, ahora confiesa el sentido real y efectivo de su límite: factor de presión, sin propia fuerza.

"La tarea de Perón fue aglutinar a las masas. ¿Por qué cae Perón? Lo que se desmoronó fue el peronismo."

Y enumera los factores de las efectivas fuerzas que seguían imperando en la realidad social peronista, que perseveraron con su propio poder sin ser nunca contrariadas:

"La política de Perón con respecto a los militares no fue de captación ideológica dado que no había una ideología coherente. Fue una política de prebendas y privilegios. En vez de atar, esta política corrompía."

Y lo mismo pasa con la cumbre organizadora de la fuerza obrera:

"La cumbre del movimiento obrero, la CGT, se forma con grupos de advenedizos y trepadores que se enriquecen. Evidentemente dan algo a los obreros, al mismo tiempo que se enriquecen y se acomodan con los gobiernos, de otro modo no serían dirigentes'' (p. 35).

Y el juicio de Puiggros sobre Perón contrasta con la convicción anterior, que pocos años atrás nos había propuesto. Pero todo esto lo sabía desde antes:

''Perón era enormemente oportunista'' (p. 35).

''Ahora, Perón se enredó. En 1946 él pudo armonizar a muchos sectores, pero en 1973 él quería estar bien con Dios y con el diablo''.

''Perón se enredó en la contra. Hay aspectos psicológicos y de vida privada que tienen mucha importancia'' (p. 40).

''Perón había llegado al poder condicionado por una serie de ideologías e intereses contrastantes'' (p. 32).

Es entonces desde el exilio y desde el fracaso donde se verifica y se confiesa la apariencia de una propuesta, esa que le fue ofrecida a la juventud argentina por aquellos mismos que sabían la falsedad y endeblez de su contenido. Pero con la endeblez y el contenido desvirtuado presente en los trabajadores peronistas, que constituyen la base enajenada de sus propios intereses, exenta por lo tanto de un sentimiento efectivo y real de su fuerza, se propone sin embargo y se acepta el apoyo a la guerrilla peronista:

''La juventud estudiantil y muchos profesionales se fueron acercando y resultaron ganados por el peronismo. Así es como surgen los primeros movimientos armados de tipo (!) popular, torpemente, como todo lo que se hace, lleno de lagunas, sin experiencias (...). Los Montoneros provienen del nacionalismo católico. Finalmente llegan al marxismo (...). Pero con un poco de espíritu de lucha, un poco así, inconsciente, pero estos grupos van madurando hasta proponer el socialismo nacional''.

El problema que aquí me inquieta es el desenlace, cuando Puiggros, al término de este proceso, tiene que alcanzar la dolorosa experiencia que significa no sólo el fracaso político sino la dimensión terrible y desoladora que incluye la muerte de su propio hijo.

''La última vez que vi a mi hijo fue la noche en que vine para acá, o sea en 1974. No nos despedimos, pues ni él ni yo sabíamos que veníamos para acá. Me escribió diciéndome: Papá, no nos vamos a ver más. Otra vez me escribió una carta en que me decía que estaba con sus compañeros, pero que por primera vez se sentía solo. Yo imaginaba que esto ocurría: yo estaba con una angustia enorme, yo sabía que iba a la muerte y que no tenía otro camino. Él no podía entregarse. Me enteré cuando regresé a México: imagínese la situación, el único hijo, 26 años, había sido mi secretario. Cuando me dicen a mí que era un rebelde, ¿qué rebelde? Ellos tenían que vivir su vida, y la consigna de los que pelean es no entregarse'' (P. 45).

Y más allá de la muerte, que los cubre ahora a los dos, al padre y al hijo, yo quisiera reflexionar sobre las palabras patéticas del padre, sin asomo de condena sino para comprender, también desde mi condición de padre, la herencia que estamos dejando a nuestros hijos. "Yo sabía que iba a la muerte y no tenía otro camino". "La consigna de los que pelean es no entregarse". ¿Es éste realmente el camino de la creación de vida, de la lucha, o solamente la beatificación de la muerte? Y cuando dice "no entregarse", nosotros leemos: no desertar de uno mismo, mantener la vida para prolongar en ella la coherencia de la que estamos jugando pero no convocarnos al ritual del sacrificio y de la muerte. Insisto: no estoy juzgando a un padre. Estoy simplemente extrayendo, desde la experiencia más dolorosa que pudo haber vivido, la consecuencia que responsablemente hoy no podemos dejar de lado. Pienso en la necesaria elaboración de la responsabilidad que tenemos de un hecho crucial: aquella que llevó al sacrificio inútil de toda una generación de jóvenes, y no sólo de ellos, determinada en gran parte por la falsedad y las fantasías de una concepción política. Y que esta fantasía mortal vino preparándose desde mucho atrás, y que la responsabilidad del intelectual, que es pensar la verdad, no ha sido mínima.

Segundo tránsito: del apoyo a la "recuperación" armada de las Malvinas (1982) al "pacto" democrático (1984)

En el ejemplo que ahora vamos a abordar para verificar la tesis que afirmamos nos referiremos no ya, como en el anterior, a la posición tomada durante la euforia triunfalista peronista (1972) y la verificación cruel del fracaso ante el terror impuesto por la Junta Militar (1977), tal como se revela en Puiggros. Ahora vamos a considerar la posición tomada durante el Proceso militar mismo en ocasión de la guerra de las Malvinas por el Grupo de Discusión Socialista, formado por exiliados argentinos residentes en México (1982), y la nueva concepción política manifestada por algunos de sus miembros, luego de la derrota y el fracaso, cuando se implanta la democracia en el país (1984). Veremos funcionar aquí los mismos mecanismos de encubrimiento de la realidad por parte de un grupo de intelectuales de izquierda, y la posterior posición política luego de la propuesta inicial, donde predominó la fantasía y la ilusión como solución. Y que vuelve a aparecer, creemos, aunque ahora en su vertiente antagónica y pacífica, en la nueva propuesta.

Las razones para apoyar la "recuperación" armada de las Malvinas (1982)

Lo que hizo posible que los integrantes del Grupo de Discusión Socialista apoyaran la recuperación de las islas iniciada por la Junta Militar se basaba en las siguientes afirmaciones teóricas, formuladas en el Documento de 1982, durante la guerra:

1. Había que abandonar, pues se trataba de una falacia lógica, la experiencia subjetiva y afectiva vivida por nosotros en el origen de la Junta Militar, tanto como la racionalidad, considerada "a priori", y ésta era otra falacia, que resultaba de nuestra experiencia política anterior. Y se expresaba en el método teórico que nos proponían: abandonar como falacia esa experiencia fundamental —racional y afectiva—, pues se opondría a una captación "objetiva", verdadera, de la realidad. Y las dos falacias eran tales por pretender "explicar un fenómeno exclusivamente por sus orígenes", lo cual significaba borrar nuestra experiencia subjetiva como fundamento presente del significado de la Junta Militar; y al negar también como "falacia" el "atribuirle coherencia a priori a los acontecimientos políticos", se nos invitaba a abandonar la racionalidad con la cual habíamos tomado posición desde ese origen de la Junta que considerábamos irrenunciable como índice de verdad.

2. Había que abandonar la ética política para afirmar el oportunismo indiferente a los valores en los hechos políticos. Lo cual les permitía una inversión de la jerarquía en la valoración del enemigo principal, que pasaba entonces a ser Inglaterra y no la Junta Militar. Lo cual significaba decir que en algún nivel —por lo menos en el militar— establecíamos una alianza de objetivos comunes, aunque equívocos, con la Junta Militar.

3. Había que considerar entonces, una vez alejado el índice subjetivo como lugar donde también se elabora la verdad, la preeminencia, esta vez "objetiva", científica, directa o inmediata, de "los justos intereses populares", es decir de la clase obrera, como siendo aquella que establece el índice absoluto y actual de la verdad política. Con lo cual el mecanicismo de la historia, su determinismo más simple y lineal, se manifestaba como regulador del proceso político. Allí donde está la clase trabajadora expresándose inmediata y directamente en su apoyo, allí está, para el científico social de izquierda, la verdad.

4. Esto llevaba como conclusión algo fundamental: excluir del enfrentamiento político el problema de la moral, es decir de la ética, como si careciera de valor y no fuese algo constituyente de la fuerza política. Y como consecuencia conducía a pensar que con cualquier política, y con cualquier poder, y con cualquier economía y con cualquier moral se podría lograr una victoria que la más simple lógica objetiva hubiera tenido que desechar. Y pensar que en los conflictos sociales es la pura fuerza física, sin moral, la que puede llevar a cualquier triunfo. Para el caso, inscribir ese triunfo deseado de la Junta Militar en un avance del poder y de la toma de conciencia de las fuerzas populares. Afirmación pues, como poder político, de la pura fuerza.

5. Esta concepción implicaba regularse sólo por las condiciones económico-políticas, dentro de una estrategia "objetiva" que desecha el sentido de la efectiva y diferente fuerza popular que se debe crear, como si esta fuerza específica, *de naturaleza diferente*, como hemos visto, no formara lo determinante en la oposición de clases en los conflictos políticos. Por eso se trataba en la guerra de las Malvinas de poner el énfasis en lo que se consideraba ya ganado, económica y estratégicamente, en el campo nacional e internacional. Lo cual llevaba al encubrimiento de la contradicción fundamental en el interior del campo nacional.

Separación pues entre lo objetivo y lo subjetivo, el pasado y el presente, lo interior y lo exterior, lo individual y lo colectivo y, por lo tanto, en el momento en que se pretendía alcanzar la clarividencia más objetiva y científica, enceguecimiento ante la realidad. Porque esta actitud se verificó como completamente falsa en el resultado de ese enfrentamiento y en sus consecuencias posteriores; nos mostró que no sólo se trataba de una fantasía e ilusión proyectada en el campo político, sino que era también el resultado de una concepción teórica que seguía regulada por las categorías de la derecha.

La ausencia de "autocrítica" y la nueva solución (1984)

Hubiéramos esperado una autocrítica, pero no hubo tal. Verifiquemos entonces nosotros si el trabajo teórico no implica necesariamente un trabajo crítico en quien lo enuncia, y si este requisito es esencial o no para pensar. Y es lo que nos muestra el artículo escrito por dos miembros de ese mismo Grupo de Reflexión Socialista publicado en la Revista *Punto de Vista*, N° 21, agosto de 1984, en Buenos Aires[1]. Aquí también se abandona lo que antes se adoró, y se plantea la nueva solución para enfrentar de otro modo la cruda realidad que hay que volver a sazonar y cocinar.

Es el tránsito desde el final de la vigencia del Proceso Militar (1982) a la implantación de la democracia, ahora en 1984. Y también entonces aquí la experiencia que dictó el fracaso de la teoría y de la política anterior dicta sabiamente la nueva lección de comprensión, la nueva posición (no, autocrítica no): simplemente una nueva teoría y una nueva concepción.

Y se afirma entonces taxativamente:

— la exaltación de la subjetividad antes negada y también de la ética que se había dejado alegremente de lado:

> "La recuperación del tema (sic) de la subjetividad, así como el renacimiento (sic) de las indagaciones sobre la relación entre la ética y política, han sido siempre una producción en las situaciones de crisis" (p. 13).

[1] El artículo, *Crisis social y pacto democrático*, está firmado por Emilio de Ipola y Juan Carlos Portantiero.

"La crisis desplaza la "objetividad" en favor de la "subjetividad": produce actores y proyectos" (p. 15)
"La crisis produce una recuperación de las preguntas de la ética" (p. 15).
La crisis enseña a "sobrepasar un esquema de acción política prisionero de las dicotomías abstractas, que separa a las 'condiciones objetivas' de las 'condiciones subjetivas'" (p. 13).
"Salvar la subjetividad de los actores, la explosión de subjetividad que la constituye" (íd).

Y estas afirmaciones, donde el sujeto que reflexiona no está incluido, sino como "tema", donde se prolonga una vez más esta vez en la teoría la separación que se critica entre lo subjetivo y lo objetivo, se la enuncia sobre fondo bibliográfico de grandes autores internacionales. Pero de esta larga, prolongada crítica teórica, nacional, la más próxima, que fuimos elaborando y publicando desde hace ya más de 20 años en el propio país, no se dice nada. (Paggi, Habermas, Gramsci, Crozier, Friedberg, escuela de Frankfurt, Adler, Bernstein; pero Rozitchner, no).

— Se recupera ahora sí el "carácter irreductiblemente indeterminado, es decir político" en su plenitud y densidad humana, "de los sistemas sociales", contra el determinismo mecánico y abstracto, económico, estratégico y político que había puesto en una clase social la definición directa e inmediata de su verdad y su sentido:

"Identidades que aparecían subsumidas en un centro particular 'la clase', por ejemplo, o 'la nación'... se fragmentan de manera múltiple..." (p. 14).

Y se rechaza ahora la relación, que se describe especular, propia del populismo, entre Pueblo y Estado.

"Con la crisis han sucumbido certezas, liberando nuevos interrogantes: se ha cuestionado no sólo la centralidad atribuida a ciertos sujetos sociales (el proletariado)" (p. 19).

Pero esta crisis que se señala, tantas veces repetida, pareciera que es tal y advino a la historia de la política cuando *el pensamiento* de *ellos mismos ha entrado en crisis*. Y se lo convierte en la más reciente crisis del mundo.

— Pero lo más importante es otra cosa: a la afirmación anterior de la guerra emprendida por la "recuperación" de las Malvinas, y que contó con su apoyo, ahora en cambio se le opone una negación tajante de la guerra para dejar su tránsito a la pura política, que la excluiría radicalmente. Y se nos propone la antigua y originaria noción de "pacto" como fundamento racional del acuerdo político democrático que se inicia en la Argentina. De la ecuación compleja entre política y guerra, sólo queda planteada la disyunción: o guerra o política. Y naturalmente, puesto que se perdió la guerra, se la excluye para quedarse con el pacto político.

Otra vez guerra o política

Esta concepción de la política entendida con las categorías de la guerra es criticada en Foucault, quien trató de "repensar la política con arreglo a las categorías de la guerra", donde la política sería "una guerra continuada por otros medios". En la política que no olvida su fundamento de fuerza, "el poder político —dice Foucault— tendría el papel de reinscribir perpetuamente esa relación de fuerzas mediante una especie de guerra silenciosa, de inscribirla en las instituciones, en las desigualdades económicas, en el lenguaje, en fin en el cuerpo de unos y otros". Equivalencia, se dice, entre guerra y política. Pero pienso que esta concepción no desarrolla totalmente los planteos del mismo Clausewitz, quien pensó a la política como un campo de tregua. Y que tal vez Foucault mismo no haya retenido esa distinción esencial que diferencia el poder "de naturaleza diferente" de cada una de las fuerzas enfrentadas en el campo de la guerra que se abre como tregua *necesaria* para ambos contendores: que el uno es más fuerte en la ofensiva, pero el otro es más fuerte en la defensiva.

Esta concepción mantiene en la política la presencia efectiva de la peculiaridad posible de cada fuerza y permite pensar desde allí a la democracia como un campo de elaboración de las fuerzas, sin que tenga que predominar necesariamente la guerra, precisamente porque estamos en una tregua. Y allí cada contendor tiene su propia y específica fuerza, pero el que está a la defensiva, nos recuerda Clausewitz, es *más* fuerte. Entonces, si nuestros autores afirmaron antes con Crozier que la política "descansa sobre una relación de fuerzas", este "pacto" que nos ofrecen no puede ser sólo voluntarista o propuesto como una condición puramente formal en el cual todos tendrían que entrar ocultando (¿simulando?) que se trata en verdad, como se trata, de una relación de fuerzas que constituye los límites y la posibilidad de cumplimiento del pacto formal. No es la voluntad la que lo establece —si en verdad "la voluntad" quisiera decir algo como concepto— (ya sabemos que la "buena voluntad" es el acompañante postulado como necesario para que la pura racionalidad formal tenga la posibilidad de entrar en la realidad histórica y afirmarse como verdadera). No es la voluntad, por más "buena" que sea, la que establece ese pacto, sino el reconocimiento material de un equilibrio que por necesidad llevó al más fuerte a tener que abrir ese campo de tregua que se llama "política". ¿No es acaso una utopía pensar que la democracia, actualmente, al menos entre nosotros, responda a esta condición que requiere el "pacto": "que exista si no una cultura, al menos una voluntad democrática sólidamente enraizada en los actores sociales"? (p. 19). ¿Quién puede pensar en serio que *todos* los actores sociales aceptarán rendir sus propios privilegios que llevaron a la destrucción del país y al asesinato, a la tortura y a la muerte como sistema político, para salvar un sistema que les es adverso?

En este tránsito, del 1982 al 1984, vemos entonces aparecer un pensamiento que, a fuer de haber vivido y entrado en crisis, aunque esta vez haya coincidido con otra crisis más del sistema, sigue sin embargo dependiente, en sus formulaciones básicas, políticas, de una nueva utopía: un racionalismo abstracto que excluye la realidad de las fuerzas en presencia. ¿No nos hace sospechar que se trata de la aparición de otro campo de fantasía en la política?

Para terminar

Si excluimos en la comprensión de la política la densidad compleja que es propia del juego de fuerzas, considerando que éstas pueden reducirse a un juego ajustado a reglas de estricto cumplimiento, y hacérselo creer, como propuesta política, a los que están penosamente recuperando las suyas, que hay que poner el énfasis en ese pacto desigual, que sólo la pura racionalidad le alcanza, pero ocultando que se trata en realidad de una tregua, entonces volvemos, para eludir la guerra, a caer en otro espejismo, de signo opuesto pero igualmente dependiente de la concepción de la guerra. Antes se trataba de puras fuerzas físicas, ahora de razones puras. Volvemos a dejar de lado lo específico y disímil de las fuerzas en presencia dentro del campo político, donde en su fundamento material juega la disimetría que está encubierta en la apariencia de la pura política. Y volvemos, ahora de vuelta del fracaso que nos llevó a apoyar una guerra donde no se distinguía su significación ética y política, a excluir radicalmente el suelo material de las fuerzas en el que antes se creyó. Antes eran la política y la ética y la subjetividad las excluidas para hacer predominar la pura fuerza. Ahora es la guerra la excluida, y aparece un pacto puramene formal, de una subjetividad recuperada sólo en su conciencia racional y voluntaria, que acata a la ley y olvida las pulsiones del cuerpo que la mueven. Que olvida que la conciencia es conciencia de un cuerpo, y que éste se prolonga en la materialidad de un cuerpo colectivo, del cual debe sacar fuerzas.

Así, de este nuevo "pacto" queda excluida la realidad efectiva de las fuerzas que pactan: el pacto mismo implica para los que tienen poca, una sustracción de fuerzas en la medida en que no se pone el énfasis, simultáneamente, en cómo crear y actualizar las fuerzas materiales y morales que permiten pactar con el enemigo, es decir aceptar la tregua. La concepción de la política como un "juego" o como un "pacto", o como un larguísimo cuento que le cuenta Scheherazada al Califa para evitar la muerte, cuento tan largo como la propia vida que sólo cuenta para ello con lo imaginario y lo simbólico para distanciar la muerte. Pero esa metáfora que los autores utilizan, tampoco sirve para la política: la derecha, y los militares, y las transnacionales, y la oligarquía "no come cuentos" ni se paga de palabras. Primero, porque no es un "juego" donde los contendores respetarían las reglas del juego. Esto supondría para que se cumpla, la existencia de un poder trascendente a los que juegan: toda una metafísica en la política, casi como la que postulaba Kant para la ética: la existencia de Dios, la inmortalidad del alma y la voluntad, pero sólo la buena. Pero aquí, en este bajo mundo, ni Dios es criollo, ni somos inmortales, ni la buena voluntad alcanza. Y ellos lo saben. Es peligroso que la izquierda se piense como Scheherazada y pretendamos seducir al déspota contándole un cuento interminable: el de nuestra propia impotencia. ¿Habremos suplantado los cuentos de nuestras mil y una noches de temblor con nuestras invenciones ''científicas'' y ''teóricas''? Sheherezada tenía sólo su cuerpo de mujer, su histeria seductora, como único poder, y el de su lengua. ¿Seguiremos contándonos el cuento para entretener la llegada inevitable de la muerte?

EL LENGUAJE DE LA INEXISTENCIA

TOMÁS ELOY MARTÍNEZ

Al cabo de medio siglo de autoritarismos casi ininterrumpidos, atrapados en una red de servidumbres con la que debimos convivir, juzgándonos unos a otros con el peso de dogmas que brotaban de nuestras inseguridades (de la inseguridad que el Poder había ido cultivando en nosotros), los argentinos terminamos por aceptar resignadamente los malos entendidos, por hacer de la representación nuestro estilo de vida, por fingir una realidad que no era la Realidad.

Lo hicimos adentro de la Argentina, porque allí simulábamos indiferencia ante la muerte —peor aún: ante la vastedad que la muerte iba asumiendo delante de nosotros—, y afuera de la Argentina, porque debíamos representar a una patria que no teníamos, que nos era negada; porque fingíamos que nuestro dormitorio y nuestra cocina estaban en San Miguel de Tucumán, en Almagro o en Villa del Parque, y desde allí descendíamos a la autopista del Este en Caracas, a las ramblas de Barcelona o a la Villa Olímpica de México D. F., donde afrontábamos la inevitable condición de nuestra diferencia, de nuestro ser extranjeros.

Apegados al malentendido, desaprendiendo la realidad (o más bien en el caso de los exiliados que mejor conozco: los de Venezuela), tratando de aferrarnos a la realidad ajena como a una tabla de náufrago —de invocarla, interpretarla, desenmarañarla y hacerla nuestra para poder sobrevivir en ella—, acabamos por no advertir que éramos sometidos a una brutal operación de inexistencia.

¿Cómo es eso? El desatino de nuesta historia se convirtió en algo sorprendente pero natural, la fragmentación que se nos imponía desde el Poder se infiltró en nuestra vida y nos transfiguró en seres interminados.

Las cosas empezaron, para emplear un postulado de Elías Canetti, con el primer muerto: con esa violencia que nos contagió a todos el sentimiento de la amenaza. En pocas semanas, la exageración de la muerte desvaneció el nombre de aquella primera víctima. Ya no sabríamos decir hoy si fueron el abogado Néstor Martins y su cliente ocasional Nildo Zenteno, si fue el presbítero Carlos Mugica, o bien la muerte aluvional e indiscriminada que cundió desde el 24 de marzo de 1976. Y en aquella exageración, el nombre de cada verdugo fue confundiéndose entre otros nombres de verdugos más viles, enmascarándose dentro de una telaraña de crímenes siempre mayores. El aluvión nos exilió a todos los que disentíamos con el Poder, adentro y afuera: nos confinó a la desaparición, nos obligó a inexistir.

Cómo señalar el itinerario de ese descalabro ontológico, cómo incorporar la experiencia del exilio a nuestra vida y a los instrumentos de nuestra vida (llámense la escritura, la acción política, la investigación científica, la reflexión histórica y social), cómo no negar que a nosotros nos pasó todo eso —precisamente a nosotros—; cómo asumir el drama y a la vez superarlo: tal es el cuestionario para el que busco señales de salida.

Empezaré por referir una historia remota que no ha cesado de asediarme durante todos estos años.

Fascinado por el devastador ejercicio del poder absoluto (y por la sensación de que también en el Mal puede haber una cierta grandeza), el primer emperador de la China, Qín Shi Huangdi, abolió el pasado, para que la soledad de su importancia se acrecentara en el futuro y en el presente. Construyó la Gran Muralla y un imperio fúnebre, subterráneo, que reproducía sus concubinas, ejércitos, mares, cielos y también —metafóricamente— la eternidad de su poder. Anuló la realidad y la sustituyó por la representación de *su* realidad.

Borges y Kafka han extraído conclusiones diversas de esa historia. Para el primero es un signo de la ilusión totalitaria. El holocausto de las bibliotecas y la desaforada muralla son —ha escrito— episodios que se anulan mutuamente. Para Kafka es la historia de una lenta desidentificación colectiva: el Poder niega a un pueblo el derecho de ser alguna vez él mismo.

Es ya sabido que sobre el monte Li, en la provincia de Shanxi, los arqueólogos han desenterrado las galerías que sirven de cerco a la tumba del emperador, rescatando de allí a guerreros de arcilla, arqueros, ballestas, armaduras y caballos —ninguno de los cuales es igual al otro— que se ocultaban en la oscuridad de aquella espera, librando un combate interminable. La cámara funeraria de Qin Shi Huangdi no ha sido abierta todavía. Li Ssu, quien sirvió al emperador como Gran Canciller (Ch'en Hsiang), la describió sin embargo con minucia, en un texto ya clásico. Refiere que se abrieron en las entrañas de la tierra zanjas sinuosas, en las que Qin Shi Huangdi ordenó vaciar ríos de mercurio. En esas profundidades sobreviven fortalezas de espejos que se abren bajo un firmamento iluminado con aceite de ballena y huesos fosforescentes. El silencio es absoluto. A intervalos, no obstante, unos artificios mecánicos ponen en movimiento a cortes de justicia que repiten los movimientos de la vida.

Los militares argentinos que asaltaron el poder en 1976 trataron, en la medida de su mediocre imaginación, que la Argentina civil se asemejara a la tumba y a los objetos de arcilla del emperador de la China. Para elaborar ese teatro se valieron de una servidumbre que amasó el barro, modeló las figuras, les confirió en el horno su forma definitiva y se ocupó de barrer los desperdicios. Una vasta red de cómplices les permitió exterminar a los insumisos: chuparlos, desaparecerlos. Porque cada verdugo evidente necesita de muchos amanuenses ocultos: beneficiarios de dones, predicadores, jueces y albañiles de la ratonera donde, enmascarado, se guarecerá el culpable cuando trate de alcanzarlo la verdadera justicia. Todos los que le hicieron el trabajo sucio lo protegerán de cualquier sanción, porque sólo así podrán ellos también, los cómplices, mantenerse impunes.

Hubo un émulo exiguo del emperador de la China que me impresionó por la desfachatez con que exhibió su absolutismo. Me refiero al general de policía Ramón Camps, quien tuvo la paciencia de transcribir en un libro, *Punto final*[1], sus interrogatorios a unos cuantos presos. En el prólogo a ese volumen, Camps se imagina Dios. Afirma, sucintamente, que "el empleo de la fuerza para doblegar la violencia" sólo pretende "la restauración del amor". Algunas de sus víctimas asienten. Doblegadas, piden a este salvador de la patria argentina un puestito en su negocio. Torturados, se purifican delatando, para que otros puedan a su vez ser purificados por la tortura.

El poder absoluto de Qin Shi Huangdi se ejercía mediante el exterminio, la aniquilación, la tierra arrasada; el de los militares argentinos, a través de la humillación, del paulatino desprecio de las víctimas por sí mismas. El Mal no se satisfizo esta vez con estropear el cuerpo. Aspiró a podrir las conciencias, violentar la memoria, lograr que el ser humano fuese lo menos humano posible.

Y nosotros estuvimos allí. Nosotros fuimos parte de esa experiencia devastadora. Sería grave olvidar que nos han inscripto tal cicatriz en el cuerpo: suponer que seguimos siendo los mismos de hace diez años y contar la historia desde afuera, como si no estuviéramos mellados, gastados, desgarrados por esa marca. Sería grave.

Quizá valga la pena evocar cómo sentimos, quienes estábamos en el exilio, el principio de nuestra inexistencia. Son episodios acaso triviales, pero reveladores. Advertidos de que la correspondencia era violada, empezamos a modificar nuestros nombres en los remitentes de las cartas. A mí no me resultaba difícil convertirme, simplemente, en Martínez. Pero también del otro lado, del lado de allá (o para mí, siempre del lado de acá), el destinatario se veía obligado a representar: a ser sólo la tía o el primo que recibiría la carta y, a su vez, se encargaría de entregarla. Luego abundaron aquellos que ya no respondían, aquellos a quienes esperanzadamente mandábamos uno de nuestros libros o les contábamos una historia personal, y no acusaban recibo[2]. Nos resignamos a eso. Procurábamos cercenar cualquier síntoma de autocompasión cuando lo sen-

[1] Ramón J. A. Camps: *Caso Timerman. Punto final.* Buenos Aires, Ed. Tribuna Abierta, 1982.

[2] La historia de las cartas sin respuesta (a las que también aludió Noé Jitrik en su ponencia) suscitó durante el Encuentro de Maryland ciertos comentarios irónicos sobre la calidad de las amistades que habíamos dejado en la Argentina. Me flaqueó entonces el sentido del humor para explicar el punto. Ahora me flaquean los sentidos del humor y de la tragedia.

tíamos aparecer en nosotros. Eramos débiles, pero no queríamos ser enfermos.

Los canales de entendimiento se fueron cortando. Ya no sabíamos qué cordones umbilicales traían y llevaban sangre desde nuestro país hacia nosotros y viceversa, quiénes allá también estaban confinados en el anonimato, la simulación, la vida de topo, y quiénes, simplemente, renunciaban al compromiso de contestarnos una carta. Obviamente, fuimos dejando de ser yo en las llamadas telefónicas, fuimos desapareciendo de la Argentina como criaturas de afecto.

Y sin embargo, persistíamos en nuestra necesidad de saber. Salíamos, recuerdo, a la caza de arrugados ejemplares de *Clarín* o *La Nación* en busca de indicios sobre la realidad arrebatada. Éramos coleccionistas desesperados de signos. Como en el allá perdido nadie podía oírnos, nosotros nos esforzábamos por oír, por reaprender cada mañana lo argentino (el lenguaje, el ser argentino), temerosos de que a la menor distracción se nos perdiera de vista y se nos desvaneciera para siempre.

Segregados del país, desaparecidos a la fuerza, chupados de nuestros afectos y del paisaje cotidiano sin el cual nos sentíamos perdidos, a la deriva, conseguíamos sin embargo que el lenguaje nacional se realimentara incesantemente dentro de nosotros a través del intercambio con unos pocos amigos —que no temían al poder militar, que no mercaban con el poder— y con los desaparecidos de adentro, con aquellos que figuraban en la listas negras y vivían exiliados en sus casas, sumidos en trabajos que eran también formas de simulación: periodistas metidos a carpinteros, obreros de azúcar que hacían changas de contabilidad.

Unos pocos episodios fortuitos confirmaron mi inexistencia. No me queda otro recurso que referirlos en primera persona. Pero cada vez que digo *yo* quiero decir *muchos*, escamoteando sin duda, con mis triviales infortunios, la gravedad de otras historias que debieron de ser, ellas sí, trágicas e irreparables.

A comienzos de 1979 murió Victoria Ocampo. Algunos meses antes, el semanario *Gente* le consagró un artículo cuyas ideas y balbuceos sintácticos me resultaron familiares. Me pregunté si, por azar, era mío. Descubrí que sí lo era. Yo lo había publicado 12 ó 13 años atrás. Pero ahora lo firmaba otro[3].

En 1980 releí una de mis entrevistas a Perón injertada dentro de un libro ajeno[4]. El autor omitía mi nombre, pero al menos se había tomado

[3] El texto original apareció con el título "Victoria Ocampo: Una pasión argentina", en el semanario *Primera Plana*, el 15 de marzo de 1966. El de *Gente*, firmado por Andrés Bufali (del que no conservo copia), fue publicado en 1977.

[4] Enrique Pavón Pereyra: *Conversaciones con Juan D. Perón*. Buenos Aires, Ed. Colihue/Hachette, 1978, pp. 128-134. La entrevista reproduce textualmente, excluyendo mi introducción, la que publiqué en el semanario *Panorama* el 30 de junio de 1970. El libro de Pavón sugiere que él no pudo plagiar, pues fecha ese texto ("Un mundo nuevo se nos viene encima") el 2 de junio de 1970. Conservo, sin embargo, la grabación original: con la voz de Perón y la mía.

el trabajo de respetar mis erratas. Supe también que, por aquella misma época, un programa periodístico de televisión que yo había diseñado y dirigido[5] evocó a todos los que pasaron por allí alguna vez, evitando las imágenes donde yo aparecía. No me desconsolaron esas noticias. Pensé que, aun desvalido del pasado, me habían dejado las manos libres para seguir inventándome un presente. ¿Pero cómo podrían defenderse aquellos que estaban sumidos en la desventaja de una desaparición irreversible? ¿Cómo: Miguel Angel Bustos, Haroldo Conti, Diana Guerrero, Enrique Raab, Rodolfo Walsh?

Durante los mismos años publiqué tres libros en Venezuela, con el propósito de verificar ante mí que yo seguía existiendo, con la secreta esperanza de que algún viajero argentino me descubriese en una librería y se reconociese en mí, conmigo. Una editorial venezolana encomendó a Paidós, el sello que la representaba en Buenos Aires, la distribución de una de aquellas obras. Paidós se negó. Adujo que yo estaba aquejado por cierto veto "de las altas esferas"[6].

Que algún texto mío fuera rescatado por *La Unión* de Catamarca, *El Liberal* de Santiago del Estero o *La Gaceta* de Tucumán (en *La Gaceta* había publicado yo mis primeros artículos y poemas; a partir de 1976, nadie acusó allí recibo de mis envíos) llegó a ser para mí más importante que publicar en *Le Monde* o *The Washington Post* donde disponía de más fáciles accesos. Me resigné a pensar que ya jamás podría llegar a tanto, jamás a *La Gaceta* o a *El Liberal*. Que la Argentina estaba partida en dos y que la línea divisoria era infranqueable.

De vez en cuando me llegaban noticias sobre las acentuaciones de mi inexistencia. La reproducción de un cuadro que yo amaba se había enmohecido, víctima de la humedad porteña; mis ropas, inútiles ya, fueron regaladas a gente de paso que las necesitaba más; alguien a quien confié parte de mis libros los quemó, temeroso, en el asador de su casa. Hasta un miembro muy cercano de mi familia, interrogado en Tucumán sobre un libro que publiqué en 1973, *La pasión según Trelew*, declaró patéticamente que yo no era el autor. Que quien firmaba la obra era un usurpador de nombres, o tal vez un homónimo. Sin advertir que esa persona había desistido ya de mi existencia, le mandé una carta pidiéndole que corrigiera el error. Que leyera ese libro como lo que en verdad es: la historia de una población alzada contra el terrorismo impune del Estado. Y

5 Aludo a "Telenoche", canal 13. Seleccioné el equipo original de dicho programa y lo dirigí durante 5 meses. Renuncié en abril de 1966. El equipo continuó durante algunos años.

6 La negativa de Paidós fue comunicada a Juan Liscano y Hugo García Robles, director general y gerente de producción de Monte Ávila, Caracas, la editorial donde por primera vez se dio a conocer mi libro *Lugar común la muerte*, en 1979. Debo a ellos la información. Los otros libros que publiqué en Venezuela fueron *Los testigos de afuera*, Ed. Miguel Neumann, Caracas, 1979, y *Retrato del artista enmascarado*, Ed. Poseidón, Caracas, 1980.

que oyese el oscuro silencio que estaba manchando a todos en Tucumán, 1978. No recibí respuesta.

A comienzos de 1976, un diario de Caracas, *El Nacional*, me abrió sus páginas. Escribí allí obsesivamente sobre la Argentina, semana tras semana. Imaginen ustedes la irrisión de este diferente, extranjero sin remedio, esforzándose por invocar ante lectores enfrascados en su propia realidad, a los fantasmas de otra realidad, remota e indescifrable. Imaginen ustedes a este descolgado, cuya única herramienta de trabajo es la escritura, tratando de narrar, por ejemplo, la delirante aventura que nos lanzó a Rodolfo Walsh y a mí, en 1970, a seguir la pista del cadáver de Evita, entre París y Bonn; o explicando por qué una novela como *Sophie's Choice* o una película como *Moonlighting* (del polaco Jerzy Skolimovski) me hablaba a mí en un lenguaje que no era el de mis lectores venezolanos.

Una vez más miraba por la ventana, en Caracas, y afuera estaba la Avenida de Mayo. Una vez más, desde Buenos Aires o Tucumán, el Poder me advertía: nadie puede oír tu lenguaje, el espacio del que has sido expulsado es irrecuperable. Quienes trazaban la línea divisoria entre los de allá y los de acá, los autores de esa frontera perversa declaraban, a coro con lo militares: el que se va no existe. Y yo pensaba, en 1977 y 1978: ¿qué habrá sido de aquellos que, aun quedándose, se fueron? Pensaba: ¿en qué país andará Tito Cossa, en cuál el Turco Halac, Griselda Gambaro, Pajarito García Lupo, Héctor Yánover, Federico Luppi: todos los que siguen en Buenos Aires y sin embargo se fueron? ¿A qué cursos de literatura recurrirá Ricardo Piglia ahora para sobrevivir dignamente en aquel espacio condenado por el poder militar a la sordera y a la ceguera? Y entonces, insensatamente, me sentía suspendido de la nada: sin espacio, en ninguna parte, inexistiendo.

Es obvio que nadie sale indemne de esos trastornos ontológicos. Ni los del lado de allá ni los del lado de acá, dondequiera estén esos lugares. Es previsible también que ninguno de nosotros sobreviviría si fuésemos obligados a repetir el drama: a representar la existencia y a tolerar la inexistencia. El juego de los intelectuales ha terminado. Los verdugos tienen todas nuestras fichas de identidad. Hemos perdido por completo la inocencia: ya ni siquiera podríamos fingirla. A partir de ahora, mantenerse al margen del drama nos impondrá nítidamente la marca del culpable. O, lo que quizá sea peor, de servidores de los culpables.

En mayo de 1984 volví por primera vez a Buenos Aires, al cabo de nueve años. Me sorprendió descubrir que, generosamente, todos disponíamos del lugar perdido. Esa fue, sí, una curiosa representación. Alguien, en la calle, tomándome del brazo, me decía, en tono de confidencia: "No sabés cuánto me alegro de que estés vivo". Y yo mismo, al descubrir en un café el rostro de un amigo que creía perdido para siempre, repetía también para mis adentros: "Cuánto me alegro de que él esté vivo". Nos habían privado de todo, pero no de ese don. Estábamos vivos. No éramos fantasmas. Ni afuera ni adentro habían podido convertirnos en las figuras de arcilla del emperador Qin Shi Huangdi. Volvíamos más frágiles pero también más fuertes. Con el peso de los muertos en el corazón y a la vez sintiendo que habíamos vencido, los de allá y los de acá. Faulkner lo había expresado 35 años antes, memorablemente: "Creo —dijo— que aun en el último crepúsculo rojizo y agobiante, la mezquina e inextinguible voz humana seguirá hablando y hablando. Creo que el hombre no sólo perdurará. También prevalecerá". Habíamos, pues, prevalecido.

Desde entonces he venido preguntando de qué manera este Encuentro de Maryland podrá confirmar ese sentimiento. Cómo verificar aquí que, si estamos vivos, no es en vano. Es por algo, para algo.

¿Quiénes somos ahora? Quiero decir: ¿en qué nos ha convertido este medio siglo de autoritarismos? ¿Acaso estamos oyéndonos de veras los unos a los otros o más bien —respondiendo a un condicionamiento militar— estamos tratando de imponer una opinión sobre los otros, abdicando de ese imprescindible acercamiento con todo el ser hacia aquello que el otro está tratando de decirnos? ¿Seguimos siendo intolerantes —jueces, lapidadores, demoledores de creación, censores, represores— para disimular nuestra inseguridad, para enmascarar nuestras pequeñeces? ¿Hay un diálogo perdido que estemos dispuestos a restablecer? ¿Alguna vez —me pregunto— nos reconoceremos los unos a los otros?

Y me respondo: puesto que pudimos perderlo todo, ya no tenemos mucho que perder. Nos basta con la vida, y eso nos permite sentirnos a salvo de nuevas representaciones. Hay ciertos reflejos del pasado que, sin embargo, no hemos desaprendido. Aceptamos con indiferencia los ilevantables pesos de la memoria. Oímos con indiferencia que un tal presbítero von Wernich oficia misas a Nuestro Señor de los Revólveres y que un tal arzobispo Plaza ha contratado la bendición papal para cierto matón de la ciudad de La Plata. Suponemos, con indiferencia, que la democracia es también eso: la voz del criminal en la televisión o en los altares. Hemos desaprendido que la democracia no se conquista de una sola vez, sino todos los días.

En cierto modo, nos hemos acostumbrado a convivir con este ser a medias que fuimos durante tantos años, consintiendo que nos dividieran entre los que pueden hablar y los que no pueden, los del lado de allá y los de acá, los que no saben nada de lo que pasó porque no estuvieron y los que lo saben todo porque no vieron ni oyeron, como si cualquiera de esas condiciones estuviera determinada por un acto de voluntad personal.

Hace algún tiempo ya, en 1979, escribí un cuento corto, *Confín* , a quien un amigo entrañable concedió hospitalidad en su revista[7]. Las primeras líneas de aquel cuento, aquejadas de desesperanza, son sin embargo el más cabal reflejo de lo que yo sentía en aquellos años:

> "En mi país nunca terminamos nada. Las casas donde vivimos están revocadas a medias o tienen sólo las armaduras de la fachada o están llenas de cuartos que se contruyeron (o empezaron a construirse) para nadie."

[7] Saúl Sosnowski en la revista *Hispamérica*, N° 34/35, Gaithesburg, Maryland.

"Nacemos ya incompletos. Las parteras no consiguen arrastrarnos hacia el aire libre cuando nos atascamos en el útero ni obligarnos a soltar el primer llanto, porque sentimos desde entonces que en el principio de la vida hay también un fin, no sabemos de qué, y eso nos sobresalta."

Ya no hay tal fin. Hemos dejado atrás el poder que nos dividía, pero adelante de nosotros, ese poder no quiere abandonarnos. Deberemos enfrentarlo: ¿qué alternativa tenemos?

Hemos dejado de vivir a medias. Todos los días, la memoria nos devuelve a los que murieron. Estamos completos, pues, enteros: los de allá y los de acá. O mejor dicho: todos ya estamos allá y acá cuando queremos. Acá está en todas partes. Y ya que conseguimos lo más difícil, la victoria de la vida, ¿por qué negarnos a la victoria de estar juntos?

LOS INTELECTUALES ANTE LA INSTANCIA DEL EXILIO: MILITANCIA Y CREACIÓN

LILIANA HEKER

No puedo negar que, sólo con cierto malestar, vuelvo hoy al tema del exilio; más precisamente, al tema de los intelectuales ante el exilio. Tantas generalizaciones, malentendidos y acusaciones mutuas trajo en su momento, que replantearlo hoy acarrea el riesgo de encender una rivalidad que tiene muy poco que ver con el debate ideológico y que, si durante la dictadura militar fue insensata, hoy se ha vuelto grotesca. Expresiones como ''colaboracionistas'', ''neofascistas'', ''cómplices del Proceso'', por una parte, o ''la patota del exilio'' y ''la mafia de los que se fueron'', por otra, aplicados indiscriminadamente y sin justificación no contribuyeron precisamente a que los intelectuales argentinos se entendieran en una época en que la censura y la distancia ya dificultaban bastante toda comprensión mutua. Afortunadamente, esa rivalidad a-ideológica perdura en muy pocos escritores. Aquellos que, tal vez creyendo en la existencia de fórmulas redentoras, se respaldan en un hecho congelado y vacío: ''yo me quedé'', o ''yo me exilié'', como si esto por sí mismo significara una definición política y una militancia vitalicia, como si los ubicara mágicamente del lado correcto de la historia.

Justamente que esa rivalidad siga existiendo al menos como resabio fue lo que, finalmente, me hizo encontrarle un sentido a esta nota. Si no otra cosa, al menos pretende ser una contribución a acabar con una imagen maniquea que nos transforma a los escritores argentinos en buenos y malos, independientemente de nuestra ideología y nuestro compromiso político antes, durante y después de la dictadura militar, en la Argentina o fuera del país.

Y algo más: el exilio no es una cuestión agotada en Latinoamérica. Y no vamos a caer en la ingenuidad de creer que, inexorablemente, es una instancia clausurada en nuestro país. Vale la pena entonces discutir la opción de irse o de quedarse en función de una posible eficacia militante. Difícilmente se extraiga La Verdad de esa discusión. Cada circunstancia histórica concreta, y las características de cada escritor concreto, serán las que en última instancia determinarán una decisión. Pero al menos podrá ser útil discutir hoy —que estamos en el país todos los que elegimos estar en él— algunos preconceptos que no tuvimos oportunidad de discutir.

Como punto de partida voy a fijar dónde se ubica —dónde se ubicó en su momento— para mí la necesidad de encarar el tema de los intelectuales y el exilio. Se trataba de custionar un esquema que congelaba a los escritores argentinos dentro de dos categorías: *radicados en el exterior*, lo que equivalía a "condenados fatalmente a vivir fuera de la patria", o *radicados en la Argentina*, lo que equivalía a "mártires o muertos en vida".

Vale decir: el golpe militar del '76, de una manera siniestra y paradojal, nos ofrecía una coartada a todos. Bien. No creo en la eficacia histórica de erigirnos masivamente en víctimas los artistas e intelectuales del país que sea. En la Argentina, no eran sólo el arte y el pensamiento los que estaban amenazados: eran la vida y la dignidad de todo un pueblo. En todo caso, se trataba de ver cómo nuestras palabras, las de aquellos que, dentro o fuera del país, teníamos la suerte de seguir vivos, servían para luchar contra la muerte física, y también, menos pretenciosamente, contra la muerte cultural. Desde esa concepción del ejercicio de la literatura creí necesario cuestionar un esquema que nos cristalizaba.

Una conferencia de Julio Cortázar, publicada por la revista colombiana *Eco* (N° 205, noviembre de 1978), contribuía, no intencionalmente ya que su objetivo era otro, a la consolidación de este esquema. El artículo se llamaba: *América Latina: exilio y literatura*, y su intención general era incuestionable: proponía no utilizar el exilio como mera lamentación o regodeo en la impotencia sino como conversión lúcida en una acción positiva, en un estímulo creador. Sin embargo, había dos puntos particularmente confusos en ese texto. Contribuían a instalar un equívoco, sobre todo porque provenían de un escritor con el peso y la ubicación política de Cortázar.

Y antes de señalar esos puntos, debo hacer una aclaración:

Fui amiga personal de Cortázar, lo admiré y lo sigo admirando como escritor; me alegré, con los de mi generación, cuando él, que había empezado publicando en la revista *Sur*, apoyó a Cuba y optó por el socialismo. Todo lo cual no me impidió disentir en su momento. La muerte de Cortázar no me hace arrepentir de esa disensión. Por dos razones. Una, porque creo que toda polémica es enriquecedora en la medida en que permite la confrontación de dos sistemas de ideas; vale decir: supone que quienes polemizan *tienen un sistema de ideas* que defender. La otra razón: porque sospecho que a Cortázar no le habría gustado nada que la muerte lo acartonara, que lo volviera perfecto e intocable. Esto de hoy debió ser de otro modo. Cortázar sin duda habría estado acá y podríamos dialogar sobre todo esto. De hecho, cuando estuvo en Buenos Aires modificó sus conceptos sobre lo que ocurría con la cultura en la Argentina, y nos prometió, a la gente de El Ornitorrinco, un diálogo. Ya que no está, le hago sin ninguna solemnidad el homenaje de seguir discutiendo con él. Es decir, lo sigo considerando un escritor vivo.

Hablé de dos puntos que contribuían a crear una imagen esquemática de los escritores argentinos. Uno era la ambigüedad con que se usaba el término “exiliado”. El otro, la suposición de que toda la cultura en la Argentina estaba aplastada y la única posibilidad de trabajo cultural se daba en el exilio.

Varios malentendidos, y no sólo en el artículo de Cortázar, se han sustentado en el sentido ambigüo del término “exiliado”. Por una parte se ha aludido así, genéricamente, a todos los hombres y mujeres que se fueron de la Argentina durante el gobierno militar. Por otra parte, el término “exiliado” tiene la connotación de “expulsado por razones políticas”. Y de acá proviene, en gran medida, la división categórica de los intelectuales argentinos. Que haya habido un sector al que se expulsó —o al que, implícitamente, se le garantizara la muerte en caso de no irse— implica que hay otro sector al que *se le permitió* quedarse.

Pero nuestra realidad fue mucho menos prolija que esto, mucho más pavorosa. El gobierno militar no tenía la deferencia de expulsar a sus enemigos. Acá no se expulsaba *ni se mandaba un aviso* a las futuras víctimas. Acá se reprimía o se mataba a mansalva. Dejo de lado a aquellos intelectuales de derecha que se debían considerar a salvo de todo ataque y que, por lo tanto, no tenían ninguna razón para irse. El resto de los escritores argentinos, en mayor o en menor grado, estaba amenazado. Como lo estaba todo obrero con conciencia gremial, todo estudiante con alguna participación política, todo investigador, o abogado, o actor, o profesor universitario sospechoso de decencia.

Y para ser del todo exactos: no sólo estábamos amenazados por nuestras palabras o por nuestras opciones políticas. A veces, figurar en la libreta de direcciones de alguien detenido, tener un amigo a quien habían ido a buscar, eran buenas razones para esperar que golpearan a la propia puerta. Y es en este caos donde algunos deciden, o se resignan a irse, y otros deciden o se resignan a quedarse. Se advierte entonces que el alejamiento o la permanencia en el propio país, por sí mismos, carecen de valor ético.

En condiciones normales un escritor sabe que, en la medida en que se opone al sistema, corre un riesgo. Puede esperar la prisión, el silencio o la marginación. Pero no espera la muerte. Cuando, aun antes de 1976, la muerte empieza a ser *también para los intelectuales* una realidad palpable, algo se descoloca. No es extraño que un escritor sienta que las palabras pronunciadas tienen un costo demasiado alto. ¿Cómo reacciona ese escritor, cómo reacciona cada hombre ante una situación de tanto peso? Es imposible generalizar. Casi puedo imaginármelo a Haroldo Conti, con su aire campechano y calmo, diciéndoles a aquellos que le aconsejaban que se fuera: “a mí no me va a pasar nada”. Es probable que otro escritor, con más o con menos motivos que Conti, estuviera convencido de que iban a ir a buscarlo. Y decidió irse. Quiénes de los que se fueron estarían muertos de haberse quedado, cuántos de los que se quedaron siguen con vida por azar, es algo que ya no importa determinar. Estamos vivos los que estamos vivos. No nos corresponde, ni a los que se fueron ni a los que nos quedamos, enrolarnos en las filas de los muertos potenciales.

Para ser totalmente precisos: el éxodo de intelectuales —y no sólo de intelectuales— no se debió sólo al miedo a la muerte. En la Argentina faltó trabajo y faltaron oportunidades. Hubo listas negras, universidades devastadas, fábricas y editoriales y hasta hospitales cerrados. Éstas son buenas razones para que mucha gente —escritores o no— decidan radicarse en otro país. Resulta bastante elocuente el hecho de que, hacia 1980, se hablara de unos dos millones de argentinos fuera del país, y ahora, que la vida está garantizada, se siga hablando de unos dos millones. Todo lo cual sólo pretende señalar que el término "exiliado" oculta una situación compleja que, a priori, no constituye ni un mérito ni un demérito.

Dejando de lado el sentimiento de amenaza, que no es discutible y sólo puede ser resuelto a nivel personal, queda otra cuestión que tal vez sí merece ser discutida: la de la eficacia de un escritor en tanto creador y en tanto militante. ¿Tiene sentido quedarse en el propio país, bajo la represión? ¿Acaso no es un ámbito de libertad el que le corresponde a un intelectual, a un creador, para desarrollar plenamente su pensamiento y su obra artística? Sin duda que sí. Las restricciones a esa libertad, entonces, ¿no constituyen una razón suficiente para que un escritor, por respeto a sí mismo, se sienta obligado a irse aun cuando nadie, explícitamente, lo expulse, aun cuando no sienta amenazada su vida? Creo que ahí sí se puede encontrar la razón de muchos exilios políticos, no sólo en la Argentina. Y el porqué de que Cortázar supusiera que, en la Argentina, toda la cultura había sido aplastada y, yendo más allá, afirmara que "*aquellos que un día decidan decir lo que verdaderamente piensan tendrán que reunirse con nosotros fuera de la patria*".

Repito ahora lo que escribí en mi respuesta a Cortázar. "El exilio en todo caso, es una fatalidad o una desdicha, no una militancia demoledora. Un escritor, individualmente, puede elegir irse: su obra y sus actos justificarán o no esa elección. Lo que no puede es erigir su decisión personal en programa político; no puede proponer el éxodo en nombre de una presunta combatividad fundada en decir 'lo que verdaderamente se piensa'. Decírselo a quién y para qué, ésos son los interrogantes que debe plantearse todo intelectual lúcido, y a partir de las respuestas que se dé, decidir si su camino más eficaz es el de marcharse. Proponer el éxodo como praxis supone creer que la historia de los pueblos la dirige Dios. El día que ponga un gobierno a nuestro gusto, todos volveremos gozosos. Y no. Un país no es un hotel turístico en el que nos quedamos cuando la estadía nos resulta grata, y al que abandonamos cuando la atención no nos satisface. Un país, el sentido de su historia, son cuestiones que nos conciernen a todos".

Pero, ¿qué puede hacer un escritor bajo un régimen represivo que, necesariamente, lo obliga a medir su lenguaje, lo obliga, por lo tanto, a cercenar su libertad?

Dejando de lado por el momento la libertad del escritor en tanto creador y ante su obra de pensamiento a largo plazo, considerando sólo el valor militante de sus palabras, yo diría que esas palabras sólo tienen sentido en tanto actúan ahora y aquí sobre los otros; vale decir: siempre están condicionadas por esos otros. En una isla desierta yo puedo hacer ejercicio total de mi libertad de expresión, puedo decir mi verdad sobre el mundo tal como la concibo, pero ¿para qué y para quién la digo? La escritura como acto político necesita el receptor adecuado; no es un grito en el vacío ni tiene un valor absoluto: su valor es circunstancial y, por lo tanto, debe estar inmersa en la circunstancia sobre la que pretende actuar.

En situaciones como la que hemos vivido, ciertos escritores —y no hablo por supuesto de aquellos que, no sólo ahora, se acomodaron bastante bien al sistema— tratamos de utilizar nuestras palabras para revertir la muerte cultural que nos querían componer desde arriba. Se conformó así una resistencia cultural. Es cierto que la censura volvió nuestra prosa menos explícita, pero también es cierto que la realidad volvió nuestras palabras más eficaces. Se escribía a pesar y en contra de la censura. Y, puesto que las palabras implicaban un riesgo, se aprendió a no dilapidarlas, a explotar al máximo sus posibilidades de eficacia. Ninguna censura es infalible, de eso debería convencerse todo intelectual. Son los avances que va dando un escritor respecto de los límites impuestos, y no la aceptación de la Fatalidad, lo que modifica la historia cultural de un país y, por lo tanto, también la historia.

La arbitrariedad, la persecución y la censura constituyen el ámbito en el que, salvo circunstancias excepcionales, han debido crear todos los escritores rebeldes en sus países. En Latinoamérica, ése ha sido el ámbito natural durante casi toda su historia. Pero todo escritor comprometido con su realidad sabe que no va a esperar el apoyo oficial para decir su verdad.

Esta posibilidad de acción, esto que de alguna manera es una postura personal en cuanto a la responsabilidad de un escritor como militante, bajo la represión, no significa en absoluto que todos los escritores que se han quedado en la Argentina durante la dictadura militar hayan elegido ese camino. Aun en épocas menos catastróficas que la que nos ha tocado vivir, habría sido por lo menos un disparate generalizar acerca de la ideología y la actitud política de todos los intelectuales de nuestro país. Es evidente que algunos no se sentían del todo incómodos. Mujica Lainez, por ejemplo, declaró en España: *"Estamos allí muy tranquilos* (se refería a los escritores en la Argentina). *Estamos todos: Borges, Sábato, Silvina Ocampo, Bioy Casares, yo, todos los grandes* (...) *El único escritor de prestigio que no está en la Argentina es 'Cortázar', que hace veinte años vive en Europa".*

Defender en general la decisión de haberse quedado en la Argentina en nombre de una supuesta militancia es tan falaz como suponer que haberse ido un escritor al exterior indica necesariamente una trayectoria política revolucionaria e incuestionable.

No. Ya se sabe que se puede ser un traidor, un oportunista o un tibio adentro o afuera, un gran escritor en el propio país y en el extranjero. Se puede asumir una perspectiva nacional en el exilio y escribir desde la torre de marfil en el propio suelo. Qué hizo, qué hace un escritor con sus palabras, ésa es la cuestión última. Lo que tal vez estamos aprendiendo, todos o casi todos nosotros, es que el sufrimiento no nos redimió. Que si, en algún momento, alguien se ha sentido propietario del dolor, al fin ha debido aceptar que, en realidad, acá hubo todo un pueblo arrasado por la brutalidad y por la muerte. Y esa tragedia colectiva sí es parte de nuestro patrimonio como creadores.

Entramos entonces al otro aspecto de la responsabilidad de un escritor: el del trabajo a largo plazo, el de la obra literaria. Resulta claro que en ese terreno interesa muy poco quién ha sufrido más: lo único que pesa es qué hace cada escritor con su propia experiencia. O sea que entonces nos situamos en una cuestión estética, en un problema de buena o de mala literatura. En este aspecto, el hecho de haberse quedado en la Argentina o haberse exiliado pierde totalmente su connotación política. Aun en situaciones menos extremas que la que hemos vivido, sólo un autor puede elegir cuál es el ámbito que necesita para su trabajo. Si le basta con la libertad de su pieza o necesita una atmósfera cultural libre, si le hace falta oír su idioma y palpar la realidad de su gente, o si por el contrario sólo a la distancia y a través de la nostalgia consigue testimoniar su mundo, ésas son elecciones que, a priori, no son ni buenas ni malas. Son elecciones egoístas en el sentido unamuniano; no se explican sino por la paradojal condición egoísta del acto creador y sólo pueden ser juzgadas a partir de la obra que produce esa actitud[1]

Serán los críticos de las próximas décadas quienes seguramente podrán determinar con mayor ecuanimidad cómo nos marcaron estos años. Y me atrevo a apostar que no será justamente el hecho de habernos ido o habernos quedado lo que establecerá una línea divisoria en nuestra literatura. Digamos: cuando se habla de literatura alemana de este siglo se incluye a Thomas Mann y Gerhart Hauptmann, a Herman Hesse y Heinrich Böll y Gunther Grass. No es el hecho de haberse exiliado Thomas Mann y Hesse, y haberse quedado en Alemania Hauptmann y Böll y Gunther Grass lo que define a estos autores, sino su obra y su actitud ante el horror del nazismo. Del mismo modo, el hecho de que Sartre y Drue

[1] Hay que tener en cuenta que normalmente un escritor no necesita recursos materiales específicos para desarrollar su obra, de ahí que la decisión de irse o de quedarse responda sólo a razones personales. Sería distinto, por ejemplo, el caso de un investigador, o aun el de un músico, que necesitaran estudios o recursos materiales específicos para desarrollar plenamente su potencialidad. Es evidente que, en estos casos, el viaje al exterior es no sólo una elección sino también una imposición.

de la Rochelle hayan permanecido en Francia durante la ocupación no los ubica del mismo lado de la historia.

Si el tema del exilio, en tanto discusión política y no como mera rivalidad futbolística, tuvo sentido durante la dictadura militar, ahora ya ha dejado de tenerlo. Puesto que, en el mejor de los casos, se discutía en nombre de una militancia, en nombre de esa militancia, hoy, esa discusión resulta ineficaz: no se puede sostener como un estandarte una actitud tomada con anterioridad. Toda militancia se define ahora y aquí, y nuestra realidad, hoy, es otra. Muchos de los que se han ido están de vuelta en la Argentina. Otros han elegido quedarse en el exterior, lo que, a priori, es tan válido como cualquier otra elección. Los que, estando acá, sólo podíamos hablar a medias, hoy podemos usar abiertamente nuestro lenguaje. Seguir dándole vueltas al tema del exilio interior o el exilio exterior es sólo un modo de regodearse en el propio "martirio", o una manera elegante de buscar coartadas. Cómo nos definimos políticamente a partir de hoy; eso es lo único que importa.

PEQUEÑO RECORDATORIO PARA UN PAÍS SIN MEMORIA*

OSVALDO BAYER

I. Datos y trayectorias para tener en cuenta

"¿Qué clase de pueblo era éste cuya tolerancia pasiva, sí, su consentimiento criminal hizo posible que se desataran poderes tan perversos?" Así se preguntaba en abril de 1945 la periodista norteamericana Margaret Bourke-White, de "Life-Magazine", ante los habitantes de Bergen, luego de haber visitado el campo de concentración de Bergen-Belsen, en los últimos días de la guerra[1].

Cuando, en el caso argentino, vemos el método aplicado durante los años de la dictadura: secuestro, torturas, vejaciones en todas sus gamas más despiadadas, derecho de botín —a los perseguidos se les robaba hasta los hijos, perversión no conocida hasta ahora en la historia— desamparo y persecución de la familia de la víctima, y por último "desaparición" del secuestrado (es decir, no otorgarle ni siquiera el derecho de la vida o la muerte), todo un concepto que involucra el neologismo "muerte argentina", ante toda esa realidad, la pregunta que se hubiera hecho Margaret Bourke-White treinta y cinco años después ante la sociedad de nuestro país sería similar.

Porque, ¿cómo esos hijos —los militares— de esa sociedad que según estudios recientes de sociología pro-viene en un noventa por ciento de la clase media y a su vez en más de un ochenta por ciento de familias católicas, cómo esos hijos fueron capaces de algo así calificado por ellos mismos con la sorpredentemente cínica expresión de "excesos de la represión"? Todo eso fue posible por la sociedad civil que los acompañó y rodeó con entusiasmo, o que guardó silencio cómplice, o que hizo "oposición constructiva" (toda esa fauna mansamente demoníaca de los que saben "cuerpear" la situación con medias palabras desensillando no hasta que aclare sino solamente para reacomodar las cargas y atento el olfato a cualquier cambio para trocar la senda por la ruta). Además de aquellos que negaron la realidad o de aquellos otros —los más peligrosos— que hablaron mucho para no decir nada, que hablaron de persecuciones en

* Advertencia: En el simposio de Maryland —por atendibles razones de organización y de tiempo— fue leída sólo la parte II en casi su totalidad.

1 Citada en Jörg Friedrich, "Die kalte Amnestie", Francfort M., 1984.

otros mundos mientras en nuestras calles se mataba a la mejor juventud.

Pues bien, en esa sociedad están los intelectuales. Para estudiar el comportamiento de los intelectuales argentinos durante la represión existe —para futuros investigadores— un material formidable: precisamente los diarios, revistas y publicaciones argentinas de ese tiempo. En esas páginas impresas —y en casetes de televisión y radio— se hallan las pruebas insustituibles para el estudio del comportamiento de los "hombres de la cultura" durante la dictadura y sus años previos[2].

Pequeño acertijo de nuestra esquizofrenia

Bastaría un pequeño acertijo para introducirnos a la problemática psicosocial e intelectual de nuesta sociedad y comprender su inveterada esquizofrenia. Veamos. Quién dijo estas frases saludando el advenimiento de la dictadura de Onganía y la caída del presidente radical Illia: "Creo que es el fin de una era. Llegó el momento de barrer con prejuicios y valores apócrifos que no responden más a la realidad. Debemos tener el coraje para comprender (y decir) que han acabado, que habían acabado instituciones en las que nadie creía seriamente. ¿Vos creés en la Cámara de Diputados? ¿Conocés mucha gente que crea en esa clase de farsas? Por eso la gente común de la calle ha sentido un profundo sentimiento de liberación. Hay en el pueblo (como en los chicos) una necesidad de verdad hondísima. Nadie, o casi nadie, se ha alegrado de la caída de Illia; nuestro pueblo es generoso y bueno, y nadie se ha alegrado de la penosa deposición de un hombre que, seguramente, es honesto y un excelente hombre. Se trata de que estamos hartos de mistificaciones, hartos de politiquerías, de comités, de combinaciones astutas para ganar tal o cual elección. Estamos avergonzados de lo que hemos llegado a ser, no ya en el mundo, sino en América latina, al lado de potencias como Brasil y México. Qué, queremos seguir siendo una especie de burocracia cansada y decadente, en nombre de no se qué palabras que no son nada más que eso, palabras. No se hace una gran nación con palabras y mucho menos con palabras apócrifas y altisonantes". Más adelante, el entusiasta del gobierno militar dirá: "Falta ver, ahora, si los hombres que han tomado el gobierno están a la altura de esta desesperación histórica del pueblo argentino. Si no responden como es debido, estaríamos ante la más grande catástrofe, quizá ya irremediable. Sé que hay personas que están en puestos claves y que piensan lúcidamente, y así se lo he dicho en una carta a Nicanor Costa Méndez, actual canciller y amigo mío". Terminará con una loa para el dictador de derecha: "Ojalá la serenidad, la discreción, la fuerza sin alarde, la firmeza sin prepotencia que ha mani-

[2] En las publicaciones del exilio se reprodujo mucho material publicado en la Argentina. Principalmente la revista "Resumen", publicada en Madrid por el Club para la Recuperación Democrática Argentina.

festado Onganía en sus primeros actos sea lo que prevalezca, y que podamos, al fin, levantar una gran nación''.

Y ahora vamos a la segunda frase. ¿Quién dijo esto?: ''(Necesitamos) un humanismo crítico frente a los múltiples mensajes que los medios de comunicación social imparten cotidianamente, como una escuela paralela. Un humanismo promotor de la convivencia dialogal entre las diversas generaciones, donde la experiencia se conjugue con la imaginación, en un clima de respeto y alegría. Un humanismo que conciba el saber como un servicio puesto a disposición de todos, en la búsqueda de una sociedad mejor educada y, por ello, más libre y más justa. Un humanismo, en fin, abierto a la trascendencia que haga de la familia una auténtica iglesia doméstica, según la perenne expresión del magisterio cristiano''.

Los autores de esas declaraciones son el escritor Ernesto Sábato y el general Jorge Rafael Videla. La primera es del escitor, la segunda, del dictador[3].

Un investigador extranjero jamás acertaría con la clave. Ni siquiera un argentino. Salvo alguien con la perspicacia literaria de un Arturo Jauretche.

Un pequeño mosaico de la sociedad oportunista.

Formas de la represión cultural

Durante la dictadura de los generales, las palabras ''democracia'', ''justicia'', ''justicia social'', ''dignidad del hombre'', ''valores eternos'', ''crisis de la civilización occidental'', etc. etc., fueron los términos más usados no sólo por los gobernantes sino también por los intelectuales en sus declaraciones públicas, por los columnistas de los periódicos, los moderadores de audiciones y emisiones televisivas masivas. No se crea que la dictadura fue torpe enredándose en tiradas oscurantistas —las hubo sí, pero casi siempre a nivel de proclama de cuartel— o en un antiintelectualismo salvaje. Se quemaron libros, sí, pero fue al principio, para demostrar autoridad, pero luego todo se hizo suavemente y en la oscuridad. Con encomiable talento mafioso. Los libros molestos no eran prohibidos

[3] ''Ernesto Sábato: el fS de una era''. Reportaje de José Ricardo Eliaschev, fotos de Diego della Barca, Revista ''Gente'', 28-7-66. El copete del reportaje dice: ''Inesperadas declaraciones de Ernesto Sábato sobre la Revolución Argentina. Habló aunque se enojen sus amigos: estructuras en liquidación. ''Estamos hartos de mistificaciones, de politiquerías de comité, estamos avergonzados de lo que hemos llegado a ser: burocracia cansada y decadente. No se hace una gran nación con palabras''. También habló del afecto a los hijos. ''Qué grande es nuestro país, pibe''. Fotocopia en poder del autor.
Las palabras de Videla están contenidas en su discurso del 9 de setiembre de 1978 en el cual, además, dijo: ''Las ideologías totalitarias de diversos signos desafían hoy la sensibilidad creadora del hombre, proponiéndole fórmulas prefabricadas en lugar de desarrollos críticos y creadores''. ''Diario Popular''. 9-9-1978.

por decreto —salvo unos pocos— sino que se aplicaba el mismo método que con los seres humanos. Se los hacía "desaparecer" mediante requisas localizadas o "consejos" al librero.

La prensa trató de ser lo más "pluralista" posible. Por eso los mejores ayudantes de la dictadura no fueron los exegetas del poder militar sino aquellos que se expresaban "moderadamente", los que sabían dejar una suave estela de crítica. Servía para demostrar el "pluralismo". Eso sí, había "tabúes" que todos respetaban: los innombrables, los exiliados, los "subversivos".

Videla, el torvo dictador, quería a toda costa mantener las formas. Todo tenía que efectuarse con guante blanco para hacer menos creíble la represión apocalíptica que se hacía subterráneamente. Por eso, los deslices se trataban de reparar de inmediato. Cuando un funcionario provincial —por ejemplo— prohibió en Córdoba las matemáticas modernas, hubo un alerta en la Casa Rosada. Y el diario "La Nación" se apresurará a hacer un reportaje a Ernesto Sábato por Odile Barón Supervielle, de página y media con un despliegue inusitado de siete fotografías del rostro del escritor, sobre "Censura, libertad y disentimiento", en el cual —además de feroces tiradas anticomunistas y un por demás cálido ensalzamiento de las formas democráticas de Estados Unidos— se critica toda forma de censura[4]. Quien lea "La Nación" en todas sus secciones constatará que mientras exigía extrema rudeza en la represión, se permitía ciertas críticas en su suplemento literario.

Es que los "liberales" se defendían del sector católico ultramontano afín al peronismo de derecha. Los dos querían lo mismo pero el método era diferente. Estos querían la totalidad. La hoguera para libros y herejes. Aquellos, el salón literario librepensador al frente, y la pena de garrote en el sótano.

Así lo comprendía el "liberal" Videla. No una censura total, sino discriminada. En el cine, sí, porque allá van las grandes masas (sigue siendo la diversión fundamental del argentino); en el teatro, no. Porque es para minorías. Por eso puso a Paulino Tato en el cine y a Kive Staif en el teatro San Martín.

Aquel que haga la evaluación de los medios de comunicación desde marzo de 1976 a diciembre de 1983 comprobará que los dos intelectuales más promocionados fueron Ernesto Sábato y Jorge Luis Borges. Y sin censura. Cuando el 16 de febrero de 1979, Ernesto Sábato es condecorado como "Caballero de la Legión de Honor" de la embajada francesa en Buenos Aires, el canal de televisión oficial de la dictadura transmitirá en

[4] Sábato habla sólo de un aspecto del sistema político de Estados Unidos. No hace referencia precisamente a toda la concepción materialista y consumista de ese modo de vida y su influencia y consecuencia en el resto del mundo. Habla de los pueblos latinoamericanos que "son propensos a las dictaduras" sin explicar causas, como si los latinoamericanos estuviesen predispuestos por Dios a no ser demócratas. En suma, un reportaje dirigido a los lectores de ese diario. "La Nación", Bs. As., 31-12-78.

directo la ceremonia y el discurso del escritor. Y al día siguiente, "La Opinión", intervenida por los militares, publicará una columna firmada por uno de los periodistas más leales al gobierno militar, defensor a fondo de la represión: Eduardo J. Paredes. Se titulará: "Un hombre argentino moralmente entero". Y dice, entre otras alabanzas: "En una etapa histórica del país en que se tuvo que superar el drama y el dolor, la frustración y la vergüenza en que muchos debieron replantear incluso la trayectoria de toda una vida, en la que el odio y la irracionalidad sembró muerte y más odio y hubo que apelar a la fuerza para combatirlo, en la que nació un miedo que todavía cuesta desterrar, en la que muchos paralizaron su labor mental por temor a producir ideas en momentos en que las ideas eran peligrosamente sopesadas, Sábato es una de las contadas figuras públicas del país moralmente enteras".

Agrega más adelante: "Es firme y coherente en su pensamiento. No se contradice en sus opiniones. No tiene miedo a opinar aunque su opinión signifique una crítica a la autoridad. Al mismo tiempo evita el petardismo intelectual y es prudente"[5].

El grado de preferencia de que gozaron Sábato y Borges durante la dictadura llegan a simplificarse en anuncios como éste: "500 reportajes en radio Continental: el 24 del corriente la audición 'La semana que viene' cumplirá su reportaje número 500. En los mismos han sido entrevistados, entre otras personalidades: el general Jorge Rafael Videla, Jorge Luis Borges, Ernesto Sábato, César Menotti, Pelé (...)"[6].

El régimen militar fue muy sistemático en la represión de la cultura. Se había asesinado a los escitores peligrosos. Se había "desaparecido" a 110 representantes de la cultura[7]. El resto que molestaba tuvo que exiliarse. En las Universidades, la represión contra los activistas constituye tal vez el capítulo más brutal de la persecución militar[8].

[5] Sobre la transmisión televisiva, ver "Clarín", 18-2-79. El artículo de Paredes en "La Opinión", 19-2-79.

[6] "La Opinión", 16-9-78. Sorprenden recientes declaraciones de Sábato a publicaciones extranjeras donde aparece como perseguido por la dictadura. No sólo no se le prohibió ni un libro ni fue molestado en su domicilio, sino que apareció repetidas veces por las radios y televisiones oficiales hablando directamente. (Ejemplos: Canal 7, 30-12-1978, "La justa del saber" reportaje de dos horas; "Hoy por la tarde" de Canela (18-5-78); "Pantalla Gigante", Canal 11, 21-7-77, etc., etc.). Cada vez que salió o entró del país se le dedicaron destacados reportajes. Aun las expresiones más adictas a la dictadura: "Gente", "La Opinión" y "Convicción" (diario de Massera y la marina de Guerra) le dedicaron largas notas ilustradas —la revista— y repetidas contratapas, los diarios.

[7] La lista fue publicada íntegra por Amnesty Internacional, de Alemania Federal, en diciembre de 1977. Denunciaba la desaparición de escritores, periodistas, actores, hombres del cine y el teatro, de la plástica, etc. Hasta la fecha no han reaparecido.

[8] Durante los peores meses de la represión, la dictadura ofreció y nombró rector de la Universidad de Buenos Aires al ingeniero Alberto Costantini, un "liberal". Este ofreció el cargo de presidente del directorio de EUDEBA, la Editorial Universitaria de Buenos Aires, a Ernesto Sábato, quien no aceptará porque dice "que la mejor contribución que yo puedo aportar a la tarea de pacificar el país debe realizarse desde la simple condición de un escritor independiente". Pero, del rector de la dictadura dirá: "Los antecedentes democráticos del

La interpretación de la violencia

La discusión sobre la violencia produce en esos años una nueva línea. En 1979 los crímenes comienzan a ponerse en descubierto. La incansable labor de los exiliados y de las organizaciones de derechos humanos van quitando la careta a los represores. Esta nueva situación acentúa aun más la línea neutralista de ciertos políticos e intelectuales que dicen estar "contra la violencia de cualquier signo" y que se desviven en demostar que tienen el chaleco libre de manchas con sospechas de ideas subversivas o comunistas. Se inicia una línea de interpretación de la represión, la filosofía de los "dos demonios" que aun hoy persiste y es el fundamento del actual gobierno radical.

Todo esto se puede ver claramente cuando la visita de la Comisión de Derechos Humanos de la Organización de Estados Americanos. Habrá tres líneas. La incondicional, fiel a la dictadura, que se niega a ir a declarar ante la sede de la Comisión, como el director del diario "La Nación", doctor Bartolomé Mitre. Las Madres, que van a denunciar lo ocurrido a sus hijos, lisa y llanamente. Y la tercera, la neutralista. Las declaraciones de Raúl Alfonsín, Ernesto Sábato y de los dirigentes sindicales peronistas —de septiembre de 1979— son coincidentes en ese aspecto[9].

Alfonsín dirá: "La Argentina está siendo empujada hacia un colapso ético por los partidarios de la violencia de uno y otro signo. Tanto quienes la ejercieron con la excusa de superar injusticias como quienes desde el otro campo la justifican como una forma de justicia, son la cara y la ceca de una deshumanización que conduce por el camino del fanatismo a la perversión de las formas civilizadas de vida"[10].

Sábato dirá: "He repetido muchísimas veces mi posición contra to-

---

ingeniero Alberto Costantini, sus justamente reconocidos valores técnicos y el importante discurso pronunciado al asumir el Rectorado certifican su calidad humana, científica y filosófica". ("La Opinión", 10-8-76.) Por su parte Costantini nombró "amigo permanente del Centro Argentino de Ingenieros" a Ernesto Sábato, entregándole una medalla y un diploma. El escritor, luego de expresar sus conocidos conceptos sobre democracia y libertad, se mostró ante el rector de la dictadura también partidario del orden en las casas de estudio. Dijo: "La Universidad debe ser un lugar donde reine la serenidad, la tranquilidad y el respeto. Recuerdo cuando nosotros recibíamos al sabio Perrin; nos poníamos de pie cuando entraba en el aula. Los chicos de hoy me dicen que esas son formas, formas apócrifas. Hay quizás hasta muchas iglesias apócrifas. Pero eso no significa que los formalismos y los ritos sean apócrifos". ("La Opinión", 4-8-76.) El Centro Argentino de Ingenieros firmará después el comunicado de la dictadura contra la "Campaña Antiargentina" de los exiliados.

[9] Luego de pedir por el desaparecido Oscar Smith y los presos Lorenzo Miguel y Julio Guillán, los dirigentes peronistas solicitaron a la comisión de la OEA "profundice sus medidas contra la penetración marxista en América latina". ("La Nación", 13-9-79.)

[10] "La Nación", 13-9-79.

das las formas de totalitarismo, sean de derecha o de izquierda. Las trágicas experiencias de la Unión Soviética y de la Alemania hitlerista deberían haber bastado para mostrar lo que jamás podía reiterarse''. Luego señala: ''Esta defensa (la de los derechos humanos) debe ser permanente e indivisible en todos los casos, ya sea contra los crímenes del terrorismo tal como innumerables veces sucedió en mi país o como está sucediendo en la Italia democrática y en la España de hoy, ya sea contra los crímenes de la represión''. Luego hace una curiosa división, en la que no puede disimular el oportunismo ante los poderosos de turno y su maccartismo: ''Sólo tenemos derecho a denunciar violaciones en la Argentina los que también hemos denunciado las cometidas en los países comunistas''. Para agregar: ''Los que no protestaron también contra esto, deben callarse''[11].

Esta línea de pensamiento de ''los dos demonios'' iniciaba una perspectiva muy peligrosa por donde iban a tratar de escaparse luego los verdaderos criminales. En ese momento era desviar el tema, ya que la comisión de la OEA venía a investigar si el gobierno argentino respetaba o no los derechos humanos —fueran terroristas o no los perseguidos—, si era cierto que había desaparecidos, que había campos de concentración, que había niños secuestrados, que a los detenidos —aun a los ''legalizados''— se los sometía diariamente a crueles vejaciones. Retrotraer el problema a la lucha contra el terrorismo ya vencido era dar una ''ayudita'' a los represores. Era poner un prólogo a la tesis de la ''guerra sucia'' con que el compungido Videla trataba de explicar los ''excesos''. Así, todo un sistema que comprometía las libertades del pueblo, de su cultura, de su economía, se limitaba a una mera guerrita entre facciones. Actualmente ese argumento —el del terrorismo y el del antiterrorismo— sigue siendo el principal justificativo de la inhumana represión y todo un sistema e ideología política que estuvo detrás de él.

En septiembre de 1979 el justificativo de los ''dos terrorismos'' había quedado superado. Podía ser actual, sí, durante el gobierno constitucional de Isabel Perón, cuando la represión se hacía ilegalmente por medio de las bandas de las ''3 A''.

En ese septiembre de 1979 había que denunciar bien alto el perverso sistema represivo que ya ninguna persona podía ignorar. Sábato habla en su mensaje a la OEA de las violaciones en los países comunistas pero no es capaz siquiera de mencionar el nombre de un escritor argentino: Haroldo Conti. En ese mismo comunicado, ese escritor indica que ''la violencia argentina comenzó ya en la década del 60, y más precisamente con el asesinato del general Aramburu en 1970'', con lo cual daba el mejor argumento a los represores ya que identificaba: violencia = montonerismo. La violencia en la Argentina había comenzado mucho antes. Pero para no remontarnos al siglo pasado ni a las violencias contenidas en la sociedad en sí, podemos decir que la violencia contemporánea nació

11 Idem, ídem.

en 1930 cuando se quebró la línea constitucional, o en 1956 cuando se fusiló indiscriminadamente a peronistas, o en 1958 cuando se negó a las mayorías votar por sus candidatos, o en 1963 cuando los radicales aceptaron ir a elecciones con el justicialismo prohibido, o en 1966, con la dictadura de Onganía —que Sábato saludó— y su "noche de los bastones largos", o en 1973 con la fe defraudada de toda una juventud que creyó en un líder. Líderes —como institución política— en los que también Sábato dijo creer como lo informa la crónica periodística del 10 de julio de 1971 en Tucumán: "Sábato manifestó creer en los jefes, 'en los líderes, como los ha habido en todos los momentos cruciales de la historia de la humanidad', y dio a conocer su intenso anhelo de que 'encontremos un hombre capaz de despertar el fervor de los argentinos'". Si él, a los 60 años de edad creía en los líderes, no debía a los 68 reprochar como culpables de la violencia argentina solamente a un sector juvenil que había errado los métodos y el análisis político y que tenía, por otra parte, la misma falta de escrúpulos —ni más ni menos— que todos los sectores de la vida argentina.

II. Calendario de una década argentina

Si bien la violencia es inmemorial en la Argentina, los años de terror protegido sistemático comenzaron a fines de 1974. En mi caso particular, en octubre de 1974, con una fecha crucial: el asesinato de Silvio Frondizi, las listas de la tres A, la obligada desaparición del film "La Patagonia Rebelde". Pero el terror ya sistematizado y oficial se inicia el 24 de marzo de 1976 y su clímax durará hasta principios de 1979. Es la época donde no hay lugar para indiferentes. El editorial del diario "La Nación" lo proclama y lo exige: "*Nadie es neutral*", se titula. Lo expresa sin rodeos estilísticos: "En este cuadro de cosas nadie puede ser por más tiempo neutral". Y advierte, apocalíptico, que el peligro acecha a la sociedad argentina "desde un teatro de títeres a una campaña por una supuesta educación sexual, desde un estudio con pretensión científica a una promoción de deportes, todo puede instrumentarse al propósito del deterioro"[12].

Se reclama la guerra total. Es el momento de la caza del adversario político. Es la hora de la espada. Que volverá a anunciar Jorge Luis Borges al recibir el 2 de septiembre del año cero, la condecoración más alta de Pinochet. Con las insignias de la Gran Cruz en el pecho dirá, adoptando un tono solemne extraño en él: "sugiero que pensemos en Chile como la patria de Lugones y como una justa espada"[13].

[12] "La Nación", Bs. As., 10 de mayo de 1976.

[13] "La Nación", Edición internacional, 6-9-76.

La patria de los Ford Falcon y de la picana eléctrica se unía con la patria de los presos en los estadios de fútbol a través del laberinto borgeano. Era la hora de la espada con electrodos. De los militares con capucha. Repetíamos, frenéticos, las barbaries de otras latitudes. Pero "a la argentina": hay piedra libre contra el que piensa distinto, contra él, su mujer, sus niños, su casa, sus cosas.

En Córdoba, el teniente coronel Gorleri oficializaba lo que ya se venía haciendo subrepticiamente: la quema de libros. La proclama ha quedado inserta en todos los diarios, resplandeciente de arrogancia e ignorancia: "a fin de que no quede ninguna parte de estos libros, folletos, etc., se toma la resolución para que con este material se evite continuar engañando a nuestra juventud sobre el verdadero bien que representan nuestros símbolos nacionales, nuestra familia, nuestra iglesia, y en fin, nuestro más tradicional acervo espiritual sintetizado en Dios, Patria y Hogar"[14]. En esos días, el escritor Ernesto Sábato dirá al salir de la Casa Rosada: "El general Videla me dio una excelente impresión. Se trata de un hombre culto, modesto e inteligente. Me impresionó la amplitud de criterio y la cultura del presidente"[15].

Es la hora del triunfo de la espada y del fracaso del Parnaso cultural. De nuestros inmortales. El mismo Ernesto Sábato recomendará en la revista ultraderechista "Gente" que hay que tomar ejemplo de su vecino, que cría gallinas y planta lechugas. Receta elusiva en la hora en que se dinamitaban hasta los cadáveres de los perseguidos[16].

Y la espada será acompañada por la cruz. El representante del Papa, Pio Laghi, consagrará todo con su hisopo cuando vuela a Tucumán a dar la mano a los generales Menéndez y Acdel Vilas y felicitarlos "porque están defendiendo los principios de Dios, Patria y Familia"[17]. Cuando son asesinados en la iglesia de San Patricio del barrio de Belgrano los cinco curas y seminaristas palotinos en manos de un comando de la marina de guerra encabezado por el teniente de navío Antonio Pernía, de la Escuela de Mecánica de la Armada, los cardenales Aramburu y Primatesta producen el documento tal vez más obsceno del tiempo de la dictadura. Escribirán con un servilismo que lleva las marcas cainescas del cinismo y la hipocresía: "Sabemos cómo el gobierno y las Fuerzas Armadas parti-

[14] "La Opinión", 30-4-76.

[15] "La Nación", "La Prensa", "Clarín", 19-5-76.

[16] "Gente", N° 660, 16-3-78. En el mismo número se informa sobre el "motín de la cárcel de Villa Devoto". Se da, por supuesto, una mentirosa versión policial. Fue una horrible masacre de presos comunes: 60 muertos y 56 heridos. Una represión de un cinismo y crueldad a tono con la época. No se levantó ni una voz de protesta. Sábato había calificado a la revista "Gente" así: "Tiene vitalidad, salud mental y evidentemente le corre sangre joven, limpia y divertida". A su vez "Gente" calificará a Sábato así: "Figura cumbre del pensamiento argentino, es natural y obligatorio que su nombre circule en nuestras páginas".

[17] "La Opinión", 15-6-76.

cipan de nuestro dolor y, nos atreveríamos a decir, de nuestro estupor''[18].

Con 1978 llegó el momento de ''ganar la paz'' como los voceros diligentes de los hombres de la espada y de la cruz lo proclamaron. Y es el momento de la ''plata dulce''. ''En enero último —proclama 'La Opinión' ya intervenida por los militares— alrededor de 120.000 argentinos viajaron al exterior, lo cual significa una erogación de unos 220 millones de dólares en un mes''[19]. Doscientos veinte millones de dólares en un mes para ciento veinte mil argentinos. ¿Y el resto de los 23 millones de argentinos?

Las mecas de los argentinos que habían ganado la paz eran Miami, Río de Janeiro, Punta del Este y Sudáfrica. Era la época del ''déme dos''[20].

Pero en la Plaza de Mayo aparecían las primeras locas, las madres de los desaparecidos.

1978 es el año de la ''Campaña antiargentina''. Lo de la ''campaña argentina en el exterior'' fue un inteligente golpe propagandístico de la dictadura para lo cual contrató a una empresa publicitaria norteamericana. Año del campeonato mundial de fútbol. Había que aniquilar la voz de los exiliados argentinos y de sus amigos y aliados extranjeros. Basta seguir las publicaciones de la época para registrar la agresividad con que fue llevada y la unificación de la opinión pública contra los ''antiargentinos''. Se logró similar unanimidad interna que en la guerra de las Malvinas. Hasta hoy han quedado las secuelas. Fue una campaña intensísima. Un rico material para próximas investigaciones. Sólo con las recomendaciones de Neustadt en televisión y radio se tiene ya un grueso capítulo. Pero también los slogans, las frases, de los cortos publicitarios. Los verdaderos argentinos, en esa época eran ''derechos y humanos''. La campaña antiargentina es el verdadero origen de la artificial división entre ''los que se fueron'' y ''los que se quedaron''.

Había que tratar de tapar el horror y la cobardía. Todos tenían su cadáver en el ropero y comenzaba a tener mal olor. Se inventaban toda clase de cosméticos para taparlo: el dólar barato, Maradona, Vilas y la princesa de Mónaco. Somos los mejores del mundo.

Un documento —que será publicado en cinco idiomas— es firmado por más de trescientas entidades empresarias, científicas y sociales del país. Tiene apenas ocho líneas pero es contundente: ''Ante la acción de aquellos que en el exterior intentan deformar la imagen del país, entida-

[18] ''La Nación'', 4-7-76.

[19] ''La Opinión'', 4-2-1979.

[20] ''Gente'', 15-11-79, proclama jubilosa: ''La fiebre de lo importado: esponjas de Taiwan, camisas de Hong Kong, rompenueces dinamarqueses, chisperos alemanes o infladores neumáticos belgas. Los argentinos se enfrentan a una nueva moda: el boom de los productos importados''. Y más abajo: ''El furor de los argentinos: comprar de todo siempre y cuando sea importado''.

des privadas representativas de la comunidad argentina se autoconvocan para expresar la reacción nacional bajo el lema: 'La Verdadera Argentina También es Noticia'. Los nombres de las entidades llevan una página entera de los diarios. Están todas: desde la Asociación Argentina de Cáncer hasta el Club Alemán, desde la Asociación Argentina de Editores de Revistas hasta la Asociación de Fabricantes Argentinos de Coca Cola, de la Bolsa de Cereales a la Bolsa de Comercio, desde el Círculo de Armas al Jockey Club, de la Universidad Católica Argentina a la Delegación de Asociaciones Israelitas Argentinas, desde la Sociedad Rural a la Cámara Argentina del Chacinado, desde el Rotary Club a la Cámara Gremial de Elaboradores de Tripas''[21]. Están todos. Sí, están todos con Videla, con Massera, con Cacciatore, principalmente con Martínez de Hoz. Es un lascivo frotarse las manos. No se sabe bien si por el dólar barato o por los métodos que aplica la dictadura con sus prisioneros. El general Benjamín Menéndez, en Córdoba, es recibido con aplausos por las "fuerzas vivas". La escritora Martha Lynch dirá rotunda: "fuera de los límites geográficos, al país no hay que criticarlo". Ernesto Sábato declarará al diario francés "Le Monde": "Boicotear el mundial no sólo hubiera sido boicotear al gobierno, sino también al pueblo de la Argentina, que de veras, no se lo merece"[22]. El doctor Ricardo Balbín, presidente de la Unión Cívica Radical, señala con el dedo a "los autores del ataque que se efectúa desde el exterior contra nuestro país. Las críticas vienen de afuera y distorsionadas y sirven a causas de los que se fueron del país después de haber encendido las llamas del incendio". "Los que se fueron del país", dice el doctor Balbín. Y ninguno de su partido sale a desmentirlo[23].

La batalla contra los antiargentinos se iba a ganar en un estadio de fútbol. A las denuncias de torturas, prisión, secuestros, botín, al desenmascaramiento de la peor de las muertes: la muerte argentina, la desaparición, se iba a responder con el grito de gol de cien mil, de 28 millones de gargantas argentinas. Nada como esta frase del general Saint Jean, gobernador de Buenos Aires, expresa ese momento de triunfo: "los que tuvimos la oportunidad de asistir (al estadio) pudimos ver y escuchar cómo

21 Se puede leer en todos los diarios argentinos del 23-6-78 y fue repetida hasta el cansancio por radioemisoras y canales de TV. "La Opinión" tituló: "Declaración sobre la realidad del país. Suscripta por más de 300 entidades científicas, sociales y empresarias". Un mes después, "La Nación" —20-7-78— publicará la adhesión de 71 entidades más para rechazar "campaña de desprestigio argentino". Firmaban desde la Asociación Argentina para el Control de Malezas hasta la Asociación de Diarios del Interior de la República Argentina (ADIRA); desde la Asociación de Entidades Periodísticas Argentinas (ADEPA) hasta la Asociación de Fabricantes de Pepsi-Cola; desde la Asociación de Importadores y Mayoristas de Bazar hasta la Cámara Argentina de Editores de Libros; desde la Cámara de Fabricantes de Armas, Municiones y Afines hasta la Cámara de Fabricantes de Bulones, Tornillos, Tuercas y Afines; desde el Centro Argentino de Ingenieros hasta el Colegio de Escribanos de la Capital Federal; desde la Federación Argentina de Mujeres de Negocios y Profesionales hasta la Sociedad General de Autores de la Argentina, etc., etc.

22 Ver transcripción del reportaje en "Clarín", 25-6-78.

23 "La Nación", Edición Internacional, 12-6-78.

todos los que estaban allí rezaban un padre nuestro y aplaudían a cada uno de los comandantes de las Fuerzas Armadas. Vimos a una concurrencia que asistió emocionada y sorprendida y terminó cantando la marcha de San Lorenzo''[24].

La trilogía el gol, el padrenuestro y la espada. ''La Razón'' se desata e imprime el titular que todos esperaban: ''ARGENTINA, EL MEJOR PAÍS DEL MUNDO''[25]. ''La Nación'', el diario de aquellos liberales de la disyuntiva ''civilización o barbarie'' rompe con su propio empaque y estampa su sentida verdad : ''LA HORA MÁS GLORIOSA'', es el título elegido[26].

Luis Gregorich, en ''La Opinión'' de los militares, creaba un neologismo: ''el espíritu del mundial''. ''Ese elemento —dice— al que llamaré —uniéndome por esta única vez a irracionalistas y jungianos— 'espíritu del mundial' es una carga colectiva de confianza y vitalidad que sólo lentamente se irá disipando''. Y le aconseja al general Videla ''ganar definitivamente la paz''[27]. La paz.

Nuevamente, el solícito monseñor Pio Laghi está a la altura de las circunstancias con su hisopo consagratorio: ''Hay una coincidencia muy singular y alentadora entre lo que dice el general Videla de ganar la paz y el deseo del Santo Padre para que la Argentina viva y gane la paz''[28].

Con los goles de Kempes se quería hacer callar la boca a los exiliados de una vez por todas. ''La Opinión'', con la firma de Sergio Cerón, se preguntaba: ¿Cómo explicarán ahora los extremistas exiliados y los analistas políticos de izquierda la presencia de millares de estudiantes en la Plaza de Mayo exigiendo la presencia del presidente Videla[29], al grito de *Flaco, corazón*?''[30].

El ataque a los exiliados se convierte ya en una cuestión de honor. Todos se prodigan. El arzobispo de La Plata, monseñor Plaza, visita a Videla para exponerle ''las gestiones realizadas ante los altos dignatarios eclesiásticos europeos acerca de la campaña que los grupos subversivos marxistas leninistas llevan a cabo contra el país''[31].

Los ideólogos de la dictadura se rasgan las vestiduras en ese paroxismo de irracionalidad y oportunismo. Jorge Luis Mitri, en destacado recuadro en la página central de ''La Opinión'' de los militares titulado ''El campeonato mundial y la cultura de los argentinos'' sienta las bases de qué debe ser cultura. Dice: ''(...) conviene aclarar ahora que la cultura

[24] ''La Opinión'', 28-6-78.
[25] ''La Razón'', 25-6-78.
[26] ''La Nación'', 26-6-78.
[27] ''La Opinión'', 26-6-78: ''Hay que mantener el espíritu del mundial''.
[28] ''La Opinión'', 26-6-78.
[29] ''La Opinión'', 28-6-78.
[30] ''La Opinión'', 27-6-78.
[31] ''La Opinión'', 22-6-78.

de un pueblo no se mide solamente por la labor intelectual del mismo. Eso es lo que durante mucho tiempo nos hicieron creer aquellos que encerrados en su torre de cristal parecieron despreciar cualquier manifestación popular multitudinaria. Para destruir esa premisa basta con abrir cualquier diccionario de la lengua castellana, allí nos encontraremos con la definición de que la cultura de un pueblo no sólo se mide por su labor intelectual, sino que hace a la misma todo lo que aquel pueblo produce. Según Julio Casares, de la Real Academia Española, cultura es el mejoramiento de las facultades físicas, intelectuales y morales del hombre y el resultado de ese mejoramiento en el individuo y la sociedad. De esta manera clara se explica que también es cultura aquello que tienda al mejoramiento total del ser humano. Y aquí es donde puede enlazarse esto con la realización del Campeonato Mundial de Fútbol recientemente finalizado en la Argentina. Porque, aunque a muchos mueva a risa la definición, el acontecimiento sirvió para elevar la cultura de un pueblo. Pues la realización del torneo significó —y esto nadie puede desmentirlo— un hecho por medio del cual las facultades totales de un pueblo pudieron ser mejoradas. Mal que le pese a muchos, la explosión popular que produjo la obtención del campeonato por parte del equipo argentino también es cultura, porque esa expresión de júbilo es parte del mejoramiento total de una nación. Vale decir que ya es hora de terminar con aquello de que todo lo que tenga que ver con la cultura de un pueblo debe imbuirse de un sentido serio, donde las sonrisas casi no tengan lugar. También debe terminarse con aquella expresión de desprecio, por parte de los seudointeleccanales, de aquellas manifestaciones casi ingenuas de un pueblo que canaliza así su alegría o tristeza. Porque no entenderlas significa no formar parte del mismo y de su cultura. Muchos serán los que tengan que agradecer la realización del Campeonato. Pero, de entre ellos, los más agradecidos deberán ser aquellos que, por su intermedio, aprendieron a entender a un pueblo, a consustanciarse y sentirse parte del mismo. Que aprendieron por fin la lección. Que dejaron su torre de cristal para ver las cosas a ras del piso y sentirlas como corresponde, caso contrario seguirán viviendo en un mundo irreal, un mundo que califican para iniciados y que, en realidad, sólo se trata de un mundo de necios''[32].

Pero no sólo en lo cultural. Para un ideólogo de la dictadura, Sergio Cerón, los once jugadores argentinos habían cambiado definitivamente la historia argentina. Con sus goles habían borrado al ''cordobazo'' de 1969. En su análisis titulado: ''Finaliza el ciclo del cordobazo: el 'Argentinazo' tras la conquista del título''. ''Esa década (la del 70) nació en una fecha, el 29 de mayo de 1969, en que el llamado cordobazo movilizó las primeras expresiones de guerrilla urbana. A partir de ese momento el caos, la anarquía y la locura del terror ganaron el país. Pues bien, el 25 de junio de 1978 será recordado como el día en que el pueblo argentino, en una explosión de júbilo y de alegría de vivir, cerró el ciclo. Este argenti-

32 ''La Opinión'', 27-6-78. ''El campeonato mundial y la cultura de los argentinos''

nazo de paz parece sepultar definitivamente el recuerdo del episodio que marcó el nacimiento de una guerra sucia, cruel y demencial. No importa cuánto éxito tenga aún la subversión en su campaña exterior contra el país. Dentro de nuestras fronteras ha sido derrotada precisamente porque no supo entender al pueblo argentino''[33].

La borrachera de goles hace perder las formas y la compostura a la ''intelligentzia'' del régimen militar. Y es así que Martín F. Yriart, en el mismo diario oficialista, incita a aprender del doctor Goebbels. En su nota ''La clase media revela su peso social en los festejos'', explica: ''Política y deportes son fenómenos de masas que poseen profundos e importantes vasos comunicantes. Observando uno de estos fenómenos —lo sabían tanto el doctor Goebbels como los analistas de inteligencia de la Oficina de Servicios Estratégicos norteamericana— es posible comprender el otro y actuar en consecuencia. Y en estos días las celebraciones deportivas han arrojado a la calle una multitud de argentinos que no se veía desde por lo menos tres o cuatro años. Esta multitud —unida entre sí por costuras más o menos visibles— conforma el grueso estrato de la clase media argentina y los sectores sociales que más se le acercan. Y es evidente que este conglomerado humano revela un considerable grado de cohesión y posee un peso social considerable. Si puede paralizar a la ciudad de Buenos Aires en pleno día, como lo ha demostrado cada vez que la Argentina defendía sus colores en el fútbol, también debe poder movilizar al país''[34].

Y Bernardo Neustadt admirará ''la figura pedagógica de César Luis Menotti —el más importante coordinador del individualismo nacional que ha aparecido en el escenario argentino''[35].

Pero también hay extranjeros preclaros que tratarán de desbaratar la campaña ''antiargentina''. Nelson Rockefeller —presidente del Chase Manhattan Bank de Estados Unidos— dará a conocer una declaración en Hamburgo que ''La Nación'' publicará en forma destacada bajo el título ''Los derechos humanos en nuestro país'': ''Sería absurdo de nuestra parte ejercer una presión sobre las naciones amigas cuando las mismas sostienen nuestra política exterior tratando a la vez de ensanchar los derechos y privilegios de sus pueblos. Sería una torpeza querer sancionar a países como la Argentina, el Brasil, Chile, Indonesia, las Filipinas, Corea del Sur y otras naciones importantes del mundo libre, donde los ciudadanos gozan de libertades que los soviéticos no pueden siquiera soñar''[36].

El palco de honor del gran triunfo donde Videla le entregó la copa a Daniel Passarella —el nuevo Cid Campeador del fútbol— es todo un símbolo: además del dictador, estaban los miembros de la Junta Militar,

[33] ''La Opinión'', 28-6-78.

[34] ''La Opinión'', 22-6-78.

[35] Idem, 12-9-79.

[36] ''La Nación'', 30-10-78.

el doctor Henry Kissinger y el cardenal primado monseñor Aramburu[37].

Pero será un escritor argentino quien hará tronar el escarmiento contra los intelectuales exiliados: Abelardo Castillo, director de la revista literaria "El Ornitorrinco". El diario "La Opinión" de los militares publicará en primera página su artículo titulado: "Una imagen corrompida infama al pueblo". En él comienza a decir con ironía: "Espero no herir a algún compatriota que viva en el extranjero si afirmo que desconfío de ciertos héroes intelectuales que postulan sus convicciones desde Calcuta a Afganistán". Y pasa a explicarle a una periodista sueca cuál es la verdad de la llamada "campaña desatada en el extranjero contra la Argentina". Y dice textualmente: "La imagen es falsa. Más que falsa, corrompida. Injuriosa no para un país abstracto, sino para su pueblo, para los hombres de carne y hueso que, en las buenas y las malas, son un país"[38]. Y más adelante, en esa Argentina de campos de concentración y torturas, de desaparecidos y prisioneros políticos, el escritor Abelardo Castillo señala: "En cuanto a la alegría, yo prefiero ver gritando y riendo a mi gente por las calles que verlas como esperaban los que infaman, no a un gobierno o a un país abstracto: a un pueblo entero que hoy más que nunca necesita alegría"[39].

Había que borrar el oprobio de cualquier manera. Había que gritarles ¡gol! a las madres desesperadas, ¡gol! a los torturados y a las violadas, ¡gol! a los niños borrados, ¡gol! a los exiliados, !gol! a los presos, ¡gol! a la memoria.

Y al igual que Gregorich, Abelardo Castillo ve en el "espíritu del mundial" el momento del despegue: "Es bueno que vayamos soñando una realidad argentina que nos haga sentir como nos sentimos esta noche, como nos sentiremos este mes. ¿Problemas heredados? ¡Vamos! No hay más que ver cómo se realizaron en un año cosas que parecían imposibles hasta para quienes las hacían, no hay más que oír a ochenta mil personas gritando en un estadio por su mínimo sueño de una copa de oro que secretamente simboliza la realidad de un país más bello"[40].

Ernesto Sábato, al entregarle la medalla de oro a Menotti, en la fiesta del hotel Sheraton —trasmitida al país entero por la televisión y radio— dirá: "El fútbol marca grandes virtudes humanas". Y, emotivo, agregará: "Es una gran emoción entregarle este presente a Menotti. Yo fui uno de los argentinos que gozaron, sufrieron y se alegraron con los partidos del Mundial"[41].

37 "Clarín", 26-6-78.

38 Los artículos de Abelardo Castillo aparecieron en junio de 1978 en "La Opinión" Recomiendo al lector su lectura completa.

39 Idem.

40 "La Opinión", 9-6-78. El artículo se titula: "El mundial nos compromete a soñar una Argentina mejor".

41 "Clarín", 24-6-79.

Después del triunfo, Luis Gregorich recomienda a Videla "defender victoriosamente nuestras defensas geográficas y culturales"[42]. En efecto, se está en la vigilia de armas contra dos enemigos: el marxismo internacional y Chile. No haya temor: en lo geográfico, las fronteras están defendidas por nuestros bravos generales. En lo cultural, asume el nuevo director de la censura —en reemplazo de Paulino Tato—, el doctor Alberto León, presidente de la Liga de Padres de Familia, quien anuncia que en cine se mantendrá para películas nacionales la censura doble: primero el guión —antes de permitir la filmación— y luego el film terminado. "Porque —explica— el guión dice 'beso', pero la imagen respectiva puede ser procaz. Lo que debe preocuparnos en todo y en cine es la penetración ideológica"[43]. (El 7 de junio de 1977, el director nacional de Cinematografía, comodoro Carlos Exequiel Bellio rechazaba el libro cinematográfico del autor de estas líneas, "Tiernas hojas de almendro", que había presentado Aries Films. Yo ya estaba exiliado y, por supuesto, el libro se presentó con seudónimo. Era la historia de amor de dos adolescentes de la colonia alemana en la Argentina, durante la Segunda Guerra Mundial, con todo el trasfondo político de la época, con las concomitancias del fascismo criollo y el nazismo alemán. Es interesante leer los considerandos del rechazo firmado por el comodoro: "El libro desde el punto de vista de una producción fílmica se considera excelente. De lo expresado en el análisis de la obra, se infiere que el guión provee elementos para llegar a los públicos con una película de gran impacto y cuyo mensaje, positivo o negativo, dejará sedimentos. La República Argentina, nuestro país, tiene sus propios problemas que resolver. En el momento actual, luego de un período de anarquía que se observó aún más en lo social, se encauza en una evolución cuyo objetivo es la unidad con un marco referencial formado por reales valores nacionales. Se cree oportuno entonces preguntarse si es conducente a este objetivo señalado, incluir en su desenvolvimiento de por sí ambicioso y de difícil alcance, ingredientes extraños de perturbación que por su sola presencia se constituirán en elementos disociadores. Esta película, inobjetable en su realización, en su contenido es nefasta y disociadora. Se aprecia que la distorsión de los elementos que presenta el guión es producto de una focalización equivocada o intenciosa, y en este último caso escapan al estudio que se realiza. El libro, desde el punto de vista cinematográfico está bien elaborado. La amistad romántica de los jóvenes Sieglinde y Rainer es tierna y delicada, en la exposición de una ideología extraña a las tradiciones nacionales. Este libreto que trata de un asunto romántico se desarrolla en la época de la última guerra mundial y aparecen en su transcurso personajes vinculados al nazismo, así como figuras políticas locales reales, cuyo tratamiento debe ser objeto de una atención especial dada la delicadeza de

[42] "La Opinión", 26-6-78. El artículo se titula: "Hay que mantener el espíritu del mundial".

[43] "Clarín", 1-10-78.

las situaciones que pueden originarse con sus actitudes y diálogos. El libro presentado es bueno y no tiene objeciones morales, pero teniendo en cuenta que se rozan problemas políticos sería conveniente que fuera tratado por los organismos especializados en la materia. Si bien el libro no tiene objeciones morales ni religiosas, sí puede ser altamente conflictivo desde el punto de vista político''[44] Hasta ahí la resolución. Huelgan los comentarios. De por sí todo un documento revelador —en contenido y lenguaje— de la época en que se vivía.

Meses después, el mismo comodoro Bellio y su Instituto aprobaban el proyecto y el préstamo para que se filmara el ''Informe de Ciegos'' de Ernesto Sábato, bajo el título de ''El poder de las tinieblas'' y dirección de su hijo Mario Sábato. Y no se queda allí, sino que nombra al film para representar oficialmente a la Argentina en el Festival Internacional de Moscú, en 1979. La prensa argentina celebra a páginas llenas el acontecimiento[45].

Meses antes, el mismo Instituto Nacional de Cinematografía da el permiso y el préstamo para que Ricardo Wulicher haga la película ''Borges para millones''. Un título borgeano. El film se estrena el 14 de septiembre de 1978 en dos salas céntricas. Los anuncios hablan del ''Borges que nadie conoce''. ''Su ceguera, la inmortalidad, la pesadilla, el idioma, la muerte.''[46]

Pero para ver la muerte no se necesita ir al cine en la Argentina de 1978. Está siempre presente. Las ''locas'' de Plaza de Mayo son cada vez más. Forman largas colas en ministerios y comisarías. Son mujeres humilladas hasta el hartazgo. Esperan horas interminables sólo para escuchar frases huecas, irónicas, palabras cobardes de toda cobardía. A María Adela Antokoletz, de casi setenta años, que pregunta por su hijo desaparecido, un subcomisario en el Ministerio del Interior le responde: ''no se preocupe, señora, su hijo debe estar cogiendo en Suecia''. Perversión y fantasías argentinas. Las fantasías de la perversión. Cada occidental y cristiano quería tener su Norma Arrostito propia en la Escuela de Mecánica de la Armada.

La dictadura se sentía poderosa y representada por la clase media. El general Videla lo dirá: ''La clase media argentina es la que hoy goza de los primeros atisbos de un mejoramiento sustancial de la situación en la Argentina. El reciente torneo mundial de fútbol les permitió a los argentinos recobrar la fe en sí mismos y en el país, pero fue la clase media la que se encontró consigo misma''[47].

Y se dicen cosas que halagan a esa clase media porteña, cosas que hoy parecen imposibles, como aquel discurso del ministro del Interior,

[44] Expte. Nº 32431/77/INC - Secretaría de Información Pública de la Presidencia de la Nación. Instituto Nacional de Cinematografía. Buenos Aires, 7-6-1977.

[45] ''Clarín'', 8-9-79.

[46] ''La Opinión'', 14 y 15-9-78.

[47] ''La Opinión'', 20-9-78.

general Harguindeguy, quien sintiéndose heredero de la generación del 80 propondrá traer inmigrantes europeos y articulará estas palabras liminares: "Siempre y cuando pretendamos seguir siendo uno de los tres países más blancos del mundo. Porque podríamos decir: abandonamos la pretensión de seguir siendo país blanco, que es una gran ventaja en calidad humana que tenemos, incluso sobre grandes naciones industrializadas, y podríamos adoptar lo que sí está disponible, que son contingentes inmigratorios de raza amarilla. Como la política nacional, incluso la Constitución, dice 'favorecer la inmigración blanca' (europea dice la Constitución, yo por extensión digo blanca), esa política se mantiene"[48].

Es la época en que Julio Cortázar escribe su artículo "América latina: exilio y literatura". Es un llamado dramático, claro y puro, con la limpia ingenuidad de quienes luchan por los perseguidos. No de los que prosternan ante los poderosos, por más metáforas que agreguen a sus disimulos. El artículo de Cortázar es de mera agitación. Nada menos. Un documento de guerra. Lo escribió para ayudar a los acosados de afuera y de adentro. No hay una sola frase que hable de divisiones entre los que tuvieron que irse y los que se quedaron, de superioridades, de menosprecios. Busca, como dice, "la respuesta más activa y eficaz posible al genocidio cultural que crece día a día en tantos países latinoamericanos"[49].

Ese llamado directo y sin eufemismos para que el mundo ponga sus ojos en nuestros países, tendrá su respuesta. Comenzaba así lo que se dio en llamar la polémica de "los de adentro con los de afuera". Que no es otra cosa —con distinto nombre— que la continuación de la tesis de la "campaña antiargentina" desde el exterior. La primera respuesta saldrá en la revista litararia de Buenos Aires "El Ornitorrinco", dirigida por Abelardo Castillo y Liliana Heker. En la nota de Liliana Heker, que titulará "Polémica con Julio Cortázar", luego de calificar de "muchas veces negligentes sus declaraciones (de Cortázar) sobre nuestra realidad nacional", agrega: "Ya que no se le puede atribuir mala fe, al menos puede suponérsele cierto apresuramiento, una necesidad a ultranza de hacer causa común con los exiliados, aun a riesgo de dar una imagen maniquea de la realidad, valiéndose de recursos más pasionales que científicos". Lo acusa de valerse de recursos "lírico-demagógicos" y de reemplazar con "retórica lo que él llama falta de aptitud analítica". Y con sorna se refiere a que él no es un escritor exiliado-expulsado. En resumen, la conclusión del lector es la de un intento solapado de desprestigiar al escritor y, con ello, de desacreditarlo en su ataque a la dictadura. No se entiende el mensaje puro y directo del intelectual comprometido con los perseguidos. Y para ello, se le hacen decir cosas que él no dijo[50].

[48] "La Opinión", 20-9-78. La nota se titula: "La inteligencia nacional decidirá el país futuro, dijo Harguindeguy".

[49] Reproducido por "Controversia", revista del exilio argentino. México, abril de 1981.

[50] "El Ornitorrinco", Nº 7, enero-febrero/80.

Julio Cortázar sufrió mucho por este ataque ya que su única intención había sido ayudar y no tratar de perfilarse, que no lo necesitaba. Personalmente, calificó la actitud de Liliana Heker como injusta y oportunista. El escritor argentino Humberto Costantini será más contundente. Escribirá: "Quizá por afán de figuración inventaron una supuesta polémica con Cortázar, gente como Abelardo Castillo y Liliana Heker, que se permitieron hablar algo más que despectivamente de los exiliados. La palabras que leí en aquellos editoriales podían ser perfectamente suscriptos por Harguindeguy o Videla"[51].

Y no hay agravio en esto último. Basta leer la clasificación en cinco categorías que Liliana Heker hace de los exiliados y no difiere en nada, absolutamente en nada, de la diaria propaganda que la Secretaría de Prensa y Difusión lanzaba en cadena a todo el país en radios y televisión: "El éxodo de escritores argentinos al exterior —dice Liliana Heker— obedece a razones diversas. Entre otras:

1. Dificultades económicas y laborales (que, naturalmente, no afectan sólo a los escritores).
2. Un problema editorial grave que obstaculiza las tareas específicas del escritor.
3. Una cuestión de aguda sensibilidad poética: sentir que él no puede soportar lo que sí soporta el pueblo argentino.
4. La búsqueda de una mayor repercusión o de una vida más agradable que ésta.
5. La búsqueda de un ámbito de mayor libertad."

Claro, al manifiesto de Cortázar lo habían entendido bien todos aquellos que estaban en los calabozos de la dictadura, los familiares de los desaparecidos, los autores que no podían publicar sus libros.

Pero Cortázar demostró en el episodio su grandeza y su humildad. Declarará después que "mi expresión de genocidio cultural era exagerada porque supongo que genocidio es la destrucción de todo un pueblo. Retiro la mención de genocidio, pero la noción general la sigo sosteniendo". De todos los intelectuales argentinos, el único que reconoció un error fue Cortázar. Lección de humildad. El resto, jamás se equivocó[52].

Ernesto Sábato reaccionó indignado contra la frase de Cortázar, comenzando así el primer capítulo de su literatura de justificación. Dirá: "La inmensa mayoría de sus escritores, de sus pintores, de sus músicos, de sus hombres de ciencia, de sus pensadores, están en el país y trabajan". Explícitamente dejaba en claro que los exiliados eran una ínfima minoría. Con lo que caía en el peligroso parámetro que imponía la propaganda de la dictadura. Agregará Sábato: "Cometen una grave injusticia los que están fuera del país pensando que aquí no pasa nada y que todo es un tremendo cementerio"[53].

[51] "El Observador", Buenos Aires, 13-4-1984.
[52] "Clarín", 3-12-83.
[53] "Clarín", 5-7-80.

"Los que se fueron", dice Balbín. "Los que están fuera del país", dice Sábato.

Cortázar no había querido decir lo que le achacaron. Los exiliados sabíamos muy bien que en nuestro país había quienes luchaban, a pesar de todo, y lo difundíamos en nuestras publicaciones. Porque en cada manifestación cultural libre, en cada huelga obrera, en cada marcha de las Madres de Plaza de Mayo, en cada publicación mimeografiada veíamos el verdadero comienzo del proceso de liberación.

La "inmensa mayoría está en el país", dirá Sábato. "Los escritores más destacados no se han ido", dirá Mujica Lainez. Silvina Bullrich sostendrá que "Ni Borges, ni Mallea, ni Sábato se fueron". Luis Gregorich se preguntará: "Después de todo, ¿cuáles son los escritores importantes exiliados?"[54].

El premio Nobel de la Paz a Pérez Esquivel fue el justo premio a quienes habían seguido luchando en el país, en sus calles, en la Plaza de Mayo, en las cárceles, en las aulas o en la soledad. Ese triunfo —de un hombre de "adentro"— fue celebrado con alegría sin igual por los exiliados. Pérez Esquivel pudo luego comprobar ese entusiasmo de los que luchaban en el exterior. No había divisiones de adentro o de afuera. Esa división la había creado la dictadura con su inmensa acción publicitaria acerca de la "Campaña antiargentina en el exterior". La división pasaba por otro meridiano: los que lucharon por la dignidad en cualquier parte y los otros, los que colaboraron o los que tuvieron el don de ubicuidad.

El año de 1979 fue el más estable y orgulloso de la dictadura. Estuvo marcado por dos hechos significativos: la visita de la Comisión de Derechos Humanos de la OEA y un nuevo triunfo en el fútbol: el Juvenil Mundial en Japón, con Diego Maradona y César Luis Menotti. Los dos hechos sucedieron simultáneamente en setiembre. Lo ocurrido en ese mes puede simbolizar en toda su abyección la inmoralidad en que había caído nuestra sociedad. En una sola escena se juntaron las dos Argentinas. Fue registrada por la televisión alemana. Frente a la sede de la comisión estaba la larga cola de las Madres de los desaparecidos. Mujeres del pueblo. Venían a denunciar los crímenes de esa sociedad ávida, cruel e infinitamente frívola. Ellas estaban solas. (¡Qué dignidad, Madres! Hay que poner en cámara lenta la casete del vídeo y observar rostro por rostro.) Cuando la cola del dolor y la dignidad hacía horas que esperaba llegó la verdadera Argentina. Venía en colectivos, camiones y a pie, gritando eso: ¡Argentina, Argentina! Venían incitados por el comentarista deportivo José María Muñoz. Se oía el sonido de las radios portátiles. Venían a demostrarle a la OEA que los argentinos eran derechos y humanos. Pasaban haciendo sonar bocinas y con la Argentina en la boca. (Se ve a algunos viandantes que se muestran sonriendo vergonzantes y moviendo la manito para que los capte la cámara. Están los clásicos provocadores de los servicios de informaciones que les preguntan a las Madres: "¡Y ahora

[54] "Clarín", 29-1-81. "La literatura dividida"

de qué se quejan! ¡Por qué no los cuidaron antes a sus hijos!". El clásico argumento repetido en las radios, en las escuelas, en los púlpitos. Las Madres ahí, sin moverse, en silencio, soportando esa saliva de los eternos lameculos del poder.)

Fue el año más degradado de nuestra historia. Así como 1978 había sido el año de la ignominia, 1979 fue el año de la mezquindad. Habían surgido en pleno Buenos Aires infinidad de compra-ventas de oro. Y la filosofía del régimen era la bicicleta financiera.

"La Opinión" de los militares traerá en su suplemento anuario las diez figuras nacionales que más se destacaron en ese triste 1979. Proclama a doble página y con fotos a los elegidos. Son el brigadier Osvaldo Cacciatore, intendente de Buenos Aires ("un primer premio a la ejecutividad"); el escritor Ernesto Sábato ("Dejó de ser un gran literato para tomar el espacio fundamental de un gran pensador, de un hombre profundo en plena lucha contra las trivialidades. No perdió ninguna oportunidad para exhortar a la vida mejor de un ser humano mejor en una sociedad mejor. Combatió el maniqueísmo y la hipocresía y tuvo la virtud de 'pensar' la Argentina en una realidad mundial"); Guillermo Walter Klein (el segundo hombre del ministro de Economía Martínez de Hoz); el brigadier Carlos Pastor (ministro de Relaciones Exteriores a quien le tocó enfrentar a la Comisión de Derechos Humanos de la OEA); el cardenal Primatesta ("Un ejemplo de mesura e inteligencia"); Julio César Gancedo, secretario de Cultura ("Un ejemplo de mesura pedagógica y periodística"); René Favaloro (cardiocirujano); Diego Maradona (futbolista, "un pibe a lo grande"); Ubaldo Fillol ("el mejor arquero del mundo") y Graciela Duffau (actriz)[55].

Luego comenzará el derrumbe. La podredumbre de la corrupción general corre por las calles y las plazas de Buenos Aires. Los de mejor olfato comienzan a abandonar el barco. La palabra democracia comienza a tener otro significado en las mismas bocas. Saben que hay que prepararse para cambiar todo sin modificar nada.

Malvinas fue el capítulo definitivo. Todo cayó sin pena ni gloria. Simbolizó nuevamente el fracaso no sólo de los militares sino también de todos los denominados sectores dirigentes de la sociedad. Nuestro parnaso intelectual produjo un nuevo fiasco. Mientras Borges salía del paso nuevamente con una frase ingeniosa que en nada ayudaba a analizar la trágica realidad, Ernesto Sábato se definía por la guerra y justificaba la muerte de "chicos de 19 años" para no "agachar la cabeza"[56].

Comenzaba la época del destape y del tape. El tapar todo el pasado inmediato. No sólo las tumbas, sino las conductas. Para muchos comenzó nuevamente la carrera de no perder el ómnibus en la nueva democracia.

[55] "La Opinión", 6-1-80.

[56] "Cambio 16", Madrid, 14-6-82.

Comenzaba también lo que los alemanes llaman la ''Rechtfertigungliteratur'', la Literatura de Justificación. Que en ese país ha llegado a ser más voluminosa que la del exilio. Se ha dado en polémicas, en páginas autobiográficas, en diarios íntimos, en la publicación de correspondencia de ''esos años'' (como en el caso del poeta Gottfried Benn, importante fuente para conocer los argumentos y la búsqueda de reivindicaciones de un ex colaborador) pero también en teatro, en la narrativa en general, en la ensayística. La obra de justificación es creada tanto por los que colaboraron con la dictadura de turno, desde el que fue apenas un acompañante hasta el gran aprovechado del momento, el que cree sólo haber cometido pecados veniales, el que se mantuvo en un digno aislamiento, el que necesita elaborar su indiferencia ante la tragedia, pero también exiliados que volvieron a integrarse al país durante la dictadura (en Alemania fue patético el caso de Ernst Gläser), presos que traicionaron a sus causas, conversos políticos, exiliados que no quieren ser confundidos con otros pertenecientes a corrientes políticas más radicales, o la sincera actitud autocrítica de quien comprueba el error de la experiencia política protagonizada.

Todos ''esos años'' de crímenes sórdidos y de conductas obscenas serán desnudados en su verdad por las generaciones que vendrán después de los protagonistas, testigos y víctimas. Son los que descubrirán el gran fresco brueghеliano de los rostros y las almas de toda una sociedad argentina convicta de filicidio y despojo, de oportunismo y aprovechada superficialidad. Los rostros, las almas y las voces de quienes mataron, acompañaron al crimen, se callaron o lanzaron una cohetería fraseológica para ''no perder'' pero que en el fondo no hicieron otra cosa que servir de coartadas al régimen criminal.

Después vino el paso alegre, pleno de toda frivolidad, con el que se saltó de una dictadura sombría y corrupta a un gobierno constitucional por encima de los fantasmas siempre presentes de los desaparecidos y de las tumbas de las Malvinas. La sociedad argentina, repentinamente, se había lavado en democracia con el solo acto formal de poner el voto en una urna. Yo los vi dando bocinazos en la Plaza del Congreso el 30 de octubre de 1983. Eran los mismos rostros y los mismos bocinazos del 26 de marzo de 1976. Los mismos de junio del 78 y de setiembre del 79 en las saturnales del fútbol. Al día siguiente, todos estaban signados en su rostro por el agua bendita de la repentina democracia, sin necesidad del confesionario. En los televisores y las radios seguían los Neustadt y Grondona y los José María Muñoz, los diarios seguían siendo los mismos que aplaudieron o callaron el reciente ayer, los funcionarios de siempre descubrieron de pronto que tenían una vieja vocación democrática escondida que había que sacar a relucir de una buena vez, los intelectuales siguieron ocupando los mismos espacios. Borges hacía tiempo ya que había olvidado la hora de la espada y se convertía en anarquista spenceriano; Sábato, lo que no había dicho ante la OEA lo expresaba ahora en el Teatro San Martín; los empresarios eran los mismos que en 1976 denunciaron a los escuadrones de la muerte a sus obreros incorregibles; los dirigentes sindicales eran los mismos que recomendaban a la OEA la represión del "marxismo internacional". Eran los viejos actores en unas bambalinas llenas de flores, sonrisas y lluvia de miel, y el público los aplaudía frenético porque los reconocía como suyos. Se sentían representados. Era como bajar definitivamente el telón a un pasado que podía perturbar la digestión.

El presidente electo Alfonsín recibirá a los intelectuales el 23 de noviembre de 1983. Jorge Luis Borges dirá en esa oportunidad: "yo descreí de la democracia; creí que era un caos provisto por las urnas electorales. Pero el 30 de octubre de 1983 fue una fecha histórica para la Argentina porque quedó demostrada la voluntad de que ese caos se convierta en un cosmos"[57]. Un periodista escribió una cuartilla sobre esa reunión titulada "El talento ausente" y se refiere a la falta de invitación por parte de Alfonsín a los escritores exiliados. "Se ha echado de menos —dice— un gesto que pudo haber completado el acontecimiento: la invitación a algunos de los muchos y notorios hacedores culturales que están en el exilio, como Julio Cortázar (Francia), David Viñas (México) —y aquí el autor da una larga lista de los escritores exiliados en Alemania Federal, Venezuela, Estados Unidos, Italia, Inglaterra, España y Canadá— para luego agregar: "estas ausencias no pueden disminuir la trascendencia del acto aunque sí opacarlo, porque nuestros intelectuales exiliados son, precisamente, 'nuestros', patrimonio de los argentinos. El conjunto del país ha conquistado el derecho de que vuelvan, todos ellos"[58]

La familia argentina se había reunido nuevamente el día domingo, en paz, después de tantos sofocones. Pero golpearon a la puerta. Eran las Madres, que querían saber dónde estaban sus hijos.

Un símbolo para la cultura argentina: el teniente coronel Gorleri, aquel que quemó públicamente los libros y firmó orgulloso la proclama en 1976, fue ascendido a general de la Nación, por el Senado elegido por el pueblo, en 1984. De teniente coronel de la dictadura a general de la democracia.

Pero siguen las Madres en la Plaza. Y ya no es todo tan fácil. No será tan fácil.

[57] "La Voz", Buenos Aires, 29-11-83.

[58] Idem.

APENDICE

Lo que no se supo o no se quiso hacer en la Argentina, se hizo en Maryland: el encuentro entre los que habían tenido que irse y los que pudieron o debieron quedarse durante los años de la dictadura.

Ése es el mérito. Haber hecho algo que los nuevos burócratas de la cultura en la Argentina dejaron de hacer: el reencuentro. No para hermanarse falsamente en retóricas típicas de tiempos electoralistas sino para el enfrentamiento. Cuando el enfrentamiento es comparación, respuestas que habían quedado sin contestar, posiciones que habían quedado sin comprender.

Por eso, lo más valioso para mí de este simposio fue el debate. Porque en él —mucho más que en las intervenciones leídas— fueron destilándose las verdades de cada uno. Fueron cayendo las máscaras —humanas algunas— que cada uno había adoptado para aparecer en una especie de tribunal sin jueces que se fue creando durante esos tres días por necesidad existencial de cada uno.

El debate fue un diálogo desordenado pero rico, donde se fue desenvolviendo poco a poco el drama individual y la gran tragedia de un período que puso a prueba a todos los argentinos. Un tiempo que ha dejado su marca para siempre.

De ahí lo importante de las discusiones y de las salidas —tal vez poco explícitas— que trataron de buscarse y que, por lo menos, hacían notar su presencia en el ambiente.

Como exiliado, no olvidaré nunca Maryland. Y quisiera que se concretara la iniciativa de que allí esté el archivo del exilio argentino. Porque fue el primer lugar donde se lo hizo protagonista.

La discriminación del exilio en la invitación a la reunión de intelectuales que hizo Alfonsín como presidente electo —en noviembre de 1983—, la mezquina participación de ese gobierno argentino en las exequias de nuestro querido Julio Cortázar, me hizo dar cuenta de que no había interés ni de reparaciones morales ni de debates sobre conductas civiles.

Pero en Maryland sí, estuvieron los exiliados —con sus disparidades y, gracias a Dios, con su caos sí que "pluralista"— que pudieron hablar de sus fórmulas y experiencias nacidas al tener que abandonar el paraíso, ya perdido para siempre en su dibujo de intuiciones primigenias, como Adanes y Evas expulsados por comer la manzana de la rebeldía.

Luis Gregorich, en 1981, había hecho desde Buenos Aires una pintura interesadamente expresionista de los intelectuales argentinos exiliados. En la nota "La literatura dividida" se preguntaba: "¿Qué será ahora, qué está siendo ya de los que se fueron? Separados de las fuentes de su arte, cada vez menos protegidos por ideologías omnicomprensivas, enfrentados a un mundo que ofrece pocas esperanzas heroicas, ¿qué harán, cómo escribirán los que no escuchan las voces de su pueblo ni respiran sus penas y alivios? Puede pronosticarse que pasarán de la indignación a la melancolía, de la desesperación a la nostalgia y que sus libros sufrirán inexorablemente, una vez agotado el tesoro de la memoria, por un alejamiento cada vez menos tolerable. Sus textos, desprovistos de lectores y de sentido, recorrerán un arco que empezará elevándose en el orgullo y la certeza y que terminará abatido en la insignificancia y la duda" ("Clarín", 29-1-81.)

Maryland demostró que nosotros —aunque "desprovistos de lectores"— no estábamos abatidos por la "insignificancia y la duda". Estuvimos allí y por lo menos intentamos búsquedas en nuestras exposiciones y argumentos. Inmensas ganas de construir algo nuevo, no quedándonos en el pasado (aunque no tapándolo) sino aprendiendo a través de él, para democratizar el país, para que los intelectuales sean también responsables en la construcción de la República. Luchar para que por lo menos estos temas puedan ser debatidos por nosotros en los canales de televisión de nuestro país y no tengamos que venir a exponerlos a Maryland. Nombre que —repito— quedará en mi memoria con algo de ingenuo regocijo.

POR UN FUTURO IMPERFECTO

SANTIAGO KOVADLOFF

Si de veras la Argentina quiere afianzar su democracia tendrá que aprender a liberarse de cierta visión del futuro que aun hoy está enquistada en el pensamiento republicano. Esa concepción, que no vacila en recurrir a mayúsculas y almidones cada vez que invoca el porvenir, no es más que una trampa que aprisiona a la conciencia del país en una valoración del tiempo verdaderamente estéril.

Reverso de otro concepto igualmente nefasto —el del *Pasado-Sin-Mácula*— la imagen del futuro perfecto conforma, en esencia, un espejismo siniestro. ¿Por qué? Porque responde al ideal de la realización sin fisuras; al imperativo de la apoteosis y el sonoro final feliz. ¡Como si la historia se fijara metas definitivas y la vida de los hombres estuviese llamada a alcanzar objetivos infranqueables!

No le deseo a mi país un futuro marmóreo y sin impurezas porque eso, en última instancia, equivale a extenderle un certificado de defunción. No lo quiero lanzado tras el ideal del *Bien Definitivo* porque eso equivale a condenarlo a la parálisis. Me importa, en cambio, verlo invertir su energía en una perpetua renovación de sus conflictos; en una búsqueda de sí rica por lo que tenga de incesante y que, sin perder complejidad, sea capaz de ir ganando siempre mayor hondura. Le deseo, en suma, un fecundo desencuentro con las ilusiones enfermas que le dicta la terca voz de su omnipotencia.

Ser y durar nunca serán lo mismo. Puede durar lo que no cambia. Pero sólo puede ser lo que se transforma. Y en lo que atañe a una nación, ella no se desarrolla más que cuando la orienta el sentido crítico y eficaz de sus cambiantes pero incesantes contradicciones. De manera que una comunidad dotada de semejante atributo perceptivo, lejos de anhelar el exterminio de lo problemático, aspira al paulatino ascenso cualitativo de las cuestiones que la desvelan. Busca, en otras palabras, *mejores* preocupaciones y no *ninguna* preocupación. Y es que no se está bien cuando no nos pasa nada sino cuando lo que nos pasa logra arrebatarnos de interés. Del mismo modo, no se realiza una nación cuando presume haber dejado atrás tensiones e incertidumbres sino cuando ve gravitar sobre su presente desafíos y tareas más ricos que los que pesaron sobre ella en el pasado. Por eso, en la medida en que la Argentina siga a merced de males que, a fuerza de irresueltos, terminan siendo crónicos, se condena a no poder emplear su tiempo en la creación de nuevas y más fecundas inquietudes.

Se diría que el país se empecina desde antaño en acentuar su división en banderías, segmentándose en pandillas atascadas en la idea de que la razón no debe compartirse sino acapararse. Somos —¡quién no lo sabe!— hijos de un pavoroso feudalismo espiritual; de un afán de enajenación que no cesa y que sólo puede ir en desmedro del ya muy lastimado proyecto de unión nacional.

Estimulado por la sed de poder sectorial y la jactancia corporativa, el rechazo a la divergencia solidaria ha hecho de la Argentina un estado atomizado en incontables partidos políticos. Creo, por eso, que anda lejos de la real naturaleza de los hechos quien interprete ese polimorfismo partidario como expresión de alguna riqueza de ideas. Hay, a mi ver, otra versión de las cosas, prosaica quizá y, sin duda, paradójica pero, tal vez, más reveladora. Es la que entiende esa extendida diversidad partidaria como ácido producto de la intolerancia al pluralismo. De hecho, cuando los nucleamientos políticos primarios impugnan la polémica que se genera entre sus distintas tendencias internas, promueven, generalmente, la expulsión de una u otra de ellas y así contribuyen a atomizar en varios cuerpos lo que, con mayor tolerancia y mejor civismo, bien podría seguir siendo parte de uno solo.

Es que no se resisten las tensiones de la discrepancia porque se teme el contacto con el valor relativo de las propias convicciones y más aún se teme el contacto con quienes no coincidiendo con nosotros nos resultan, sin embargo, imprescindibles para subsistir.

La Argentina, en suma, pareciera más complacida en fundar incesantemente nuevos partidos antes que en crear algunas buenas ideas. De igual modo, hace ya mucho que se la ve mejor dispuesta a recordar con más frecuencia su riqueza potencial que a explicar y revertir su ineptitud para explotarla.

Vale la pena entender que la dictadura del futuro perfecto sólo puede concretarse allí donde la intolerancia al pensamiento ajeno y su complemento —la ausencia de autocrítica— se abrazan para dar forma al modelo autoritario. Y el autoritarismo, que nos condena a un porvenir monumental, también nos arroja, por supuesto, a las fauces de un pasado de piedra que se postula como expresión de virtudes inmejorables.

El pasado de una nación que ha alcanzado la paz es, por eso mismo, turbulento; y ni qué decir de las naciones que no la han alcanzado. Quien observe ese pasado con lucidez no podrá sino verlo atravesado por el huracán de la pasión, de la arbitrariedad y el sectarismo. Es inútil y socialmente empobrecedor intentar despojarlo, desde el presente, de su rugido multívoco, de su ritmo caótico.

El pasado sólo se hace inteligible como imagen y ninguna imagen del pasado es exclusiva ni suficiente para lograr, de una vez por todas, la aprehensión de su significado. Y eso, porque cualquier imagen del pasado que se nos brinde es sólo una cierta síntesis; es siempre *una* entre otras síntesis interpretativas posibles y, en esa medida, no deja de estar nunca expuesta al roce desgastante de la relatividad. Para que cualquiera de esas síntesis resulte parcialmente válida, de ningún modo es necesario —a menos que sus aspiraciones sean dogmáticas— que le asista *toda* la razón ni que en ella se agote el significado integral de los hechos que alimentan su trama.

Mientras sigamos reclamándole esfinges al pasado nos condenaremos a la inmovilidad. No educamos a los jóvenes para que se reconozcan en nuestros próceres sino para que se subordinen a la mitología que los momifica. Para que sustituyan la curiosidad por la obediencia y reemplacen la familiaridad por el temor. Para que no los exalte nunca la pasión ni los gane el entusiasmo y se atengan sin descanso a la asepsia del rígido deber. Y así, con tanto empeño puesto en la petrificación del ayer, se deja de advertir que, con la renuncia a discutir la historia, se va inculcando el sentimiento de que el presente no es espacio de trabajo, de redefiniciones, sino sitio de abstención y mero acatamiento. Se niega, en fin, que las mejores verdades no exigen sumisión sino conciencia, y que la conciencia no prospera más que donde se ha comprendido la fuerza transformadora que encierra el hábito del replanteo.

Al verse privados del aliento y el derecho de buscar significados propios, los jóvenes de hoy sienten que sólo habrá de legitimárselos a condición de que renuncien a su inquietud creadora. Se diría que la anemia espiritual es el requisito para encontrar vacante en el presente.

El prejuicio, la soberbia, la estupidez y el miedo han succionado, a la enseñanza oficial de la historia, el derecho a la vida verosímil. Así como también el utopismo autoritario ha paralizado el significado del futuro, convirtiéndolo en el sitio de la *Bien aventuranza*. Si seriamente queremos llegar a ser algo más que un sueño como nación tendremos que renunciar al ideal sin sustancia de la ''Argentina potencia''; al pedestal que el destino, según se presume, nos ha reservado entre los estados triunfales de la Tierra. Sólo el reconocimiento de nuestra medianía podrá ponernos a salvo de ellos. Todo se echará a perder penosa, irremediablemente, si pretendemos alimentarnos de otro pan que no sea el de nuestra experiencia. Y nuestra experiencia es la del extravío; es la experiencia de un país que aún no atina a dar con su cauce. Somos, todavía, puro prolegómeno. Estamos, todavía, en el vestíbulo de las grandes síntesis nacionales que, a su vez, siempre son provisorias porque se nutren de la imaginación aportada por sucesivas generaciones que la redefinen sin pausa. No habrá república mientras la vida provinciana sea sinónimo de letargo y extemporaneidad, y la indigencia cultural que nos sumerge sea entendida como consecuencia y no como causa del subdesarrollo. No habrá república hasta que la comunidad argentina ingrese a otra etapa problemática que la que, desde hace tanto, la agobia: la del salario insuficiente, la de los pactos mafiosos, la de la militarización de la vida cívica, la de la intolerancia religiosa, la de la dependencia que hipoteca hasta el último resquicio de la vida cotidiana.

Los problemas que hoy nos definen son los que impiden definir a la república como un estado problemáticamente rico. Nuestros problemas no son interesantes. Son graves. Nada más que graves. Una sociedad llega a tener problemas interesantes sólo después de haber logrado y fortalecido su unidad. A partir de allí tiene problemas auténticamente nacionales. Hasta allí, tiene problemas *con* la nacionalidad. Y los problemas con la nacionalidad se concentran en un área, remiten en conjunto a un trauma dominante: el que impide superar el sectarismo; la tenaz tribalización de la problemática histórica.

Somos, creo yo, hijos de un bicefalismo riguroso. Nos gobiernan las dicotomías. Se nos ha hecho creer que todo conflicto implica una disyuntiva tajante. El marxismo acierta o se equivoca. Perón envileció al país o lo enalteció como ninguno. El liberalismo promovió la catástrofe o inspiró el progreso. Yrigoyen impulsó a la liberación o destrozó la austera república patricia. Iconoclastas de lo absoluto, seguimos dominados por el terror al tiempo, al cambio, a la vigorosa penumbra donde la luz y la sombra se funden en el humus de una tercera y matizada instancia. Creemos que en las polarizaciones hay más verdad que en las conjunciones. Pero la democracia que tanta falta nos hace no puede ser fruto sino de una resuelta voluntad de convergencia. La democracia no prospera más que donde la sensibilidad al matiz logra sobreponerse a la hostilidad de los trazos contrapuestos. Por eso, el autoritarismo político desalienta la polémica y decreta subversiva la visión problemática de lo real. Nada quiere saber tampoco con la buena memoria: la prefiere extinta para que el sentimiento cívico pierda, de ese modo, conciencia del valor temporal de su experiencia y se hunda en la vivencia vegetativa de la cultura y la historia. Su vocación, en suma, es mineral: aspira a cristalizar los significados.

En resuelta oposición al autoritarismo, la sensibilidad democrática alienta la comprensión social, es decir dinámica, del valor de la memoria. Al articular la relación entre pasado y presente, la memoria estimula el ejercicio de la comparación y, con él, el ahondamiento del espíritu crítico, la proclividad al análisis y la voluntad de diálogo y discusión. Justamente, en la raíz solidaria de esa voluntad de diálogo y discusión se va ensanchando la propensión a concebir el futuro en términos de incesantes procesos y no de gloriosas epifanías terminales; allí se va afirmando, en fin, la capacidad de valorar ese futuro que, liberado de la triste obligación de salvarnos de la historia, nos reconcilia siempre un poco más y siempre de otro modo con las ventajas de su desafiante y renovada imperfección.

PARTICIPANTES

Jorge Balán

Sociólogo. Autor de numerosas publicaciones sobre problemas de migración y demografía. Ha sido Tinker Professor en la Universidad de Texas. Actualmente es investigador titular de CEDES (Centro de Estudios de Estado y Sociedad). Encabezó el Joint Committee on Latin American Studies del Social Science Research Council y actualmente el Comité Académico del Wilson Center.

Osvaldo Bayer

Periodista. Ha sido secretario de redacción de *Clarín* y director del suplemento cultural del mismo diario. Ha vivido exiliado en Alemania Federal desde 1976. Ha publicado: *Severino di Giovanni, el idealista de la violencia; Los vengadores de la Patagonia trágica* (4 tomos); *Los anarquistas expropiadores y otros ensayos históricos; Exilio* (con Juan Gelman). Ha escrito los guiones cinematográficos de "La Patagonia rebelde", "La Maffia", "Exilio y regreso" y "Todo es ausencia".

José Pablo Feinmann

Escritor. Licenciado en filosofía por la Universidad de Buenos Aires. Ha publicado novelas: *Últimos días de la víctima, Ni el tiro del final* y *El ejército de ceniza,* y ensayos: *Filosofía y Nación, Estudios sobre el peronismo, El mito del eterno fracaso, La creación de lo posible* y *López Rega, la cara oscura de Perón.* Ha escrito también varios guiones cinematográficos y colabora regularmente en la revista *Humor.*

Luis Gregorich

Crítico literario. Ha publicado: *Cómo leer un libro, Tierra de nadie, La República perdida, Literatura y homosexualidad y otros ensayos,* además de centenares de ensayos, artículos, prólogos, fascículos de obras de consulta, etc. Entre otras actividades, ha sido secretario ejecutivo de "Capítulo Argentino", director de "Capítulo Universal" y de la colección "Narradores de Hoy", todas ellas con el Centro Editor de América Latina; secretario de redacción y director del Suplemento Cultural del diario *La Opinión* (1975-79); editorialista y jefe de la edición internacional de *Clarín* (1979-1983) y editor del semanario *Argumento Político* (1983-84). Se desempeñó como director-gerente general de la Editorial Universitaria de Buenos Aires (EUDEBA) de 1984 a 1986.

TULIO HALPERÍN DONGHI

Historiador. Enseñó en las universidades del Litoral y Buenos Aires (Argentina), Harvard y Oxford; desde 1971 en la Universidad de California-Berkeley. Ha publicado, muchas obras: *El pensamiento de Echeverría, Historia contemporánea de América Latina, Historia argentina, III: De la revolución de independencia a la confederación rosista; VII: La democracia de masas; Revolución y guerra: formación de una élite dirigente en la Argentina criolla; Hispanoamérica después de la independencia: Consecuencias sociales y económicas de la emancipación; Guerra y finanzas en la formación del Estado argentino (1791-1850)*, etc.

LILIANA HEKER

Escritora. Ha publicado libros de cuentos: *Los que vieron la zarza, Acuario, Un resplandor que se apagó en el mundo, Las peras del mal*, y una novela: *Zona de clivaje*. Fue cofundadora y codirectora de las revistas literarias *El Escarabajo de Oro*, que se editó entre 1961 y 1974, y de *El Ornitorrinco*, cuyo primer número apareció en 1977.

NOÉ JITRIK

Crítico literario, poeta y narrador. Entre sus múltiples publicaciones se hallan los siguientes libros: *Leopoldo Lugones, mito nacional; El 80 y su mundo; Ensayos y estudios de literatura argentina; El fuego de la especie; Producción literaria y producción social; El noexistente caballero; Las contradicciones del modernismo; La memoria compartida; Las armas y las razones;* poesía: *Feriados, Addio a la mamma; Comer y comer;* ficción: *La fisura mayor; Llamar antes de entrar; Del otro lado de la puerta; El ojo de jade; Fin del ritual*. Ha desarrollado actividades académicas en Universidades de la Argentina, Francia, México, Venezuela y los EE.UU. y actualmente dicta literatura latinoamericana en la Universidad de Buenos Aires. Fue investigador de la Universidad Nacional Autónoma de México.

Santiago Kovadloff

Poeta, ensayista y traductor. Ha publicado poesía: *Zonas e indagaciones, Canto abierto* y *Lugar común* (con otros poetas, aparecido en Buenos Aires en la década del 70); ensayos: *Oda marítima* de Fernando Pessoa (estudio y traducción), *La droga: máscara del miedo* (con Eduardo Kalina), *Las ceremonias de la destrucción* (con E. Kalina), *Una cultura de catacumbas y otros ensayos, Argentina-Oscuro país (ensayos para un tiempo de quebranto)*; analogías de poesía brasileña y portuguesa; traducciones de, entre otros, Machado de Assis, Guimaraes Rosa y Manuel Bandeira. Colabora en varias publicaciones argentinas y de otros países americanos. Se dedica a la docencia privada en filosofía, literatura latinoamericana y sociología de la literatura.

Jorge Lafforgue

Crítico literario. Profesor de Filosofía (Universidad de Buenos Aires), es titular de Literatura Latinoamericana en las universidades del Salvador y Nacional de Lomas de Zamora y en el CEHASS. Como periodista se ha desempeñado al frente de la Secretaría de Prensa de la UBA y ha tenido a su cargo la sección cultural o bibliográfica de publicaciones como *Panorama, Siete Días, La Opinión* o *El Observador*. Asesor literario y director de colecciones en editoriales argentinas y españolas (Losada, CEAL, Alianza, Legasa, etc.), ha publicado *Nueva novela latinoamericana* (2 vols.), *Asesinos de papel* (en colaboración con Jorge B. Rivera), *Florencio Sánchez* (autor del que editó sus *Obras completas* en 3 vols.) y varios otros trabajos.

Tomás Eloy Martínez

Escritor y periodista, que ha terminado por sumar y confundir esas disciplinas en sus textos. En los años 60 fue jefe de redacción de *Primera Plana* y corresponsal de *Panorama* en París. En los 70, director de *Panorama*, de *La opinión cultural* y de *El diario de Caracas* (que fundó y contribuyó a organizar). Autor de: *Sagrado, La pasión según Trelew, Los testigos de afuera* y *Lugar común la muerte,* obra que prefigura su último texto, *La novela de Perón,* difundida primero en folletín. Vivió exiliado en Caracas entre 1975 y 1983. Fue Fellow del Wilson Center y actualmente se desempeña como profesor de literatura latinoamericana en la Universidad de Maryland.

JUAN CARLOS MARTINI

Escritor. Ha sido periodista, librero y editor. Vivió nueve años exiliado en Barcelona. Ha publicado libros de cuentos: *El último de los onas, Pequeños cazadores, La brigada celeste,* y también novelas: *El agua en los pulmones, Los asesinos las prefieren rubias, El cerco* (reunidas en 1985 en el volumen *Tres novelas policiales*), *La vida entera, Composición de lugar, El fantasma imperfecto.*

RICHARD MORSE

Historiador. Ha sido profesor en las universidades de Columbia, Yale y Stanford. Fundó y dirigió el Institute of Caribbean Studies de la Universidad de Puerto Rico. Entre sus numerosas publicaciones cabe mencionar *From Community to Metropolis* y *El espejo de Próspero*. Actualmente dirige el Programa Latinoamericano del Woodrow Wilson International Center for Scholars, en Washington.

MÓNICA PERALTA RAMOS

Socióloga. Obtuvo el Doctorado de Tercer Ciclo de la Sorbonne. Ha sido miembro de la Carrera de Investigador Científico y Técnico del CONICET (1972-77); profesora del curso de posgrado en sociología en FLACSO-Buenos Aires (1978-80); dictó cursos en Cambridge y fue Visiting Fellow del Institute of Latin American Studies de la Universidad de Londres y del Institute of Development Studies de Susex (1981-82). Actualmente dirige la sección de asuntos universitarios y académicos del Departamento Cultural de la Embajada Argentina en Washington. Ha publicado: *Etapas de acumulación del capital y alianzas de clases en la Argentina (1930-1970) y Acumulación del capital y crisis política en la Argentina (1930-1974).*

LEÓN ROZITCHNER

Filósofo. Fue profesor de la Universidad Central de Venezuela, donde vivió exiliado desde 1976 hasta su retorno a Buenos Aires en 1985. Es autor de *Moral burguesa y revolución, Ser judío, Freud y los límites del individualismo burgués, Freud y el problema del poder*, y el extenso estudio *Entre la sangre y el tiempo*, sobre las ideas y la personalidad de Perón a la luz de autores como Clausewitz y Freud.

BEATRIZ SARLO

Crítica literaria. Ha publicado: *Juan María Gutiérrez, historiador y crítico de nuestra literatura; Carlos Guido y Spano; Conceptos de sociología literaria; Literatura/sociedad; Ensayos argentinos: de Sarmiento a la vanguardia* (estos tres últimos con Carlos Altamirano), y numerosos estudios sobre literatura argentina, además de compilaciones, antologías y prólogos. Ha sido miembro del consejo de dirección de la revista *Los libros;* desde 1978 dirige la revista *Punto de vista*. Actualmente se desempeña como profesora titular de literatura argentina en la Universidad Nacional de Buenos Aires.

HIPÓLITO SOLARI YRIGOYEN

Abogado y doctor en Derecho y Ciencias Sociales de la Facultad de Derecho de la Universidad de Buenos Aires. Ha sido senador de la Nación Argentina en el período 1973-76 y vicepresidente del bloque Radical. Víctima de tres atentados, desaparecido, prisionero político y exiliado desde 1977 hasta 1983. Editó el periódico *La República*, de los exiliados del radicalismo argentino; ha sido abogado de diversas organizaciones y agrupaciones sindicales. Actualmente es asesor del presidente de la Nación (ad honorem). Además de infinidad de artículos y monografías, ha publicado: *Así son las Malvinas; Las Malvinas de hoy; Participación obrera en las ganancias de las empresas; Defensa del movimiento obrero; El escándalo Aluar; Los años crueles.*

SAÚL SOSNOWSKI

Crítico literario. Profesor y director del Departamento de Español y Portugués de la Universidad de Maryland. Fundó y dirige la revista de literatura *Hispamérica*. Ha publicado numerosos artículos sobre autores hispanoamericanos y los libros *Julio Cortázar: Una búsqueda mítica; Borges y la Cábala: La búsqueda del Verbo*, y *La orilla inminente: Escritores judíos argentinos;* ha compilado los libros *Augusto Roa Bastos y la producción cultural americana* y *Represión, exilio y democracia: La cultura uruguaya.*

KIVE STAIFF

Crítico teatral, y entre 1972-73 y desde 1976 director general y artístico del Teatro Municipal General San Martín de Buenos Aires. Ha sido secretario de redacción y crítico teatral del diario *Correo de la tarde* (1958-64); fundador y director de la revista *Teatro XX;* crítico teatral de las revistas *Claudia* (1960-70), *Confirmado* (1964-66); jefe de redacción de *Análisis* (1966-70) y secretario de redacción y crítico teatral del diario *La Opinión* (1971-72; 1973-76).

Posdata: El encuentro de Maryland no fue una excepción con respecto a reuniones similares, al menos en un aspecto: muchas palabras filosas e inquietantes no quedaron registradas por escrito. Las ponencias desataron discusiones, y éstas y aquéllas se prolongaron en largas sobremesas.

Richard Morse y Jorge Balán, que abrieron dos paneles, y Kive Staiff, que trazó un polémico cuadro del desarrollo teatral en la Argentina, expusieron de viva voz, sin papeles. Pese a nuestra insistencia para que Staiff reconstruyera su intervención por escrito, prefirió sumar sus palabras a aquellas otras que, desgraciadamente, "el viento se llevó", o casi

N del E.

Se terminó de imprimir en offset en el
mes de abril de 1988,
en los talleres gráficos de la
Compañía Impresora Argentina, S.A.
Alsina 2049 - Buenos Aires - Argentina